개 벽

(開闢)

개벽

발 행 | 2024년 2월 5일
저 자 | 조성삼
펴낸이 | 한건희
펴낸곳 | 주식회사 부크크
출판사등록 | 2014.07.15.(제2014-16호)
주 소 | 서울특별시 금천구 가산디지털1로 119 SK트윈타워 A동 305호
전 화 | 1670-8316
이메일 | info@bookk.co.kr

ISBN | 979-11-410-7034-2

開闢

(개벽)

趙誠三 지음

차   례

머리말, 1990

나는 어디서 와서 어디로 가는가?

답서라.

너에 옥서를 바다 보니 미안한 마음을 머라 말할 수 업
다. 한 번 갈라고 하엿드니 너 어미가 몸이 아직도 성치
못하고 차일피일 하다가 금년 농사를 하라고 하니 논이
하도 수렁이라 이리저리 재다가 요사이 중장비로 둑을 미
느라 가지 못하니 소를 파라 너의 돈을 주라고 하다가 논
을 고쳐 볼라고 하야 여의치 못함을 용서하고 앞으로 기
계화 농사를 지어볼까 하니 그리 아러라.
　새아기 출생한 말을 듣고 못가보고 답으로 하니 미안함
을 양해하고 앞으로 모든 거슬 농사 지어서 줄 터니 그리
알아라. 금년 정월에는 광주 너의 형 만나고 오고 전주에
서 오지 않고 성철이 와서 갓치 지낸 후 지금까지 소식도
업는 차에 너에 편지 바다 보와구나.
　지금도 너 어미는 비영비영하면서 밥을 끄려주고 잇다.

논 고치면 한 번 가서 새아기 볼 겸 음 이월 이십일 경 갈 터니 너 어미 생일 날 어린 아기 데리고 오지 마라. 할 말은 마느나 끝.

    구차한 인생이 길고 짧다는 것은 삶의 순간이 고귀하기 때문이 아니겠는가?

재세이화 포덕천하 광제창생

제1책 빛골

무등이 솟아 골마다 무상등등

1

 입춘이 지난 며칠 후, 그간 작심해둔 기획을 드디어 실행으로 옮겼다. 물론 아직도 조석은 매운 날씨에 걱정도 많았지만 기개는 난관을 두려워하지 않았다. 더군다나 귀에 못이 박히도록 들은 뉴스도 하나둘이 아니었으니 두려움은 애당초 없었다. 그래도 제일 확신이 간 것은 구하면 얻을 것이요 두드리면 열린다는 말이었다. 물론 예전도 몇 번을 근태와 위태로움으로 후퇴를 거듭했으나 이는 예행인 까닭이었다. 더군다나 기회란 때도 필요한 법이고 적기란 앎을 의미했다. 그런데 갈 곳을 작심하자 질긴 번민은 끊겼고 거의 결행에 가까웠다. 하지만 만사불여튼튼이라 조그만 우려는 오히려 매력이었다. 그리고 빛골은 알기에 내가 난 곳이고 안팎과 거리도 멀지 않았다. 그것은 평범한 사람이라도 모를 까닭이 없었다. 더군다나 고향이란 생각하는 것만으로도 요람이었다. 하지만 거개 사람들은 그렇게 생각하지 않았다. 오히려 모험을 좋아한다면 위험이 거의 도박인 서울로 향하는 것이었다. 물론 그곳이 사람을 빨아들이고 미래의 불길도 태울 곳인 블랙홀로 그건 왕도를 겸한 탓이었다. 그래도 애초부터 생각을 달리할 수밖에 없었던 것은 또 다른 까닭도 있었으니 그곳은 형이 자수성가한 곳이었다. 사실 자수성가는 누구나 바라는 것이지만 동생에겐 그렇게 달갑지 않았다. 그런 성공을 가져온 것은 형이었지만 아우에게 실망을 가했던 사실이었다. 그렇기에 꿩이 아니라면 닭이란 생각을 하지 않을 수 없었고 빛골은 고향의 품이란 위안도 까닭이었다. 물론 작은 가방에 간단한 옷차림으로 무게도 무겁지 않았고 크기는 책가방을 겨우 넘었다. 그리고 반드시 불퇴하리란 생각은 바위이었다. 버스에 오르는 순간 옷차림은 늘 입던 감색점퍼로 차림을 꾸렸으니 감찰을 피함이었다. 그러나 외모를 살피던 나이든 운전수의 눈길은 예사롭지 않아 짧은 숨소리에 비밀을 알아챘다.

"돈 벌러 가나 베?"

"돈이 삶의 목적이진 않잖아요."

"기술은 있능가?"

"기술보단 젊음의 패기가 우선이지요."

자신 있는 대답에 눈길은 걱정을 담았다. 물론 가방에 든 지폐도 넉넉하지 않았으니 걱정은 유효했다. 그런데 이웃한 의자에 앉았던 사내가 곁으로 자릴 옮기더니 미담을 던졌다.

"초록은 동색이잖아?"

"뭐라고요. 동행하잔 말이겠죠."

"당연한 말. 더군다나 귀한 정보라면 독점할 순 없잖아? 난 빛골에 뿌리박은 토박이랑 게."

토박이란 말에 힘을 더한 사내는 운전사보다 친절했다. 물론 빈자리도 여기저기 있었으나 빛골을 가는 자에게 동행은 친절이 아닐 수 없었다. 사실 지푸라기를 잡겠다는 심정으로 예의도 빠트리지 않았다.

"객지이지만 그곳은 처음도 아니어서 언젠가는 뿌리내릴 둥지로 점찍었지 않겠어요?"

"고향이란 죽어도 잊지 못할 터전이랑 게."

"당연한 말이죠. 그런데 나이는 나보다 연상인 것 같으니 행님으로 불러도 좋겠죠? 사실 혼자라서 외로웠지만 행님이 있어 더욱 좋잖아요. 더군다나 빛골의 까마귀라면 장막도 필요악이고 언제나 오래 정을 나누며 의리를 다하는 사이로 지내고 싶거든요."

납작한 아부에 사정은 신의로 바뀌었다. 더군다나 객지의 걱정도 지웠다. 물론 사람을 쉬 믿지 말란 말은 모르지 않았으나 고향은 다른 법이었다. 더군다나 빛골서 오랜 생활로 다져진 사내라면 인정도 박할 것도 아니었다. 더군다나 날은 어둠으로 달렸고 잘 곳도 마땅하지 않았으니 사내의 인정을 기대한 것도 사실이었다. 그러는 중 고개를 오르던 버스가 물구덩이에서 요동쳤고 몸의 흔들림은 어깨를 부닥쳤다. 하지만 사내의 표정은 싫단 표정이지 않은 점으로 고개도 넘기 전 정이 든 것도 사실이었다. 사내는 질문을 흘렸다.

"형님은 없나? 재도 넘기 전에 아우를 얻었으니 빛골도 쌍수로 반기겠지. 물론 바다와 들을 지난 바람이라 따뜻하기도 인정 같지 않능가?"

"그랑 게요. 봄도 이젠 멀지 안당 게요."

사내는 운전수를 곁 눈길로 살피며 얼굴을 살폈다. 물론 사내의 눈길과 신의는 반반 섞였다. 그렇다고 객지의 이방인으로 여기지 않는 건 간간 섞이는 사투리의 정겨움이었다. 물론 빛골은 서울에 비할 바 아니지만 이곳에선 그래도 기회의 광장이었다. 더군다나 촌보다 많은 일자리는 매력이었다. 그래서인지 사내도 진언을 주저하지 않았다.

"이슬을 피할 곳은 있고?"

"있다는 것보다 구해야지요."

"내 그럴 줄 알았지. 그런데 다행인 것은 걱정할 까닭이 없다는 사실이지. 우리가 남잉가."

"말만으로도 이슬을 맞아도 춥지 않을 것 같당 게요."

사내는 예전의 미담을 자랑으로 털었다. 물론 그는 인정도 있어보였지만 정보까지도 넓단 자랑이었다. 그는 한때 소개소를 했었는데 많은 사람과 인연을 묶었던 탓이었다.

"흐흐, 사람들이 사는 게 돈을 버는 일이 다인 줄 알겠지만 사실 그건 우물 안의 개구리의 생각이 아니겠어? 물론 살자니 돈에 매이는 법이고 돈은 갈증을 해갈하는 수단이지만 사실은 인간은 어느 곳에 어떤 기둥을 세우느냐가 중한 일이지. 그래서 약장수가 해대는 거짓말과 진실을 구별하는 혜안이 필요하지 않능가?"

"그럼요. 말만 들어도 절에 젓국을 먹는 맛이에요."

"그렇게 알아주면 고맙지. 나도 어려서부터 빚골에서 가난하게 살았으니 거리를 누비면서 홀로 자립한 모습이 오늘이랑 게. 사실 도시의 삶이란 보기엔 화려해도 알고 보면 전쟁터이지 않을 수 없는 곳이잖아? 그건 어느 도시나 나라도 다르지 않지만. 그러니 추석에 온 서울의 친구가 날 촌의 떨거지로만 여기어서 아직도 분통이 가시지 않았지만 알고 보면 그게 현실인 게야. 그러니 이곳서 성공하면 서울로 가야 되고 작지만 만족한다면 살아도 되지만 촌구석보단 낫단 사실이지. 그래서 빚골을 찾아가는 길이 아닝가."

"자수성가까지는 바라지도 않아요. 그저 믿음의 결실을 얻고 정만 쌓인다면 만족이랑 게요."

"좋아. 그런 생각이라면 내가 왜 도움을 주저하겠능가? 다만 조금도 불신하지 않겠다면 서류와 잠깐의 기다림이 필요하지. 그리고 다방에 있으면 여주인과도 친밀하게 되지 않겠어?"

사내의 명확한 조언에 불신은 장막을 치웠다. 물론 아직도 내심의 불안은 지워진 건 아니지만 신뢰는 없을 수 없었다. 그리고 사내의 말은 허풍이지도 않았다. 그러한 의심은 모두 인간의 마음에서 만든 그림자일 뿐이었다. 그러는 사이 거리에 접어든 버스는 우후죽순의 건물 숲을 지나 터미널에 닿았다. 기사는 미리 짐을 챙기란 말을 남겼고 이내 버스는 멎었다. 사내는 하단으로 내려 구석진 찻집을 가리켰다. 찻집은 큰 건물이지 많았으나 사람은 벌처럼 드나들었다. 물론 안의 주방에서 맛난 차를 들고 온 여인은 상냥함을 보였다. 그러며 사내와 눈짓을 나누는 걸로 모르는 사람도 아니었다. 여인은 이내 미소를 지으며 손으로 머리칼을 쓰다듬었다. 물론 대화에 끼어들 여유도 없이 기대감만 키웠다. 이윽고 사내가 돌아서더니 귓속말을 건넸다.

"근사한 일자리라 기름칠이 필요하당 게."

"기름칠?"

"녹슨 기계가 부드럽게 돌아가려면 필요한 절차이고 결

과는 효용을 높이자는 것이지 않겠어?"

 "사실 큰 기대는 하지도 않았고 또 사정도 넉넉하지 않거든요."

 불안을 살피며 가방을 어깨에서 내리자 사내는 걱정이 팔자란 미소를 지었다. 그러며 약간의 기름은 비싸지도 않단 말이었다. 물론 장래의 처지를 생각하지 않을 수 없던 터라 미심은 순간을 지웠다. 그리고 부탁과 꼭이란 말을 덧붙였다. 물론 자신의 생명이었으니 전부의 지참금이었다. 물론 사내는 다녀오겠다며 건물서 나갔고 그는 시간만 잡았다. 다방의 뒤 열악한 공장은 소음을 창으로 쏟았다. 물론 비산하는 먼지가 적지 않은 건 환경을 무시한 짓이었다. 물론 그러한 곳의 일자리는 부탁도 없을 터였다. 형의 말도 떠올랐다.

 '기회란 잃으면 두 번 오지 않지.'

 '더군다나 의심은 병이지.'

 '이미 실행했던 걸?'

 '실행하지 않을 수 없었던 건 그래도 걱정을 줄일 수 있는 건 객지의 처지였지. 사실 객지는 눈 뜨고도 코를 베이는 곳이란 건 서울과 다를 수 없잖아.'

 '불신이 뿌리 깊구나.'

 '병이 아니라 정직한 염려가 아닌가?'

곤혹의 번민은 반전의 행동을 요구했으나 인내도 버릴 순 없었다. 물론 이젠 엎어진 물이었다. 물론 파국은 아직 일렀지만 인내가 바람개비일 뿐만 아니라 기대감도 힘을 소진할 터였다. 더군다나 이제와 재심을 할 수도 없거니와 수색도 난망이었다. 그는 다방의 여인을 아직도 둔덕이란 생각이었다. 물론 그런 가게를 지키는 건 보증이었다.

'불신은 마지막 잎새이지.'

'혼란한 사회에서 구원이 무엇일까. 아마도 사람을 믿는 마음이지 않다면 그건 파멸의 길이지 않겠어?'

포기를 자존심은 지켰고 인연은 신뢰의 복원이었다. 물론 믿음은 바람 앞의 등불이었고 이웃의 사정도 같았다. 물론 다방의 만남이란 인연의 단순함 때문이었다. 자리를 견디지 못하고 마담을 족친 후에야 막힌 숨통도 트였다.

"인내를 배워야하겠는 걸?"

"그럼 그렇지. 그리고 의심은 가당하지도 않아. 인내심과 믿음을 시험하는 게지. 더군다나 중요한 자리의 일이라면 절차의 과정이 필요하지 않겠어요?"

"그런 겐 지 모르겠지만 일이란 여반장이진 않으니까. 그래서 다시 다짐하는 바지만."

표정을 확인하며 신의를 더하자 여인은 미소를 건네었

다. 물론 그녀는 간간 교회도 나갔다고 했고 현판도 커다란 사랑하란 글이었다. 하지만 내심 불안은 그 무엇으로도 가라앉힐 수 없었다. 그래서 주변을 살핀단 핑계로 거리로 나왔다. 밖의 걸인이 앉았다가 다가와 미소를 건넸다.

"아직 연락이 없지?"

"어찌 까닭을 알았어요?"

"자주 보았거든."

"무슨 말이지 모르겠지만 일면식도 없는 사람의 말이니 귀담아두지 않겠어요."

"그럼 기다리겠다고?"

"질책을 받아도 나는 포기할 수 없어요. 더군다나 예로부터 그리 배웠으니 더는 의심하거나 족칠 까닭도 없고 근사한 곳에서 기다리면 대답이 양탄자를 타고 올 것 같거든요. 그래서 말하는데 상관하지 말고 어서 가보라고요."

"그러지."

걸인의 질문은 더 잇지 않았다. 물론 재회를 약속한 사내의 신의는 연기가 되었고 믿음은 거품으로 변한 건 오래지 않았다. 다시 출현할 순간도 허망이었다. 그건 잠시의 여유도 가질 수 없었다. 이내 밖의 도로를 걸었고 멀리 보인 건 역사이었다. 그곳은 어딜 가려는 사람들로 붐 볐다. 더군다나 광장도 넓었고 의자도 많아 수시로 드나 드는 사람들의 배려이었다. 물론 열차를 타려는 사람들은 이내 목적지로 향했다. 그러나 그러지 못한 이들은 벤치 를 지켰다. 곁을 지나는 사내의 대화가 귀를 스쳤다.

"빛골을 떠난다는 게 행운이지 않겠어?"

"탈출인가?"

그들은 서로를 바라보며 대화를 나눴지만 대화는 더 들 을 수 없는 거리이었다. 물론 곁을 지나다 뱉은 말이기에 질문도 필요하지 않았다. 하지만 여행은 행복뿐이지 않았 다. 생각해보면 산다는 건 고난의 사슬이지 않을 수 없었 다. 또 그중에 제일의 걱정은 공복이었다.

'배고픈 걸 견디는 게 가장 큰 고난이지. 지금까지는 그 런대로 참아 내지 않을 수 없었던 건 희망이 있었던 탓이 었고 남은 것이라면 깡다구뿐이랑게.'

이젠 걸음을 옮길 힘까지 달렸다. 더군다나 눈길이 닿는 빛나던 건물도 초라해지고 김이 나는 빵만이 시선을 잡자 침은 절로 입안을 채웠다. 하지만 가진 돈이 없었으니 방 법도 전무했다.

'사실 배고픈 고통도 사실이지만 질 수 없는 건 까닭이 있지. 어려서부터 도둑질은 죄라 배웠고 인간은 죄인이

될 수 없는 까닭이었잖아? 그러니 지금은 그저 손을 씻는 물로 갈증을 덜지 않을 수 없으니.'

곤혹한 사정은 걸음을 재촉했고 눈에 들어온 표적은 더욱 곤혹이지 않을 수 없었다. 더군다나 어깨의 가방도 이젠 깃털이 아니라 가죽처럼 어깨에 옹이를 지웠다. 더군다나 목표의 사정은 여유롭지도 않았다. 화장실에 빈틈없이 밀리는 사람들과 연신 꼬르륵하는 소리가 동행할 것 같았다.

'먹은 것이라곤 찻집의 물뿐이었지. 그리고 기대는 거품이 되고 희망도 이젠 빠진 깃털이잖아? 기회란 그저 얻는 게 아니었어. 전후 인과를 잘 살피지 않았으니 오늘의 결과는 앵무새의 먹잇감이 된 게잖아?'

생각이 고통에 매이는 순간 앞으로 지나는 노인과 충돌을 겨우 면했다. 물론 옹색한 노인은 놀란 눈을 방울로 흔들었다. 물론 주변의 사람들은 너그럽지 않았다. 사실 사정은 살피기도 싫다는 듯 주정을 뱉었다. 물론 흔들린 몸을 손으로 겨우 잡았다. 그러자 노인은 숨을 돌렸는데 사정을 살핀 것 같았다. 그도 고개를 숙이었고 사과는 당연이었다. 노인이 아량을 베풀었다.

"이걸 원하겠지?"

"뭘 말이에요. 비록 빛골을 찾은 무지렁이지만 구걸은

가당치 않아요. 그저 걸음이 흔들렸을 뿐이랑게요."

노인이 든 봉지를 받을 수 없었다. 물론 안도 살피지 않았지만 냄새는 아직도 현기증을 불렀다. 물론 나눔을 거부할 여유는 없었다. 그러나 봉지보다는 갈증의 해결이 우선이었다. 그러나 노인은 더 권하지 않았다. 다만 뒷모습을 바라보며 등에 불만을 붙였다.

"아직도 자신을 모르잖아?"

"모르긴 뭘요? 노인은 그럼 자신을 알아요?"

"자신을 안다는 게 쉽진 않지. 하지만 빛골은 잘 알잖아?"

"빛 골이 어떤 곳이지요?"

"무등이 솟은 골이지. 그러니 골골마다 무상 등등하잖아?"

기실 놀람에 저항은 멈추고 걸음은 힘도 빠졌다. 물론 기력이 다한 걸음과 당한 처지에 맞서기도 싫었다. 이젠 의자로 돌아가며 선착한 노인들에게 눈길을 돌렸다. 사실 그들은 빈자리보단 서로에 정겨운 모습이었다. 더군다나 서로의 술잔은 위기를 이기는 까닭이었다. 그러나 그는 다가서지 않았다. 어깨의 짐도 있었고 그 속엔 믿음도 있단 사실은 절망도 아니었다. 더군다나 노인들의 낙망과도 비교일 수 없었다. 그의 걸음은 구석의 자리를 잡았다. 그러며 결단을 요했다.

'자수성가보단 회군이 우선이지 않겠어?'

'왜 회군이 떠올랐는지 모르겠지만 저런 노인의 사정이 고려되었단 사실이지.'

'맞아. 나도 그렇지만 노인들도 위기는 다 같지. 저리 빈손에 봉지가 생명이지 않을 수 없다면 어찌 삶이 행복일 수가 있겠어. 더군다나 이곳은 무상 등등하다 하잖아.'

자리에 엉덩이를 미는 순간 노인의 눈은 가방을 노려보았다. 물론 불룩한 모습에 내피로도 사정은 넉넉할 터였다. 더군다나 사정은 귀한 듯 두 팔로 감싸며 등을 돌렸다.

'이것이 무엇인지 알기나 하나요? 결인연천이라 여길 수 없지 않겠어요?'

그는 자신도 모르게 노인의 시선에 맞섰다. 하지만 전쟁은 미덕이 아니었다.

"한 푼이라도 적선한다면?"

"동전이라고 투정하지 않아요?"

대답은 길 수 없었다. 이젠 어깨의 가방을 의자에 내렸다. 이내 머릿속은 가방안의 사정을 헤아렸다. 그때 열차가 지나가는 소리가 요란했다. 물론 사람들이 썰물처럼 떠났을 때였다.

'썰물처럼 떠났다면 역사는 비지 않을 수 없잖아? 그러

나 드나드는 그 흐름에 난 따를 수 없거든.'

'그 사정이?'

 생각은 냉정을 잡았고 사정은 여유롭지 않았다. 더군다
나 구직의 사정에 빈손은 증오로 달렸다. 아무리 동향이
라지만 사정은 같지 않았으니 저주만이 쌓이지 않을 수
없었다. 더군다나 노인의 관찰을 피할 수도 없었다. 이내
구걸은 위기의 해결로 치달았다.

'처음부터 구직을 서둘렀던 게 탈이었지. 물론 긴박에 매
였으니 한눈이지 않을 수 없었지만. 그러나 이런 사정을
노린 인간의 탐욕엔 허탈하지 않을 수 없지. 그리고 응보
로 드러난 허상이 결과이지 않을 수 없잖아? 비록 지금은
성과도 즐길 수 없으니 머지않아 노인처럼 누울 처지가
되지 않겠어?'

'그럼 넌 장승이 되고. 역시 고생을 이길 자신도 없지만
그것을 넘지 않을 수도 없잖아.'

 처지의 실망에 위안보다 조롱이 앞섰다. 하지만 출구를
나가기엔 사라진 사내의 얼굴이 어른거리었다.

'사람은 누구나 경쟁하며 살자면 죄는 짓게 마련이지만
그렇다고 이런 거짓으로 사람을 속였다니.'

'옳은 지적이지. 하지만 드러난 현실을 외면하자는 비겁
도 옳은 것이 아니고. 무엇을 보고 그렇게 믿었는지도

모르겠고, 의심 없이 모든 것을 내어준 미숙은 책임만이 답이지. 하지만 인간을 믿는 건 죄이지도 않거든. 그리고 아직도 그것을 불신하고 원망을 키운다면 그것이 더 큰 잘못이지 않을 수 없잖아?'

번민은 꼬리에 꼬리를 물었다. 그리고 잠시 물로 궁기를 위로했지만 물이 근기이진 않았다. 이내 명석했던 머릿속도 먹구름으로 들어찼으니 현기증까지 불렀다. 급기야는 구내를 지나는 열차소리도 환청이었다.

'사실 구직도 구직이지만 그렇다고 목숨까지 잃을 순 없잖아. 만일 그렇다면 애통할 사람이 나오지 않을 수 없으니 우선은 이보 전진을 위한 일보의 후퇴가 현명함이지.'

2

편안한 집의 정경이 머릿속에 떠오르지 않을 수 없었다. 사실 보잘 것 없는 촌집이지만 그건 평안한 둥지였다. 다만 아직 가난을 벗지 않지만 그건 할 일이거니와 부흥의 만시지탄이었다. 그는 나직이 혼잣말을 흘렸다.

'결인연천이라 놀렸던 노인에게도 미안했지만 무일푼인 사정도 같잖아? 더군다나 빚골은 냉정도 하거니와 거짓도 풍년이지. 무상급식까지도 지운 것은 인색함이 나델 것이지만 나무랄 순 없잖아. 더군다나 도둑질은 죽기보다 두려운 일이고. 하지만 현실은 그 같은 심정을 위기로 내몰 뿐이니. 그리고 지금은 무엇을 처분할 만한 것도 없단 사실이고. 이런 위기를 알아챈 사람들의 처신이 구걸이지 않을 수 없거니와 미미하지만 불안은 울을 둘렀지. 그러면 사실 구걸을 비난했던 마음은 부질없고 자비심도 무지개였지 않겠어?'

'무지개?'

반문은 야릇한 조롱에 변명을 달았다. 물론 구석의 작은 의자에 기대어 거울로 사정도 살폈다. 겨우 손으로 머리를 가르며 사방을 살피는데 노인의 눈총이 뒤 꼭지를 당겼다.

'무엇을 가졌기에 저리 도도한 태도인가 했더니 이내 버릴 손안의 가방이지 않겠어?'

'하지만 나는 이렇게 배를 채울 봉지가 있거든. 하지만 넌 쉽게 구부릴 처지도 아니고 기력이 다해 쓰러지면 그땐 혹시 달라지겠지만.'

'아직도 조롱을?'

'시비에 무슨 미련을 가지겠어.'

'미련이란 처신하기 나름이지. 젊은이도 이제라도 세상의 진면목을 알고 승복한다면 나 같은 폐품도 존경하잖아. 그러나 이것만은 분명하지. 사는 일이란 결과에 마음은 순종하며 생각과 현실은 일치하지 않는 마술과 같은 기적이지.'

'기적?'

'구걸은 탈이 필수이잖아?'

그때 구내로 열차가 들어온다는 방송이 흘렀다. 더는 빛골에 머물 처지도 아니거니와 달려온 열차는 기회란 사실이었다. 그런데 표를 아직 사지도 않았거니와 여비도 가지지 않았다. 그렇다고 도둑열차를 탈 수도 없었다. 개찰구에 역무원의 건장함과 검표는 경솔하지 않았다. 그런데 다행이란 사실은 아직 믿음이 남았고 그건 어깨에 메었던 가방이었다. 물론 물정에 밝은 자만이 아는 보물이었다.

'빛골에 온 까닭이 무엇인지 이제 분명해진 것 같아. 그리고 막무가내 사기꾼은 조연이지 않을 수 없었고, 더군다나 동향이란 말은 꿀이었지. 하지만 그래도 이곳의 이름과 기개는 배웠지 않겠어?'

그렇게 결정을 내리고 몸을 일으켰다. 이내 개찰구를 살폈고 사람들은 거의 개찰구를 빠져나갔다. 물론 그는 동행할 뜻이었지만 사정은 일렀다. 눈을 후리던 늙은 노인도 어느새 사라지고 개찰구도 닫히었다. 물론 기차는 아직 기다렸지만 승선할 순 없었다. 그런데 다행은 다음의 삼등열차가 기다리었다. 그 열차는 남녀노소가 애용하고 언제나 콩나물시루를 만들었으니 굶주린 그에겐 안성맞춤이었다.

'사실 염치없는 생각이지만 개찰구를 빨리 나가서 자리를 잡자면 어서 표를 사야 그나마 고생을 덜겠지. 물론 예전도 삼등열차는 그랬지만 지금은 다르지 않을 수 없지. 그리고 목적지는 멀지 않지만 속빈 사정이 박정함이지 않을 수 없으니. 물론 다음의 열차도 없지만 그건 차비의 자비를 외면하는 짓이잖아?'

생각을 옥죄는 순간은 길지 않았다. 다시 살핀 주머니에 넣은 손은 갈퀴에 걸리는 게 없었다. 이젠 늦다는 생각에 서둘지 않을 수 없었다.

'노인에게 건넨 동전이 마지막이었군.'

생각은 가방을 멘 어깨로 아쉬움을 지웠다. 사실 문제는 일차 관문의 통과이었다. 더는 형식과 절차도 따질 시간도 없었다.

'열차가 곧 연착한다는 방송이 다행이당 게?'

'마지막 힘을 다하여.'

물론 서둔 탓에 걸음은 인접한 전당포에 들었다. 주인은 얼굴이 고추처럼 붉었는데 굵은 목소리에 목은 자라목이었다. 사실 정다운 느낌은 아니었지만 눈길은 칼날이었다. 사실 모르긴 몰라도 그도 손님의 처지를 간파한 것이 분명했다. 사실 사정이 급한 것은 여유도 지웠다.

"무얼 맡기려고 이곳을 찾아왔는지 모르겠지만 사정이 생각보다 심각한 것 같으니 사설은 걷으시고. 사실 이곳에서는 간간 사기꾼이 찾아오지 않나 베?"

"옳은 말이지만 뿌리가 깊다면 알겠어요?"

"그건 당연한 변명이지. 그런데 급한 사정으로 긴급처분하려는 물건은 무엇인지? 한 번 더 다짐하지만 천박한 물건이라면 사절은 당연하겠고."

"그런 말을 듣고 보니 내가 장소를 잘 찾았단 생각이 들지 않겠어요. 사실 나도 이리 급하지 않다면 귀중한 물건을 팔 생각도 없었을 거예요. 사실 젊음을 시골에서 농사지으며 진실을 다지었으니 거짓은 티끌도 없기에 이곳으로 달렸고요. 그러나 이런 일이 생각처럼 쉬 이해되는 일은 아닌 게 문제이지요. 사실 기대는 하지만 믿음이 우선하지 않는다면 구원은 없지 않겠어요. 그런데도 눈길은 관심이어 다행이지만."

대화가 풍선처럼 이리저리 흔들리자 사내의 눈길은 조롱에 실망을 더했다. 물론 위기는 더하지 않았다. 서로 버티는 시간이 꼬리를 말았다.

"도대체 사설을 푼 게 무엇이 당가?"

"누구나 인정하지 않을 수 없는 신물이랑 게요."

"설마 약장수의 사설은 아니겠지. 사실 누구나 자랑을 좋아하는 건 사실이지만 이 집은 다르거든. 그리고 말은 많을수록 내용은 깡통일 것이니."

"인정까지 인색하군요."

"이런 장사는 냉정이 기본이지 않을 수 없거든."

화살처럼 눈길이 닿는 눈길에 의혹을 키웠다. 그간 쌓인 불신이 이미 경계를 넘었단 투였다. 더욱이 가진 신물은 어디까지나 독단이지 않을 수 없었다. 하지만 주변의 기대는 다르지 않았다. 다만 가치는 아는 자만이 아는 법이고 고향을 가는 수단은 사랑이고 사랑은 자비를 원했다. 이는 절반의 성취이었다.

"사실 두서가 없는 말이었지만. 그래도 이렇게 찾은 걸음이 위로라도 얻었으면 좋겠어요. 그것은 만인의 관심이지 않을 수 없고요. 그래서 이 물건을 누구나 따르고 복종하는 영원한 지존의 까닭이니."

"세상에 그런 게 있었능가?"

해서는 안 되는 말이란 것도 잊은 듯 사내는 불신을 털었다. 물론 그의 심사도 여유롭지 않았다. 이런 사설에도 사내는 바위일 뿐이었다.

"신물이란 게 구라였지?"

"진실이에요, 표지만 보아도 놀라지 않겠어요?"

표지란 말에 사내의 눈길은 고개를 가로저었다. 더군다나 사내는 전례도 있었다는 듯 손사래를 쳤는데 진열장을 살폈다. 아마도 전당한 물건의 창고만 같았다.

"시간이 더 필요하진 않겠지?"

"아직은 가방을 열지도 않았는데?"

멘 어깨의 가방을 내려 열려하자 사내는 대답대신 손을 잡았고 이내 열기를 거부했다. 그리고 기대보다 실망만 키웠다. 물론 그는 외모부터 신심이 없었다. 그런데 열차의 기적은 멈추지 않았다. 서두르지 않는다면 기회도 사라질 터였다. 더군다나 표의 구매는 불가이었다.

"예전의 언행도 도장이었당게."

"그래서 눈치가 조조였군요."

속내를 더는 펼칠 수 없다는 듯 허망을 털었고 앞의 사내는 염화미소를 지었다. 하지만 짧아지는 시간에 대화는 무용이지 않을 수 없었다. 더군다나 기적이 거듭 울린 까닭이었다. 이젠 가게의 퇴출이 처분이었다. 이러다가는 등에 퇴박이란 딱지뿐이었다.

"애초부터 기대하지도 않았당게."

"그렇다면 관심도 없었단 말이요?"

"그게 아니었다면 오죽 좋았을까? 하지만 좋단 것도 진정 좋은 것이 아니더군. 사실은 나도 과거의 일을 오래토록 혐오하니까."

사내에게 작별을 고하며 몸을 돌렸다. 그것은 기회의 상실로 허탈을 의미했다. 물론 열차도 탈 수 없겠지만 그것으로 끝나지도 않았다. 더군다나 그동안 버틴 궁기는 다시 사경으로 몰 터이었다. 자신도 모르게 절망이 뒷걸음으로 나타났다.

"그랑 게. 하지만 누구에게나 진실은 생명이 아니겠어? 사실 고래로부터 사랑만이 제일이고 심판도 피할 수 있다 듣지 않았겠능가?"

"알고도 열람도 하지 않으니."

"매정하게 들렸겠지만 거래할 물건도 아니지. 더군다나 그런 것을 기대한 사정도 허망이었으니."

"그럼 황으로 여겼단 말이요?"

확인에 눈길을 던지자 사내는 심통을 둘둘 굴렸다. 그래도 나약함은 떨칠 수 없는 안색에 불안도 지우지 못했다. 그리고 허탈한 걸음을 갈대처럼 돌리지 않을 수 없었다. 그런데 사내의 손길이 그를 잡았고 던진 말은 후사이었다.

"청소를 해주겠능가?"

"무슨 말이에요?"

"예전도 그랬으니 지금은 쓰레기잖아?"

사내의 손은 보관함에서 먼지 묻은 거울을 꺼내었고 거울은 다시 그에게 건네졌다. 사실 거울을 살핀 눈은 긍정을 매달았지만 기대감은 폐기였다. 그래서 이런 제의도 거절할 수 없었으나 비용도 쥐어졌다. 그러니 감읍이지 않을 수 없었다. 거울을 보자 노모의 얼굴도 드러났고 다른 한 손엔 안심이 걸렸다. 이내 열차가 기다리는 구내로 걸음을 당겼다. 인사를 제대로 건네지도 못한 채 열차에 올랐는데 거의 찬 자리에 가방이 덩그렇게 보였다. 급한 마음에 엉덩이로 가방을 밀었다. 그런데 이내 나타난 여인의 앙칼진 목소리가 사태를 악화시켰다.

"정말 이게 신사다운 행동일까? 이미 선점한 자리를 강탈하다니 어이가 없잖아!"

"가방이 사람보다 먼저 할 순 없잖아요."

"그렇다면 가방의 주인은 안 보였단 말이요?"

"사람만이 자리의 진정한 주인이거든요."

"이리 말이 통하지 않으면 판사를 불러 심판을 받지 않을 수 없잖아요?"

"누가 심판하는 게 옳은지 모르겠지만 여러모로 화통만 삶아먹었어요?"

"부끄러우면 자리를 비우시던지."

"그럼 경찰을 부를까요."

"생각해보니 경찰이 이런 사소한 일에 올 것도 아니고 또 침소봉대할 것 없잖아요?"

"구차한 변명이지."

"여자와 다투기 싫다면 물러서던지."

한동안 실랑이는 달리는 선로처럼 이어졌고 별빛도 얼굴을 감췄다. 물론 열차는 이은 선로로 달리지 않을 수 없었다. 물론 소음이 언쟁에 끼어들었고 여인은 지지 않았다. 더군다나 전쟁의 여력은 궁기가 도움도 아니었다. 여인의 냉소에 묘한 변명을 흘렸다.

"사정이 숨었지 않겠어요?"

"사정은 누구나 다 있지요."

"좋아요. 여자와 싸움은 이길 수 없으니 결례의 사과를 먼저 하지 않을 수 없겠군요."

"결례를 안다면 뒤늦었지만 양보의 미덕을 받아들이는 것이니 나도 고집할 일도 아니지만요."

"전투력이 대단해요."

여자의 칭송을 이을 즈음 열차는 극락강의 다리를 달리고 있었다. 사실 빛골의 다음이 극락강이란 것을 미처 알지 못했고 싸움은 관찰도 묻었다. 물론 전후의 사정에 여유는 관심으로 치달았다. 그리고 여인의 얼굴과 비교하지 않을 수 없었다. 여자는 극락강의 역에서 승차했었다. 물론 가방은 이전에 놓여있었지만.

"이제야 빛골을 지나 극락강을 넘었다는 게 실감나지 않겠어요. 사실 난 이곳에 오래 살았당게요."

살았단 말에 시선은 본능적으로 조소를 불렀고 이웃한 사내도 다르지 않았다. 앞자리의 사내는 눈길을 모자로 가렸다. 물론 그의 눈길도 목적의 피난이었다. 물론 싸움을 이을 까닭도 없었지만 이제는 관심이 얼굴의 미모이었다. 여자는 자신을 모르지 않았다.

"서울을 가지 않고는 내게 무엇이 희망이겠어요. 물론 그래서 극락이란 곳도 떠날 수밖에 없었고요. 그간 땅을 갈고 산출한 물건을 판 걸로 미모를 바꿔보려는 걸음이지 않겠어요?"

"구원이 가능하다고 믿어요?"

그때 상시적으로 검표를 하는 역무원의 접근이 거미처럼 다가왔다. 분명 희미한 눈길로 살폈는데 사정은 안정을 흔들었다. 그건 구매한 표가 목적지를 앞둔 까닭이었다. 들통이 난다면 하차는 강제이었다. 그가 거울을 들고 여인의 곁으로 몸을 붙였다. 물론 여자의 탄력이 느껴지며 감흥을 전하는 순간이었다. 그런데 여자는 접근보단 얼굴이 비친 거울에 환희를 드러냈다. 사실 여자의 까닭은 머지않아 밝혀졌다. 사실 그녀는 거울에 자신의 얼굴이 비치자 순간적으로 놀랐는데 감탄사까지 이었다.

"세상에 이런 일이?"

"무슨 일이에요?"

질문을 던지는 사내도 여자처럼 거울에서 눈을 떼지 않았다. 그런데 거울 안에 비친 얼굴이 이상하지 않았다. 물론 희미한 반사에 얼굴이 일그러졌지만 모습을 유지했다. 그러나 여자는 그렇지 않았고 실망은 더욱 아니었다. 미소의 표정은 당연이었다. 그리고 그간 소망의 성취이었다. 그러더니 여자는 거울을 사겠다는 듯 가방을 열었다. 물론 지폐를 건넸고 값은 기대치를 초월했다. 사실 청소비로 받았단 기물이 제값을 받았다. 물론 여자가 먼저 청했고 이젠 검표도 무사히 마쳤다. 사실 더욱 가까워진 목적지의 방송을 듣는 심정은 환희이었다. 다만 아직 불편을 떼지 못한 건 미안함이었다. 여자에게 고백을 털었다.

"이런 사정을 알겠어요? 그간은 불만인 심정에 투정만 키우다가 지금은 만물은 생각하기 나름이란 것을 알았지 않겠어요? 그러니 갔던 곳에 환상도 지웠고요."

"무슨 말인지도 모르겠지만 사실 아직도 난 거울을 얻었다는 것만으로도 흥분되지 않을 수 없어요. 사실 이런 건 간증으로 남겨둬야 하지 않겠어요."

"그럼 귀향하겠단 말인가요? 사실 지금 나도 고향으로 돌아가는 중인데 극락강도 넘었고요. 그리고 선점한 자리가 내가 주인이지 않았단 사실도 알았고요."

"지금은 같은 심정이지 않겠어요. 미안도 하고."

"흐흐. 아니에요. 사실 내 코가 석자였으니 고집을 부렸지 않았겠어요? 더군다나 세상은 각박하기도 하지만 그래도 사람이 살만한 곳이고 마음이 전하면 사랑이 되지 않겠어요. 그것을 오늘에야 거울에서 보았당 게요.'

"그래도 거울은 이제 되팔지 않아요."

"그 말을 위안으로 받아들이지요. 그간 실상을 외면하고 욕구만 쫓은 세월이었으니 고행이 따랐고 마술의 기적도 만났지 않겠어요."

얼굴에 미소를 지으며 여자를 살폈고 그녀는 아직도 거울에서 얼굴을 떼지 않았다. 하긴 소원을 이루었으니 잠도 오지 않을 것이었다. 하지만 열차의 방송은 감곡의 정차를 어김없이 알렸다. 감곡은 금산으로 갈 초입의 간이역이었다. 그러니 금산은 열차가 닿지 않았다. 하지만 이름난 사찰의 명성에 금산은 영화를 이었다. 다만 버스가 다닌다는 게 흠이었다. 열차는 이내 속도를 낮추고 밖의 여명을 가르며 감곡 역으로 접어들었다. 이젠 검표의 격정도 있지 않았다. 여인에게 작별을 고했다.

"감곡이군요."

"물맛은 뛰어나겠어요."

"사실 이웃이지만 물맛은 아직 모르고요. 극락강의 물은 무등의 물이라 그만이겠지만요. 그리고 갈 곳은 금산으로 산이 좋아 엄뫼라고 부르니."

"그래도 무등보단 못하지요. 사실 극락강도 무등산을 돌지 않았으면 극락일 수 없겠고요. 그러나 사실 무등산은 오르지 못했지만."

언쟁을 부른 문답치곤 한동안 귀를 잡아당겼다. 물론 내리지 않았다면 야밤을 새울 터이었다. 하지만 지금은 눈길에 드러난 길은 어둠으로 밟히었다. 이내 밤이 깊어지면 가로등이 곁을 지킬 터였다.

"밤길이니 조심해요."

"저기 등불 산이 비추잖아요?"

"산은 높지 않은데 등불은 요란하니 가는 곳까지 걱정은 사라지는군요. 더군다나 이웃한 곳이라니 의지할 등대가 되겠고요. 그런데 저렇게 요란하지 않을 수 없는 까닭이 뭔지?"

"저것은 길을 밝히는 불빛이 아니고 사실은 부대를 밝히는 전등불이지요. 이 곳의 실상을 밝히는 빛으로."

"그럼 황산이라고요?"

황당한 질문에 고개를 끄덕이었다. 하지만 여인은 더 이상의 질문은 잇지 않았다. 오직 관심은 거울 안의 모습으로 이젠 생기도 미지수였다. 하지만 오늘 여행은 안위일 것이었다.

3

감곡은 시골의 간이역이었고 주변마을도 크지 않았다. 흔드는 그녀의 손짓처럼 아쉬움을 품었다. 더군다나 이젠 싸운 감정도 남지 않았다. 그러니 환영만이 앞을 막았다.

"다시 만나면 인연일 텐디?"

"그럼 황산을 드러낼 수 있겠죠?"

서서히 떠나는 열차는 뒤까지 어둠에 묻혔다. 하지만 내린 사람도 없었고 출구는 역무원만이 지켰다. 이웃한 선로에 멈춘 화물열차가 보였다. 시골의 작은 역이라 열차의 교행을 위한 배려였다. 여객열차를 위한 양보이었고 화물은 밤을 더 즐겼다. 다시 걸음은 출구를 향했으며 건널목도 지났다. 사실 간이역이란 것은 예전부터 알았지만 이리 작은 사실에 실망이었다. 그래서 타는 사람이나 내린 사람도 없었다. 걸음을 당긴 건 입구를 지키는 역무원의 기다림 때문이었다. 그런데 출구를 지켰지만 표정은 밝지 않았다.

"머지않아 폐역이 맞지."

"그럼 이곳의 사람은 어쩌고요. 그래도 역을 찾는 사람이 있지 않겠어요?"

"이 사정을 보고도 그런 말이 나와요?"

"역사의 폐쇄는 그래도 막아야죠."

냉정한 말에도 인정은 들을 수 없었다. 물론 그의 눈길은 잠시나마 이탈을 즐겼다. 그러나 그의 기대감도 크지 않았다. 그런 소외는 관심도 상실로 달렸다. 더군다나 시골의 역사는 유물이지만 세월엔 고물이었다. 그러니 부득불 폐역은 멀지 않을 터였다.

아쉬움이 간이역을 맴돌고 나온 걸음은 금산의 방향뿐만 아니라 주변의 사정도 훑었다. 그런데 다행은 여명이 아직은 시선을 허했다. 사실 감곡은 금산과 멀지 않은 탓으로 학교도 자전거로 통학했다. 그때 동창은 자신의 집으로 초청을 했었다. 하지만 차일피일 기회를 미루다가 결국은 이루지 못한 뒤 졸업으로 이산을 맞았다. 사실 그때도 미안한 마음도 있었으나 지금의 기대는 사후 약방문이었다. 더군다나 동창과는 단짝일 뿐만이 아니라 인정도 작지 않았다. 그래서 이후도 동행일 줄 알았지만 각자도 생은 운명이었다. 물론 이젠 얼굴도 가물가물해졌지만 그 땐 그렇지 않았다. 잠시 후 광장으로 나온 걸음은 예상을 했단 듯 방향을 잡았다. 멀리 황산의 불야성이 길을 밝힌 탓이었다.

'감곡의 기대가 너무 컸지. 금산은 이곳에 비하면 빛골과 다르지 않거든. 길도 넓지만 이렇게 어둠에 방향이 묻힐 까닭도 없으니 건물까지 길가를 어깨동무할 뿐이지. 그러나 이곳은 높은 황산의 빛으로 겨우 길만 알리니 황산의 공이 크지 않을 수 없군. 더군다나 이정표도 길가에 세우지 않았으니 거리를 잴 수도 없고. 그런데 이런 사정을 숨기고 구라를 친 건 동창의 자존이었나. 그러니 자랑은 티끌이고 지기는 싫으니 그럴듯한 구라가 더했지 않겠어. 그런데 어떻게 된지 길도 외길이야?'

도로를 걸으며 주변의 인적을 찾았다. 물론 길을 물을 까닭이었지만 사람은 고사하고 그림자도 보이지 않았다. 그리고 이곳의 또 다른 점은 길도 그렇지만 농토만이 보인단 사실이었다. 그렇다면 지금은 휴식이 필요할 순간이었다.

'밤이 아니면 휴식은 생각할 수 없으니 밤은 안락이지. 그래도 다행은 시골의 길이라 일방통행이잖아? 굽기는 했

어도 미로이진 않으니.'

다시 역의 출구로 찾아가 역무원에게 사정을 청할 까닭
도 없었다. 그렇게 광장을 건너고 작은 도로를 한동안 걸
었다. 도로는 얼마나 좁은지 차가 교행할지도 불분명했다.
그래서인지 도로가는 가게도 보이지 않았다. 사실 궁기가
위기이었으니 방법을 찾던 중이었다. 이제는 주머니에 지
폐가 잡혔다. 그러나 소용이 없었다.

'아무리 촌이라지만 이럴 수가?'

'여기에 비하면 금산은 도시잖아?'

'자정까지 가게도 열리고.'

물론 아쉬움은 고난을 위로했고 전등이 밝히는 황산은
방향을 지시하는 중이었다. 사실 금산에서도 다르지 않아
서쪽의 방향을 찾았고 감곡은 황산의 남쪽이었다. 산의
실루엣을 살피며 금산의 방향을 잡았다. 금산은 감곡처럼
황산의 외곽이었다. 물론 산세가 높으니 성벽의 까닭도
당연함이었다.

'황산은 금산의 서쪽이고.'

'그래. 불야성인 곳.'

확신은 걸음을 재촉했고 다리는 힘을 다했으니 궁기는
요동했다. 방법을 이내 미루며 걸음을 서둘면 금산가게에
도착을 그렸다. 물론 낮이라면 걸음이 더 빠르겠지만 어

둠도 나쁘지 않았다. 그건 마치 설산의 등반처럼 밤길은 일방통행이었다. 그리고 이런 시골의 길은 고단하지 않았다. 그건 미처 알지 못한 소외의 친근함이었다.

'그래도 감곡이란 이름은 좋잖아?'

'다만 어둠에 잠겼으니.'

'낮은 이렇지 않겠지?'

'그러니 사람들이 편안히 살겠고.'

'더군다나 힘든 농사일인데도.'

사실 촌의 사정은 같지 않을 수 없었다. 물론 농사는 부농이지 않았지만 고생은 다르지 않았다. 그런 실망의 속내를 황산은 불꽃으로 밝혔다. 그곳은 전쟁이 만든 괴물이지만 존재의 사정은 밉지 않았다. 물론 전쟁과 그곳은 불가분의 관계를 유지했다. 전란 이후의 사정도 같았다. 그러니 이후의 일도 세 마을의 안위와 같았다. 그러나 휴전은 아직도 종전이지 않았고 길도 드러나지 않았다. 언제 통일이 이뤄질 지도 미지수였다. 아마 그날까지 불을 밝힐 터이고 금산은 증언할 터였다. 그러나 아직 이루지 못한 통일이지만 그건 당연함이었다. 그렇기에 역사도 고행 길이었다.

'황산을 돌아볼 줄이야.'

'그래서 통일도 생각하고.'

'사실 다급한 통일은 남북이겠지만 그것이 전부가 아니란 생각은 무엇인지?'

'다른 것이라면?'

'길을 어둠이 삼켰군.'

순간 걸음을 당기는 일에 곤혹을 맞았다. 비록 길은 차도이었지만 포장은 되지 않았다. 물론 그렇다보니 곳곳이 패였으니 다 반반한 것도 아니었다. 더군다나 패인 곳은 물도 고였으니 발걸음은 물을 밟기 일쑤였다. 잠시 인상을 찌푸리는 순간이었다. 하지만 내심 실망의 당혹은 관용을 찾았다. 그곳이 동창이 산 곳이고 금산으로 학교를 다닌 고충을 공감하지 않을 수 없었다. 다만 힘든 걸음이지만 조심을 더할 순간이었다.

'그도 금산을 지척으로 알고 삼년을 다녔는데 난 하룻밤의 고행이 아니겠어? 그건 누구나 한 마음으로 고향을 사랑하는 까닭이지. 그리고 온전한 사람이라면 관용을 넓히어야지.'

'그런데 아직도 길의 거리도 모르잖아?'

'사실 지금은 거릴 따질게 아니라. 동창과 멀어진 거리가 우선이지. 그 사람은 언제나 풍요한 생활이었지 않겠어. 그의 집은 과수원에 가게도 두 개나 가졌으니.'

'그것이 다가 아니었지.'

독백의 시샘은 순간 어둠속으로 달렸다. 하긴 관용의 감정만 가질 수 없는 건 사정의 저항이었다. 들린 소문에 그는 사업을 벌여 어느 정도의 기반도 이루었단 소문이었다. 그래서 무정했던 것은 일 때문이었는지 몰랐다.

'다시 만난다면 어색하겠지?'

'그러면 불행이지만. 더군다나 이제는 예전의 정만이지 않잖아?'

'인간은 의리를 지킨다는 게 동물과 다른 일이지. 설령 세상은 그렇더라도 그는 변하지 않을 거야.'

곤혹에 신뢰를 더했지만 고된 걸음은 가볍지 않았다. 그건 타향에 애착도 깊었고 고향을 등진 까닭이었다. 물론 동창의 인륜은 어느새 불신도 지웠다. 사실 그런 건 시골에서 배운 것이었다. 길을 막은 어둠은 아직도 물러서지 않았다. 그러한 사정은 하늘도 다르지 않았다. 검은 구름이 하나 둘 모여드는 중이었다.

'비가 오면 큰일인데?'

'이젠 거리를 잴 수도 없지만 쉴만한 곳도 찾을 수 없거든.'

주변을 두르는 눈길에 신경을 곤두세우지 않을 수 없었다. 물론 주택이 보일 까닭도 없지만 어둠이 모조리 삼켰다. 그건 동굴의 사정이었다. 길가의 많던 술집도 감곡은 나타나지 않았다.

　'고된 노동을 어떻게 달랬지?'

　궁기의 뱃속에 농주의 향을 찾았다. 사실 노동은 술이 위안으로 중압감을 날리는 선물이었다. 노모는 술을 직접 빚었다. 더군다나 맛은 취기에 향내를 뿜었다. 그것은 노인의 피곤을 지웠고 노동의 위안이었다. 그렇기에 이웃과 술을 나누다가 실수를 그만 저지르고 말았다.

　'이웃은 남이 아니지. 그렇다면 자식까지 나누어도 이상하지 않잖아?'

　'좋은 말이긴 하지만.'

　잠시 불신을 가지며 속내까지 취기는 일렀다. 물론 친구에 정은 누구나 그렇듯 모든 걸 아끼지 않았다. 시골은 노동만 하는 곳이 아니었다. 물론 전쟁엔 피난처를 제공했고 먼 곳의 사람을 불러들였다. 그리고 이웃한 사정은 남이지 않단 생각을 더했다. 어려울수록 정은 깊었고 이탈은 불가이었다. 그러던 증 질문은 당혹이었다.

　'사돈이지 않고는 믿음도 거짓이잖아?'

　'하지만 아직 일곱 살인 걸.'

　사실 언질도 쉽지 않았다. 그러나 기대한 대답을 미룰 것도 없었다. 다만 우려가 따랐다.

　'훗날 원망을 어찌하지?'

'그럼 불효자는 아니란 말이지.'

'아니면 다행이지. 그러나 세상은 조석으로 변하기도 하지만 일관된 진실은 지워질 것이고 그것을 밝히려한다면 곤혹만이지 않겠느냐고.'

'그 걱정은 그르지 않지만. 세상이 수상하니 사기꾼 같은 짓이라도 선약하지 않을 수 없단 것이지.'

세월의 침묵은 어둠에 섞었고 드러난 광경은 걸음을 멈추게 만들었다. 물론 길가의 집이었으니 반가웠지만 불빛이 이상하게 희미했다. 겨우 문틈으로 빛과 소리를 듣는 것만으로도 환호이지 않을 수 없었다. 그래서 다급한 사정을 걸음에 매달았다.

"여기요?"

"누구지?"

순간 열린 문으로 여인이 얼굴을 내밀었다. 틈으로 방안을 살피니 세네 사람이 뒤를 지켰다. 그리고 드러난 모습은 파장직전의 사정이었다. 물론 소리까지 지를 것도 없었다. 그들이 뛰쳐나오지 않을 수 없는 건 사태의 위기이었다. 순간 사내의 고함도 따랐다.

"속였잖아?"

"아니라고. 그저 돌린 패가 우연이지. 비록 이 짓으로 여가를 즐기지만 시골의 친구에게까지 사기를 치겠어. 이것은 도박도 아닌 꽃장난인 걸."

"꽃 장난? 사실 궤변도 치졸하지만 너도 똑 같았지 않겠어?"

"그게 무슨 말이야?"

"우선은 목이 마르니 물을 한 바가지만."

그의 제의에 충돌은 흔쾌한 행동으로 이어졌다. 밖으로 나온 여인은 바가지에 물을 독에서 펐다. 독안의 술이라면 금상첨화이겠지만 무맛과 상쾌함뿐이지 않을 수 없었다. 그런데 그건 황산의 불빛보다 백색이었다. 갈증을 일소한 것은 물론이고 등에 뱃가죽도 풍선을 만들었다.

"금산의 물이 좋다지만 이곳의 물은 더 낫지 않겠어요? 더군다나 허기도 지우니 그 비밀이 있겠지요?"

"감곡이잖아."

"사실 어두운 길인 탓으로 이곳으로 오지 않을 수 없었지요. 오다가 이제야 사람을 만났으니 방향도 물어보지 못했으니 미로이지 않았겠어요?"

고백은 황당함을 안았다. 물론 여자도 놀란 표정이었지만 사내도 책망을 던졌다. 온 걸음이 사실은 무명인 까닭이었다. 서둘러 대답에 당황하지 않을 수 없었다.

"반전하지 않을 수 없겠는 걸?"

"되돌아가란 말이요?"

"금산을 간다며."

이미 다다른 일에 곤혹이지 않을 수 없었다. 순간의 판단이 과실이었다. 아니 밤길에 이정표가 없었던 탓이었다. 하지만 과오는 되돌리지 않을 수 없었다. 더군다나 배를 채운 사정에 여자의 말은 위로이었다.

"자정이 되기 전에 도착은 하겠어."

갈증을 지운 후 오던 길을 돌려 걸음을 돌렸다. 길은 굽었고 인적은 드러나지 않았다. 오던 길도 어둠이었으니 가는 길도 다르지 않았다. 그런데 온 사정과 달리 얼마가지 않아 기합소리에 간담이 서늘해졌다.

"으랏찻차!"

'누구지. 이 밤중에?'

한밤에 무슨 일을 하는 것인지 궁금함도 더했다. 물론 가로등이 없기에 구름에 솟은 달빛이 사정을 드러냈고 접근은 동공을 키웠다.

"내가 질 줄 알았어?"

자세히 살피니 기이한 정경에 폭소가 터졌다. 그건 취한 사내가 전신주를 안고 씨름을 하고 있었다. 물론 취객의 만용이지만 광경은 거짓이지 않았다. 그리고 동정의 혀끝을 휘둘렀다. 물론 바쁜 길이 급한 탓에 간섭은 금물이었다. 사내도 이방인의 접근을 알았을지도 몰랐다. 그러나 사내는 관심을 주지 않았다. 사실 누구의 간섭도 싫겠지만 씨름은 질 수 없는 환롱이었다. 그런데 그건 대명천지의 사실이었다. 하지만 사내도 술이 깨면 제자리를 알 터였다. 그러며 용렬함을 알 일이었다. 내심 방향을 돌려 걸음을 서둘렀다. 그런데 사내의 외침이 다시 뒤통수를 잡았다.

"내가 너한테 질 것으로 알아? 사실 내가 이곳에 사는 건 나만의 사정이진 않잖아?"

'그럼 누가?'

걸음을 돌린 것은 동병상련 때문이었다. 사실 시골집엔 노모도 잠을 들지 못한 채 애태울 것이니 걸음을 돌리는 건 이후의 변명이었다.

"나도 이곳을 떠나려하지 않겠어? 사실 평생을 일로 살았지만 남은 것은 빈손안의 주름뿐이란 사실이지. 그러니 더는 미련을 부리지 않고 너를 쓰러뜨려 내 각오를 드러내지 않을 수 없단 말이야."

관심도 지우며 어둠을 달리지 않을 수 없었다. 그러나 잠시 사정을 안 순간도 허망하지 않았단 생각은 날씨처럼 방해였다. 걷는 동안 하나둘 떨어지던 빗방울이 많아지기 시작했고 어둠은 피난처를 구했다. 그러나 들판에 피신처는 보이지 않았다. 하지만 구하면 얻고 두드리면 열리는 법이었다. 그리고 눈앞에 헛간인 듯 건물이 보였고 걸음은 속도를 더했다. 하지만 피난처치곤 최악이었다. 밖의 사정이 더해 빗방울까지 두드렸고 옷은 한기를 불렀다. 그런데 헛간은 위기를 덜었다. 사실 실망보단 허망에 가까웠다. 그런데 뜻하지 않은 주인의 일갈이 허공을 갈랐다.

"누구야?"

음성은 앙칼스러웠지만 무정하진 않았다. 더군다나 전혀 예상하지 못한 인기척이었기에 놀라지 않을 수 없었다. 거기에 뜻밖의 인기척은 반갑지 않을 수 없었다. 사실 그건 고독의 해결이었다. 사실 아무것도 먹지 못한 처지보다 인정에 희망을 걸었다.

"되묻지 않을 수 없잖아요?"

"귀신이진 않아."

어둠의 속의 주인은 예의도 몰랐다. 거기에 좁은 자리는 불만의 경계이었다. 다만 동굴이 아닌 사실로 그나마 안심을 더했다. 그러나 드러내지 않은 주인의 모습은 어둠이었다. 갈구의 사정을 터트렸다.

"이런 곳에서 뭘 하고 있었어요?"

"모르는 게 약이지. 아는 게 병을 부르고 그게 얼마나 고통스러운지 안다면. 그러니 이내 떠날 기회나 잡아보라고."

"그럼 어른은요?"

"내 걱정은 말고."

대답은 상대를 아랑곳하지 않은 분개를 날렸다. 하지만 이미 겪은 사정은 동정을 낳았다. 위험을 나누는 건 인간의 도리이었다. 그러나 걱정의 반전은 당연이었다. 하지만 노인의 모습을 알 수 없는 게 다행이었다. 이젠 상대의 얼굴도 찾지 않았다. 그래서 주변만 살피는데 어둠은 장막을 더했다.

"어찌 알고 왔지?"

"비를 피하려고요."

"비는 감기를 뿌리지."

"어른은요?"

"앨 마중 나왔지."

"애라면?"

"본 것이라도 있나?"

"전신주와 씨름하는 사람을 보았거든요."

사실을 숨기고 외면할 수 없었다. 그리고 헛간의 피난도 고마운 순간이었다.

"그런데 어딜 가기에 기인을 만났는고?"

"고향이죠, 그런데 이곳은 어디에요?'

"상여집이라면 알겠어?"

"어디요?"

"영생의 집."

4

대화를 더 이을 강단도 무너졌고 등골은 식은땀이 흘렀
다. 그런데 다행인 게 비가 그쳤다. 자리를 더 지킨다는
게 무용이었다. 그러나 상여집의 존재가 더 미혹이지 않
을 수 없었다. 이웃한 금산은 개화한 덕으로 사라진지 오
래였다. 밖으로 나서고야 안심도 되었다. 노인의 음성이
뒤를 따랐다.

"벌써 가려나?"

"비가 그쳤거든요."

"비는 지나가면 그만이지만 이곳을 들린 기억은 사라지
지 않겠지?"

마치 부탁을 하는 것 같아 기분이 그리 좋지 않았다.
하지만 미련을 둘 사안이지도 않았다. 그리고 금산의 기
다리는 노인이 더 관심이지 않을 수 없었다. 고난의 삶에
자식은 혹처럼 부담까지 안겼다. 그런데 노모의 생각은

그렇지 않았다. 노인의 혼잣말처럼.

"어서 가봐야지."

"어른도 그래야하지 않겠어요? 그리고 날씨도 개었거든
요. 그런데 씨름은 이겼는지는 모르겠지만."

"이길 것 같았나?"

"음성은 우렁찼거든요."

음성이란 말은 야릇한 사내의 모습까지 떠올렸다. 사실
사내는 승부에 집착하진 않았다. 마지막의 집착은 자신의
안식을 찾았다. 더군다나 이 노인도 사정은 다르지 않을
터이고 집안의 살림은 벼랑일 터였다. 절망의 중압이 이
상한 짓을 만들었다. 걸음을 옮기는 순간도 화두는 끊이
지 않았다.

'금산은 개명한 덕으로 다르잖아? 물론 요즘도 이름이
난 곳은 사람들이 몰리고 숨은 금을 캐는 일은 아직도 문
전성시를 이루지.'

'문전성시라?'

'그럼. 이젠 내국인도 모자라 푸른 눈을 가진 사람들도
온다잖아?'

도로를 다시 걷는 발걸음은 노인과 사이를 벌렸고 관심
도 멀어지지 않을 수 없었다. 그래도 조금 아쉬움이 남는
다면 정식의 인사를 건네지 못한 것이었다. 그런 아쉬움

은 가까워진 기대로 바꾸었고 더딘 걸음도 이젠 아니었다. 하지만 아직은 남은 거리가 미혹을 더했다.

'사실 황천길에 꽃상여는 최상이잖아?'

'하지만 지금은 미풍양속은 사라졌고. 마지막의 예의는 앵무새의 노래가 차지하고 남은 허전함은 무변의 조화이지. 물론 찬송도 좋겠지만 상여처럼 생동하진 않거든. 아무리 세상이 변해도 미풍양속은 전해야하는 것이지만.'

'그래서 집도 폐허인가?'

'그게 무슨 상관이지.'

물론 자문자답의 순간은 길지 않았기에 이별도 부담이지 않았다. 더군다나 노파가 더한 위로도 집을 향하는 걸음에 힘을 더하는 까닭이었다. 달빛은 상여집도 노인도 가리지지 않았다. 그저 은은한 빛으로 매양 다르지 않았다. 더는 억울함에 미련도 날렸다. 더군다나 이웃의 정을 잊지도 않았다. 그래서 걸음도 쉬지 않았다.

'어서 서둘러야지.'

'어른도 잠들지 않았겠고.'

'그분은 다르단 말이야.'

사정을 섞는다는 게 무정을 불렀으나 보인다고 진실이 아니었다. 이내 걸음은 서둘렀고 신과 바짓가랑이도 흙과 물이 튀었다. 하지만 짜증은 없었고 느린 걸음도 여유를 지녔다. 다만 다 알지 못했던 이웃의 속살에 인정도 쌓였다. 그런데 경계에 닿았다.

'2킬로미터.'

고개에 자리를 지키는 이정표는 사정을 밝혔다. 간밤의 방황도 이젠 끝이었다. 버린 것과 얻은 것은 다르지 않았다. 더군다나 빛골을 찾은 시간이 짧았단 사실은 아쉬움도 키우지 않았다. 다만 잃은 것은 탐욕이요 소득은 경륜이란 생각에 위안을 안았다. 그리고 유독의 기억은 감곡의 물맛이었다. 갈증과 궁기를 극복한 기억은 실제의 학습이었다. 그간 집안일에 나태함도 적지 않았다. 이젠 태도를 바꾸지 않을 수 없었고 내일은 희망으로 묶었다. 이윽고 걸음이 당도한 곳은 커다란 창고이었다. 그곳은 매년 누에고치를 수매하던 건물이었다.

'농협 공판장.'

눈길을 길게 휘두르며 지나온 전봇대의 수까지 헤었다. 사실 전봇대가 반가운 건 정확한 거리 때문이었다. 그런데 마음은 그렇지 않았다. 그간의 사정을 헤며 다음의 일을 찾았다. 이내 걸음은 창고 앞을 지났고 야밤의 건물은 침묵이지 않을 수 없었다. 늦은 시간 취한 사람도 보이지 않았다. 아마도 이젠 휴식만이 필요일 터였다. 사실 휴식은 잠만이 아니었다. 누구라도 미래의 꿈은 잊을 수 없었다. 사실 그간도 부쩍 꿈에 사색이 많았다. 그래서 한동안 잠도 설칠 수밖에 없었다. 그런 불면의 끝은 피곤이란 사실로 귀결되었다.

'비록 헛일이었지만 잃은 것만 있지 않잖아?'

후회의 위로는 기대를 자갈처럼 굴렸다. 아마도 황산의 만남이 아니었으면 통일도 어둠일 터였다. 더군다나 감곡의 물맛은 뒤지지 않았다. 제일이란 금산의 물맛을 뒤로 밀쳤고 황산의 미래도 어둠이지 않았다.

'실패가 나쁜 일일 수 없잖아?'

'그래. 닥칠 기회를 예비하란 뜻이지.'

'그래도 분통한 일은 인정을 나누겠단 사실을 분명히 속였단 것이지.'

위안은 희망을 지우고 가까워진 가게의 불빛이 눈길을 잡았다. 사실 곤핍함에 갈증이 앞서지 않을 수 없었고 등에 붙은 가죽은 순서를 다퉜다. 물론 그것을 일석이조에 해결은 쉽지 않았다. 하지만 동창의 전언은 방책을 알렸다.

'갈증엔 배가 제일이지 않을 수 없다고.'

'갈증이 아니라 궁기가 심하거든.'

자답의 위안은 경험을 짓이기며 걸음을 당겼고 가게의 주인도 잠들지 않았다. 사실 아직도 금산은 천혜의 땅이지 않을 수 없었다. 사실 가난하지만 그건 피상일 뿐이었다. 그래서 그곳은 절명의 피난처이지 않을 수 없었다.

'가난은 복되다 하잖아?'

'그런데도 불만한 까닭은.'

사실 그런 질문은 누구라도 다르지 않았다. 가난하지 않았으면 학업도 그만 둘 까닭이지 않았다. 하지만 농사의 전업은 결코 여유로울 순 없었다. 더군다나 믿음의 소신은 허랑하지 않을 수 없었다. 그래서 가난은 언제나 거북이의 등껍질인 게 당연이었다. 가난은 죄는 아니지만 삶은 고통으로 이어지고 싸움은 가족도 갈랐다. 물론 형이 순종할 사정도 아니었다. 물론 가출의 결행은 오늘까지 지속이었다.

'결코 집엔 돌아오지 않겠다.'

'가족을 거부하겠다고?'

'자신이 있는 대답은 자수성가일 뿐이고 그것도 쉽지 않겠지. 사실 자식의 도리는 천륜이지만 그러기엔 실망이 너무도 크거든. 다른 길을 가야하지 않겠어?'

'그래도 그건 아니지. 누가 옳다고 하는 것은 아니지만 어찌 부모의 뜻을 거역할 수 있겠어? 그리고 지나고 보면 자신도 부모가 되는데 어찌 실망에 매여 천륜을 거부하려는 것인지 까닭을 모르겠다고. 나도 그 길이 좋지만 순리

는 따르지 않을 수 없거든.'

'그래. 너라도 그러하겠단 사실에 위안이 되는군. 하지
만 난 너와 다른 게 새로운 걸 받아들이는 변신을 좋아하
지 않겠어.'

설전의 결과는 이별의 품이었다. 물론 부모란 그럴 수
없는 법이었다. 그리고 자식은 언제나 아픈 손가락이었다.
하지만 장성한 형제가 작정한 길은 극을 향한 나침판이었
다. 그래도 한동안 형의 귀가를 기대했지만 아직도 무응
답일 뿐이었다. 그러니 타협은 애초 글렀다.

'잘난 변신이 결국 이산인지?'

'그럼 난 고래의 길이고.'

'늦은 시간까지 이렇게 무한의 응답을 바라는 까닭이 무
엇인지 모르겠군.'

'역시나 업보의 장난인가.'

'그런 말은 누구나 인정하지도 않지만. 더군다나 아버지
가 안다면 노기를 띠지 않겠어. 비록 보리밥으로 살아가
지만 자존심은 태산이지 않을 수 없으니 그런 말은 애당
초 꺼내지도 말아야지.'

'그걸 처신이라고 궁리하나?'

'자신의 편안은 되겠지만, 그래도 난 의혹을 풀지 않을
수 없으니 반항은 당연하지. 그리고 귀결은 예로부터 지

금까지 하나이었잖아.'

'흐흐. 그럼 난 결국 외톨이가 되겠군. 서울을 비켜가려
는 참이었는데 이젠 도로등지이고. 그리고 만남도 이젠
부끄럽겠는 걸?'

'그렇지만 어머니는?'

'귀환이 희소식이 아니겠어?'

'점점, 그 노인이라고 다를까?'

'염려하지 말라고. 곁을 지키는 사정이 있을 테니까. 그
러니 잠시만 마지막으로 참아내자고. 그리고 다음은 기어
이 출가에 성공하지 않을 수 없으니.'

'형제는 하나의 운명이란 말이다.'

하지만 생각과 현실은 달랐고 걸음은 가게를 찾아들었
다. 이젠 망상을 자른 순간으로 음성이 우렁찼다.

"뭘 찾나?"

"배가 먹음직한 걸요?"

"그럼. 금산의 물맛과 바람으로 키웠지 않았능가?"

"상처가 있는데?"

피부를 살피자 주인은 걱정도 팔자란 듯 주먹보다 큰
것으로 두개를 들었다. 도로가에 자리한 가게는 헐값이
없었다. 사실 하나라도 만족할 생각에 주인은 선심을 던
졌다. 주인의 말에 깜짝 놀랐다.

"상처가 있으니 반값이 당게."

봉지에 담은 배는 서로를 만족시켰다. 기대에 배상을 더한 선물은 이번만이 아니었다. 생각해보면 겪은 일마다 행운이었다. 그러니 걸음에 힘을 더하지 않을 수 없었다. 주인의 얼굴도 하회탈을 닮았다.

'고향의 맛이지.'

'잠도 이긴 각고는?'

'손실까지 덜었으니.'

행복한 걸음은 가로등도 또 지났다. 사실 걸음을 서둘지 않았지만 집과 거리는 지척이었다. 그간 허탈의 사정만 부렸던 뱃속은 반기었고 눈꺼풀은 무거웠다. 그런데 집안의 소등은 뜻밖에 이루어지지 않았다. 아마도 일의 피곤도 이길 걱정이 있는 것 같았다. 그런데 설전도 쉬지 않았다.

"내일 일이 걱정이 안 되나?"

"일은 걱정이지도 않아요."

방안의 대화는 사정을 알렸고 상흔을 긁었다. 물론 모친의 기대는 잠들지 않았다. 하지만 밀린 일에 걱정은 작을 수 없었다. 노인의 느린 독촉이 따랐다.

"큰애의 반만 닮았어도 이러지 않았지만. 그게 누굴 닮은 까닭인지 알겠다고. 비록 젊어 실패는 약이라지만 언제나 끝이 날 것인지."

"그걸 위안이라고 하는 말이에요?"

사실 도전을 작심한 것은 아니지만 상대가 강압한 중압이었기에 신의도 소용이 없었다. 그래서 사정은 불안정하지 않았다. 다만 그간의 고통이 아량일 뿐이었다. 하지만 지금은 밤도둑처럼 귀를 당기고만 있을 수도 없었다. 밤중의 언쟁은 연속극도 아니었다. 다만 서로를 타협하는 과정은 언제나 언쟁이었다. 사실 야밤의 설전이라 인내심도 필요하지 않았다. 사실 그건 누가 무슨 잘못을 했느냐가 문제도 아니었다. 그건 각자의 관심이었다.

"누에가 이 사정을 알아줄까?"

"난 누에보다 애가 중하니."

후퇴의 결의는 허공을 갈랐다. 물론 집안의 일이라 외면할 수도 없었다. 더군다나 그간의 사정이 궁금함도 던졌다.

"많이 먹여야 누에의 몸도 익어지잖아? 그런데 일은 많고 힘은 달리는데 애만 불타니. 그런데도 밤에 잠도 이루지 못한 모습은 화만 부르니. 그러니 큰애와 비교를 하지 않을 수 없었고 절반만이라도 닮았으면 이럴 까닭도 없단 말이지. 물론 내일의 일을 생각하면 잠을 청할 수밖에 없지만 곁에서 소란이지 않겠어. 일에 충실해야 이번의 수매는 그간의 실망을 지울 수도 있잖아. 그런데 자식은 사라졌고 집안은 태만을 잡으니 나로서도 방법이 없단 말이지. 그러니 이젠 집나간 자식으로 여기고 잊으란 말이야. 그러다가 행여 고생 끝에 돌아올지도 모르고. 그게 농부의 자식이고 길이 아니겠어?"

"아뇨, 난 결코 그럴 수 없거든요."

순간의 파국은 평안을 깨트렸고 방안은 어둠만 채웠다. 물론 회군에 자책이 따르지 않을 수 없었다. 하지만 뒤이은 각오는 몸을 물리었다. 물론 피곤에 눈길이 보금자리를 찾았다. 하지만 방안이 아니라 마당에 있는 짚을 쌓은 더미였다. 서둘러 볏단을 내려 세우고 터널을 만들자 빈틈은 토끼굴이 되었다. 이내 기어드니 피곤은 쓰러진 눈꺼풀을 눌렀다. 오랜 번민의 순간도 필요하지 않았다.

'망각은 끝이야.'

'그곳은 전쟁도 가난도 없는 영원한 평화.'

'그게 무슨 망상이지?'

'곁에 부모가 지키잖아?'

'그래도 상관이 없지. 잘나가는 형이 있다는 건 언제나 위안이었지. 물론 예전은 정다웠으나 지금은 귀향도 잊었

지만. 그래도 잊지 못하는 것은 천륜의 인연이니.'

볏짚은 달빛도 가리고 생각의 풍선도 하늘로 날렸다. 잠은 이내 모든 것을 망각으로 내몰았다. 그곳은 구름도 오색이었고 멀리 별이 보석처럼 빛났다. 그곳은 이별과 전쟁도 없었다. 다만 거리가 멀었기에 황산의 등불처럼 빛났고 감곡의 꽃상여처럼 아름다웠다. 그리고 그곳을 갈 수 없는 건 구름의 어둠 때문이었다.

'꿈은 언제나 어둠속을 날지. 그곳은 누구나 갈 수 없는 곳으로 벗어날 수도 없지. 그리고 마지막엔 다시 귀향하지 않을 수 없단 사실이지. 그렇기에 오늘의 이 모습이 당연하단 말이지.'

구름을 헤집는 달은 구름을 달렸고 멀리 별빛도 지켰지만 너무나 멀었다. 그러니 빛은 닿았지만 기억은 존재도 허물었다. 더군다나 무수의 수도 헤아릴 수 없는 인정의 품안이었다. 그런데 어둠을 깨트린 소리가 들렸다.

"토끼가 굴 안에 있는 게지?"

"토끼요?"

작은 음성이지만 정을 담았으니 분명 어둠을 감싸지 않았다. 더군다나 혼미의 정신은 분기보다 죄책감이 앞섰다. 그러니 자연 포로의 신세로 저항도 없었다. 하지만 승자는 협박대신 고봉의 밥으로 공벽의 안을 채웠다. 더군다나 구수한 된장국에 보리밥은 예전의 맛도 아니었다. 그런 곁에 눈길은 변명까지 요구하지 않았다. 그저 바라보는 눈길로 이슬만 영롱했다.

"돌아와 줘 고맙다."

"뭐라고요?"

자존을 잃는 순간 야릇한 본능의 저항을 느꼈다. 그런데 갑자기 돌아오던 열차에서 만난 여자의 얼굴이 떠올랐다. 사실 그런 거울을 가져왔으면 초라한 어미는 아니었을 터였다. 하지만 보물은 그의 손을 떠났다.

"이제 보니 얼굴이 말이 아니구나. 그간 사정을 알겠으니 오늘은 쉬어야하지 않겠어. 비록 일은 조금 있지만 그건 나만으로 가능하거든."

대답이 이어지지 않은 것은 간밤의 기억이었다. 그리고 늙은 노모의 얼굴은 작심을 불렀다. 사실 빈농이 만든 결과의 초라함이었으니 실망만 더했다. 사실 가출을 거듭한 건 이런 모습의 탈출이었다. 그런데 귀환을 보리밥으로 보상했다. 한때 고마움을 모른 사정이 미안함으로 바뀌었다. 이내 부탁도 거듭 따랐다.

"잠이 부족할 터이니 오늘은 쉬어라. 하지만 옷은 갈아입고."

"밭이 상전벽해가 아녜요?"

"부지런을 떤 덕으로 흙 밭이다."

하지만 그 말은 거짓이었고 더는 자신을 지키지 않겠단 생각이 옷도 갈아입지 않았다. 걸린 옷은 살펴보니 정갈하였고 자리도 지켰다. 이내 배를 두꺼비로 만든 뒤 그림자를 따랐다. 다만 밭이 품안이지 않았으니 시간이 걸렸다. 더군다나 비탈을 갈아 뽕나무를 심고 잠사를 지었으니 땀은 배로 요구되었다. 그런데다 땅이 좋아 풀은 춤을 추었는데 편이는 권태이었다. 누에는 제초제의 냄새로도 식욕을 버렸다.

'산골이라 자리가 좋지 않겠어?'

'마을도 가깝고'

'그게 모두가 아니지. 일을 하면서 흘린 땀은 보답으로 결실을 돌려주잖아.'

늙은 부모의 말은 간명하지 않았다. 하지만 그건 노인의 버릇인 까닭이었고 농사는 골병의 함정이었다. 그런데다 결정적인 것은 땀의 수고가 빈손이 되기 일쑤였다. 그러니 관심은 사라지고 남은 건 고집의 몫이었다.

걸음은 속력을 더했고 호흡은 열기를 뿜었다. 사실 십여리의 길이 가까운 것은 아니었다. 분주한 걸음으로 한 시간을 걸어 겨우 도착할 사정이었다. 하지만 중간의 절경은 언제나 걸음을 잡았고 사연은 꿈을 키웠다. 물론 드러난 모습은 연인의 출현으로 기대이었다. 그러나 결과는 보이는 것만이 다가 아니었다.

'색은 공이요 공은 색이지.'

강태공의 낚시 줄이 진언의 산물이었다. 서로가 내기를 걸고 월척을 노리는 무리도 있었다. 하지만 정작 그것은 눈길을 끌 수 없었다. 멀리 둑으로 사라진 연인은 모습을 감췄고 그건 목숨을 매단 붕어보다 관심이었는데 보이는 것이 다가 아니었다. 그것은 누구나 다르지 않은 공통의 관심이었다.

'자비는 복되잖아?'

'귀한 월척은 다르지.'

'뭐라고, 그럼 잡은 월척을 먹기라도 하겠단 말이야?'

'그건 죄이지. 가난이 복되다고 아무리 외쳐도 그건 허망일 수밖에 없고 잃고 이기는 자는 구원되는 까닭이지.'

'아쉬움이 적지 않은데?'

'그 맛이 같지 않거든.'

생각은 쓴 미소를 씹었다. 진정 강태공이지 않고는 드러낼 수 없었다. 그것을 안 강태공은 월척을 낚았고 조금의 미련도 없었다. 그건 눈으로 실증한 터이고 저수지는 풍요한 바다이었다. 그런 생각은 이곳의 사람들은 알았고 기회도 기다렸다. 하지만 도시의 경쟁은 전쟁이지 않을 수 없었다. 그러니 사람들을 전사로 만들었고 투쟁과 화려만 더했다. 간간 비도 맞고 나무를 닮을 사정도 아니었다. 그리고 같은 사정의 장승일 뿐이었다.

5

저수지를 떠난 걸음은 돌산에 접했다. 하지만 저수지의 미련은 꼬리를 거두지 않았다. 비록 물은 많이 빠졌지만 남은 곳의 물색은 진했고 멀리 오리도 날았다. 그런데 기대한 마릿수는 아니었다. 가장자리를 오가는 몇 마리는 평안을 누리고 수면은 털을 은빛으로 비추었다.

'고향이란 이런 곳이지.'

푸르고 너른 저수지에 담긴 돌산도 평범하지 않았다. 멀리 절도 우뚝했고 수면의 물그림자도 그렸다. 그런데 가장자리에 몇몇 오리가 갑자기 날았고 중앙의 자맥질도 그만두었다. 그건 월척에 감격한 사내의 호들갑 때문이었다.

"월척이 항상 낚이는 곳."

"방생하겠지?"

"오리도 보잖아."

"진정한 강태공은 아니었당게."

사내의 호들갑이 미운 듯 곁을 지킨 사내는 냉소를 쏘았다. 물론 월척을 기대한 것은 사실이었지만 그건 욕심이 아니었다. 이웃한 건물이나 산이 남다른 까닭이었다. 하지만 도시는 그런 것에 관심이지 않았다. 어려운 고난을 이긴 쾌감은 진정 소득이었다. 그리고 다시 보름달처럼 키운 기대를 낚싯줄에 매달았다. 하지만 더는 그것에 관심이지 않았다.

'이런 월척은 쉽게 낚이는 법이 아니지.'

강태공의 모습을 뒤로하고 걸음을 서두는데 사라졌던 연인이 나타났고 그들은 저수지에 관심이지 않았다. 서로의 얼굴을 바라보며 미소 짓는 모습이 시샘을 불렀는데 곁이 허전한 사실은 걸음만이 재촉이었다. 아직도 사랑은 요원한 먼 곳에 자리했다.

'언제나 만나려는지?'

'그런데 누굴?'

허망은 걸음을 서두르게 만들었고 암산을 돌고나니 작은 마을이 보였다. 마을을 가로지른 소로에 접어드니 멀리 몸집이 장대한 당산이 보였다. 허리는 아름을 몇 번 둘러야했고 키는 삼층집을 넘었다. 하긴 연륜이 마을과 같았다면 세월을 셀 수도 없었으니 누구라도 탄성이 절로 터졌다. 그러나 곁은 초라한 집들이 둘렀거니와 침묵도 따랐다. 다만 예전 기억으로 눈길을 당겼고 관심도 키웠다.

'학교를 같이 다닌 후배.'

'일 년.'

그런 야릇함은 어느새 사라졌고 낮은 돌담을 둘러보았다. 그런데 돌담의 위로 호박넝쿨이 올랐는데 잎이 마르고 앙상했다. 다시 미련의 심정을 두르는데 이웃한 개울은 노래를 불렀다. 그래서 개울로 달려간 걸음에 손길도 가만있지 않았다. 지난 밤 먼지를 지우기엔 물보다 나은 것도 없었다. 그런데 물도 차지 않았다.

'고향의 정이지.'

다시 뒤를 훔친 눈길은 이내 아쉬움을 지웠고 나뭇가지의 잎처럼 늘어진 걸음을 비탈길로 달렸다. 노루나 토끼가 좋아할 급한 길이었다. 더군다나 먹은 보리밥도 어느새 공복인 것만 같았다. 역시 보리밥은 쌀밥과 달랐다.

'지게질을 할 힘은 있겠나?'

'힘이 문제가 아니라 사기가 문제이지.'

'하긴 우군도 없으니.'

'우군이 없는 것도 아니잖아?'

'그게 무슨 망상이지?'

'하긴 그런 생각은 환영이지.'

냉정은 환청을 지웠고 숨소리는 걸음을 묶었다. 하긴 언
덕을 오르는 심장이라 휴식을 청했지만 기분의 허탈은 억
지를 부렸다. 사실 이번의 귀향은 기회의 후퇴일 뿐이 아
니라 또 결과의 실망도 당연이었다. 물론 성공을 하면 결
과는 반드시 성사이었다. 물론 비가 오지 않은 땅은 굳지
않았다. 하지만 허망의 반복은 용기도 허풍이지 않을 수
없었다. 그렇다고 포기는 일렀다. 더군다나 그건 가훈과
같은 뼈대로 성공을 이루는 과정이었으니 친구의 처지도
다르지 않았다. 더군다나 혼기의 처지가 급한 터라 다정
은 당연이었고 자유는 방생이었다. 더군다나 시골의 특수
성을 고려하면 예전은 망령이라 하지 않을 수 없었다. 다
만 노쇠한 부모의 삶은 그렇지 않았다.
　　'그래서 다시 돌아온 까닭은 아니지만. 비록 착각일지라
도 아니 부랴부랴 사람을 찾자는 뜻도 정한 운명을 이룰
수 있는 것도 아니지. 그리고 예전의 일도 그러할 진데
지금이라고 다르겠어? 그녀 또한 잠시는 혼란스러웠겠지
만 실망을 지웠지 않겠어?'
　　집을 떠나 있으면서도 생각은 잊을 수 없었고 눈길은
자신도 모르게 고향 쪽을 바라보았다. 물론 산만 첩첩인
터라 잠사의 노모에 얼굴을 떠올렸다. 하지만 마음은 그
렇지 않았으니 환영은 거짓이지 않았다. 물론 잠사의 일

도 걱정이지만 인간의 운명이 더 지대한 까닭이었다. 하지만 침묵의 잠사처럼 환영은 이내 사라지곤 했었다. 그런데 가까이 잠가로 다가가는데 부드러운 소리가 안에서 들렸다.

"이렇게 힘든 일일 줄이야!"

"그래도 아직 난 젊잖아?"

사실 안의 내막을 알 수 없었다. 하지만 그 음성이 부드럽고 가늘었다. 연로한 노인이나 사내의 음성은 아닌 것이 분명했다. 물론 일은 노인의 몫이었고 빈틈은 이웃의 도움이었다. 그러니 안의 대화가 이상할 것도 없었지만 지금의 상태는 그의 태만이었으니 책임은 당연이었다. 더군다나 누에의 일은 시간의 다툼이 절대적이었다.

'사실 누군지는 모르겠지만 이런 일에 도움이지 않을 수 없잖아. 물론 일을 돕는다면 대가는 치르겠지만. 이런 일손은 구하기도 쉽지 않았으니.'

공감을 드러내는 순간에 걸음이 멈추었다. 그것은 시골의 사정이 의심에 불덩이를 지를 것이니 머뭇거릴 수도 없었다. 슬쩍 안의 사람을 살피는 틈이 아쉬웠다. 그러나 누에의 잠박엔 접근도 어려운지라 시야가 좁았다. 더군다나 뽕잎이 산을 만들었고 더군다나 틈의 가림에 분개할 순간이었다. 그런데 순간의 스침에 심장이 멎었고 얼굴은 홍당무가 되었다. 그건 예상 밖의 일이라 이젠 걸음도 자유롭지 않았다. 더군다나 일의 분주에 탐닉은 도리도 아니었다.

"사실 일이 많지 않았다면 오지도 않았지."

"그래도 이웃의 어른이고."

대답도 제대로 건네지 못한 채 지게를 어깨에 걸쳤고 능선을 바라보자 여자는 문을 열고 밖으로 나왔다. 그런데 두 사람은 인사도 건넬 수 없었다. 물론 출현한 도둑에 경악을 생각하면 침묵은 당연이었다. 능선의 길로 접어들며 뒤를 돌아보자 여자의 모습도 사진처럼 드러났고 돌이 되고 말았다. 그건 다리를 건너면서 살핀 돌담집의 딸이었다. 그리고 옛정을 떠올리며 걸음에 힘을 실었다. 하지만 작은 마을에 보이는 돌담 집은 동공을 벗어났고 이지러진 기억은 절로 미로를 달렸다. 그래도 기억은 지워지지 않아 주저리주저리 사연을 둘렀다. 물론 이웃한 절도 보였지만 기억은 손금을 벗어나지 않았다.

'내겐 특별한 사람이잖아?'

'이웃도 피난을 왔었고.'

'사실 피난 온 건 맞지만 그래도 핵심은 이웃일 수 없는 이웃이잖아?'

'그게 싫다고 떠난 형이 고맙지.'

'그 생각을 정리하기엔 난 아직도 미련은 남지만. 그리고 그건 이루지 못할 사랑이니.'

기대의 회한은 자리를 잡지 못했다. 사실 그녀가 나타나지 않았다면 마음은 평정일 터였다. 그러나 지금은 평정으로 머물 일도 아니었다. 더욱이 늘어난 세월의 나이는 지게의 짐처럼 무게만 더했다. 하지만 기대의 해갈은 점점 멀어지는 풍선이었다.

'결정은 나만의 몫도 아니지.'

'사실 냉정하게 모든 게 난 부족하거든. 직업도 직업이지만 담보까지 없다는 처지이니.'

'그렇다고 인연을 끊을 일도 아니고.'

'아마도 형이 이곳을 떠난 것은 고통만이 아니라 자신의 미래에 희망을 가질 수 없는 사실이었을 게야. 사실 누구나 미래는 인간의 희망이고 그건 고래의 귀결이었지 않겠어?'

'하지만 지금의 나는 그럴 수도 없으니.'

번민의 걸음을 멈춘 것은 노인의 설전이었다. 사실 노모는 언제나 가난에 시달렸지만 조금도 불만이지 않았다. 운명을 받아들인 탓이었다. 더군다나 둥지도 농촌인 탓으로 여필종부하며 인내의 미덕을 품은 것도 사실이었다. 하지만 언제나 그게 다일 순 없었다.

"젊어서 나누지 못한 게 한이랑 게요."

확신의 통고는 숲속의 심판을 절벽으로 몰았고 언성까지 높았다.

"그럼 이제라도 헤어지겠단 말이야?"

"헤어지는 게 아니라 본시 내 몫이었잖아요."

무엇을 두고 벌리는 말다툼인지 알 것도 같았다. 사실 손 바닥 만 한 재산이라곤 비탈의 뽕밭이었다. 그런데 늙어가면서도 불평불만이 없었지만 세상은 생각을 바꾸게 만든 까닭이었다. 사실 집안의 살림도 예전은 사내가 주관이었고 아내는 여필종부를 미덕으로 일관했다. 그러나 그것은 미덕으로 난제이었다. 거기에 시류도 봄바람이지 않았다.

"아무리 세상이 변해도 안 되는 것도 있잖아?"

"더는 휘둘리지 않아요. 사실 나의 마지막 기대를 당신은 아직도 꺾으려고만 들잖아요? 사실 장자나 차자의 차별도 버리지 않았으니까."

"그런 건 큰 애가 잘 되면 동생을 모른 체 하겠느냐고."

"아직도 세상이 당신의 뜻대로 돌아가는 줄 알아요. 그러니 아직도 집을 찾지 않는 까닭도 모르잖아요. 그러니 이젠 나도 주장을 한단 말이에요. 나는 그것이 애들의 미래라고 확신하거든요."

"나라고 크게 다를까?"

노인들의 설전은 타협의 경계를 지났다. 몸싸움을 하는 것도 아니지만 감정까지 섞였다. 물론 자기의 생각이라든가 아니면 미래란 말은 이해되지 않았으나 전쟁은 피하지 않을 수 없었다. 하긴 황산의 불빛을 마냥 지울 수 없었다.

"쉬라했지 않았어?"

"사정이 그럴 수가 없잖아요."

"못 보일 것을 보인 것 같다. 하지만 이건 결정을 하지 않을 수 없잖아?"

무엇을 가지고 벌이는 줄다리기란 걸 모르지 않았다. 더군다나 이웃한 절에 사람들이 오리처럼 모인단 소문이 무관하지 않았지만 싸울 일도 아니었다. 순간 화전을 권할 겨를도 없다는 듯 일에 매진하지 않을 수 없었다. 이제는 가출의 속죄가 우선이지 않을 수 없었다. 사실 그간 탈출은 고통의 울이었다. 그런 실전을 더하지 않았더라면 아직도 고통에 매일 터였다.

하지만 그런 경험을 한 이후는 같을 수 없었다. 평생을 일과 짐으로 산 노인들이 우선이었고 무정의 형은 오해이었다. 그러나 곁의 우군이 나타난 터에 아량도 안겼다. 그런 사실만 보더라도 한걸음에 짐을 나르지 않을 수 없었다. 더군다나 아래의 천사는 지남철이었다.

"짐이 너무 무겁잖아요?"

"젊음이라 깃털이지요."

사실 타협도 필요하지 않았다. 그간의 실망도 지울 기회
였다. 하지만 노부는 아직도 형의 미련이 저수지만큼 깊
었다. 그렇지만 아량은 더 깊지 않았다. 그건 노모도 다르
지 않았다. 다만 형의 실망은 미움보다 자랑으로 바뀐 나
날도 많았다.

"성공이 너무 대견하잖아?"

"동생은 그렇지 못하니."

심기를 흔드는 번민은 짐보다 무거웠다. 걸음은 어느새
잠사에 닿았다. 물론 그곳은 우정으로 평생을 함께 한 분
의 딸이 지켰다. 그녀도 가난이 울처럼 둘렀으니 고통은
다르지 않았다. 더군다나 홀아비의 덤까지 얹었다.

'나보다 그래도 날개옷은 있으니.'

'도토리 키 재기를?'

'어미가 없다는 게 흠이지.'

'어미?'

그건 자존의 희롱이지 않을 수 없었다. 물론 그간의 실
수를 그녀도 모르지 않았다. 하지만 그것을 입에 담은 적
도 없었거니와 변명도 건네지 않았다. 물론 소문엔 시골

이 장애이었고 드러난 사정은 탈출뿐이었다. 그런데 아직
은 실행이 이웃보다 미천했다.

"여간 고맙지 않잖아?"

"달려온 건 이웃의 정이에요."

오히려 겸손까지 매기는 눈길에 환영은 더하지 않았다.
사실 그녀와는 오랜 만남이었다. 그전 노부들의 이야기를
함께 즐긴 적도 있었다. 그땐 어린 탓으로 이웃의 정도
몰랐다. 그리고 크면서 사춘기가 틈을 벌리었는데 역시나
남녀는 칠세 부동 석이었다. 더군다나 어릴 적에 술잔의
밀약은 조롱인 터라 둘은 악연으로 묶였다. 다만 그래도
나은 것이라면 세월의 성숙이 긍정이었다. 자신의 생각이
비난을 받는다 할지라도 파악은 당연이었다. 하지만 아직
은 그것을 지게의 뽕처럼 내리지 않았고 눈길에 기대를
매달았다. 물론 그녀의 손에도 뽕잎이 가득했다.

"처음엔 낮도깨비인 줄 알았어요."

"누에가 배고프다고 몸부림치는데 나만 외면할 수 있겠
어요. 그래서 달려왔는데 일은 태산이고 늙은 노인들이
감당하기는 불가하지 않겠어요? 그런데 이리 뽕을 뿌리는
선녀가 내려왔으니. 내가 더 놀라지 않았는지. 하지만 너
무 걱정하지 말아요. 물론 이제는 서로가 과거의 유아이
지 않잖아요?"

"그런 말이 묘한데?"

질책을 듣는 순간 시선을 돌리지 않을 수 없었다. 그러나 심정은 얼굴을 물들였고 바람은 땀을 지웠으니 인사는 절로 되었다. 그러자 남은 칭송도 빠지지 않았다.

"역시 일은 젊은이의 몫이에요. 가는 세월의 억울함은 그 무엇으로도 감당할 수 없으며 이제라도 편안을 드려야 하지 않겠어요?"

"당연하고요."

가벼운 몸은 어느새 지게를 다시 메었고 작은 미소는 걸음을 재촉했다. 예전이라면 도망을 쳤겠지만 지금은 인정도 알았다. 거기에 피부의 부드러움과 색깔도 누에를 닮았다. 그간 멀어야만 했던 사연도 부질없었다. 더군다나 무엇이 부족하다해도 억울하지 않았다. 비록 한 시절의 농군처럼 산대해도 함께라면 서운하지 않을 터였다. 더군다나 누에를 치는 사정도 배웠으니 누에의 일생도 닮을 터이었다. 물론 그런 얘기를 전한 건 노모의 경륜이었다.

'누에는 짐승이 아니었잖아?'

'무슨 말이에요?'

'죽은 것 같으나 죽지 않고 부활도 하니 말이다,'

'하긴 부활은 짐승이 하는 게 아니죠. 그리고 그건 우리가 알 수 없는 세계로 신의 마술이라면 모르지만 허언이

거든요. 그러니 죽음은 무저갱이 아닐 수 없겠고요.'

그의 대답에 노모는 노하지 않았다. 하지만 노모와 부친은 오랫동안 이웃의 노부와 동료이었다. 물론 그들의 꿈은 현실적이지 않았다. 시골의 살림도 도토리의 키 재기였고 마음도 닮았다. 그래서 이웃한 교회나 절도 드나들었다. 하지만 고집은 가난의 뼈대이었다.

'그렇지. 죽음은 진정 끝일 순 없지.'

'그럼 시작인가?'

이웃의 반문은 노부도 대답하지 않은 채 술좌석을 벌렸다. 물론 농군의 처지는 풀잎을 구르는 이슬처럼 술은 애초 불사약이었다. 그리고 그건 죽음의 공포도 겁내지 않았다. 하지만 고난의 위로에는 필요 약이었다. 그래서 해답을 구한 것도 공감이었다. 그러니 사랑의 찬가에 동의하지 않을 수 없었다.

'하나로 시작하지만 없음의 시작인 하나이고, 하나로 끝내지만 없음의 끝인 하나이다.'

'귀신이 싸 나락을 까먹는 소리잖아.'

'그런 게 아니다. 물론 아직은 누구도 쉬 설명을 하지 못하고 또 누구도 그걸 짐작으로 장님이 코끼리를 만지듯 하지만 그걸 느끼며 배우려 찾아오는 사람이 적지도 않잖아. 더군다나 먼 외국에서도 이곳으로 모여들고 예전 우리도 그랬지. 하지만 세월은 흘러 죽을 날이 가까워지지만 그래도 연기처럼 어둡지 않다는 게 사실이지. 그래서 기대로 언약을 맺었고.'

그들의 취기는 술잔을 부딪었다. 거기에 어린 애들의 노래와 장난이 동의인 줄 알았다. 하지만 세월은 흘렀다.

'그런 걸 현실로 받아들인다는 건 죄악이 아니겠어요? 그리고 그런 생각은 하지도 말아요. 오지 않은 때를 말하지 말라했으니 실망스럽지만 침묵할 뿐이었고요.'

안위의 눈길은 아직도 자태를 떠나지 않았다. 사실 노인의 곁을 지키는 뜻도 이젠 집착이 아니고는 버티기도 힘들었다. 더군다나 그것이 언약이라면 결과의 파약은 당연이었다. 그러한 사실에 이제 두 사람은 한 마음이지 않았다.

"사실 그건 억지일 수밖에 없는 것이지만 홀로는 파약도 할 수 없잖아요? 그래서 기회를 기다렸고 오늘의 만남이 된 것은 그 일이 일대사이란 말이지요. 물론 지난 일을 이제와 무로 돌리는 것 자체가 어불성설이겠지만 그래도 그러하지 않을 수 없는 건 미래 때문이잖아요. 그러니 오해하지 않았으면 좋겠어요."

그녀의 제의에 한동안 침통을 거듭하자 귀를 스치는 바람이 무정함을 지웠다. 사실 무어라 답할지도 쉬 떠오르지 않았다. 하지만 목을 축인 보답은 아집일 순 없었다.

"뜻을 잘 알았으니."

"무슨 말인지?"

"정말이지, 나도 울화가 치밀지 않겠어요?"

"그럼 동의했군요."

결정을 반기는 표정은 저수지의 수면보다 어두웠다. 사실 아직 심저에 무엇이 있는지 알 수 없지만 파약은 가볍지 않았다. 더군다나 혼기의 사정도 둑이지 않을 수 없었지만 방법도 기실 없었다. 물론 그녀의 자유를 억압할 까닭도 없었다. 물론 그녀도 기회를 찾았고 준비도 더했다. 더군다나 젊음의 미모는 꽃이었고 갓 피어난 장미이었다.

"그러잖아도 만날 생각이었으니."

"두 번 만날 것 없잖아요?"

"대답이 급하면 체하는 법이죠."

불만의 대답에 그녀는 희망도 지웠다는 듯 뽕을 잠박에 뿌렸다. 물론 누에는 입을 휘둘렀으니 마땅히 소낙비가 내리는 소리가 났다. 물론 귀물을 바라보는 그녀의 눈길은 냉정이었다. 더군다나 피부와 혈색도 누에보다 못하지 않았다.

"누에가 신비하지 않아요?"

"왜요?"

"이렇게 부지런히 먹은 뒤 고운 비단을 선물하잖아요. 그러다가 몸은 죽음을 맞지만 감옥을 탈출하듯 나방으로 하늘을 난다는 일이 마술이지 않고 무엇이겠어요."

그녀의 말에 동의는 미소로 입가를 물들였다. 물론 평범한 일이라 귀담을 것도 아니지만 자신의 뜻 관 거리도 멀었다. 더군다나 그간 만난 적도 없었으니 과거는 드러나지도 않았다. 그래서 서로 만난 우연의 기회는 동의뿐이었다.

"그럼 기적이 맞겠군요."

"기적이진 않아요."

의혹에 눈길에 시선이 가는 것은 당연이었다. 그리고 그런 일은 마술일 수 없었고 거짓의 현란이지도 않았다. 더군다나 그녀의 의도한 사정과 같지도 않았다.

"마술은 거짓의 눈속임이에요. 현란한 기술의 결과가 기이함을 보여주지만 그게 진실일 순 없잖아요."

제2책 천지탑

아침은 네 발 저녁은 세 발.

6

한동안 그날의 대화는 그림자가 되었고 언약은 말장난이 아닌 맹약의 단초이었다. 물론 지긋지긋한 가난의 생활이 그렇게 지팡이처럼 사람을 굽혔지만 길은 미로의 연속이었다. 마치 비탈에 선 나무는 닮는 사정이었다.

그러나 반전을 바라는 마음도 심저의 바닥이었다. 더군다나 어릴 적 개천에서 본 서커스의 마술은 경탄 그 자체이었다. 물론 고공의 줄타기도 놀라웠지만 그것은 훈련의 결과였다. 그러나 누에가 고치 속에서 거치는 변신은 마술이지 않았다. 그러니 그녀의 말은 거품이지도 않았다.

"변신은 누구라도 죄가 아니라잖아요?"

"하지만, 약속이란 그럴 수 없거든요."

기대한 대답은 이제 사라질 바람만 같아 턱까지 치민 숨으로 눌렀다. 사실 누에의 일생도 사실이지만 사랑의 부활은 거의 기적이었다. 더군다나 집착의 현실을 지울 수도 없었다. 물론 그 집착이 그른 것은 아니지만 진실일 수 없었다. 노모의 이야기가 머릿속을 흔들었다.

'바깥노인이 그렇지 않던?'

'그게 무슨 말이지요?'

'가난이 그렇게 사람을 굽게 만들었단 말이다.'

'그럼 죄가 아니군요.'

'죄는 아니겠지만.'

'가난하지 않았다면 진정 행복을 알 수 있을까요?'

'난 사실 그것이 사실이래도 그렇게 살고 싶진 않았다, 그건 누구나 같지 않겠냐?'

'그래요. 한번뿐인 인생이니.'

'그러니까 변할 수밖에 없다는 게지.'

어릴 적 기대를 생각하면 어이가 없으면서도 이상하지 않았고 그녀의 현실도 다르지 않았다. 다만 노모는 조금도 불평하지 않았고 지켜온 세월이었다. 그런데 더욱 놀란 것은 그 세월동안 많이 변했단 것이었다. 그래서 이젠 의혹을 용납할밖에 수 없었다. 그래서 길었던 세월도 잊으려했던 것이었다.

'빈손인 귀환이었으니.'

'언제라고 달랐을까.'

'그걸 할 말이라고 하는 거야?'

강태공의 낚싯대를 바라보던 시선은 희망을 잡았고 환성이 터졌다. 그런데 정작 강태공은 잡은 월척을 이내 다시 놓아주었다. 사실 아쉬움이 큰 것은 당연이었다. 하지

만 기대한 소망을 지우는 마음은 모르지 않았지만 빈손은
나약한 기침소리였다.

"콜록콜록."

닫힌 문안의 고음은 간장을 꼬았고 눈길엔 힘도 실렸다.
그러나 고치 속 누에처럼 몸을 숨긴 사람은 드러나지 않
았다. 물론 예전의 모습으로 대체되고 남은 현실은 번데
기이었으니 얼굴엔 주름뿐이었다. 그런 노부는 건강하지
도 않았지만 숨이 멎진 않았다. 기대한 상상에 토실한 얼
굴이 호언을 더했다. 물론 기대는 투박한 당황이었다.

'영원히 산다고 하지 않았어요?'

'누구나 몸은 한정되지.'

'그러니 자유를 찾지 않을 수 없잖아요.'

상상을 푸성귀로 채운 건 점심만이 아니었다. 일은 언제
나 밥그릇을 불렀고 된장향기는 푸성귀로 감쌌으니 침은
샘물이었다. 물론 그런 식사에 대화는 긴장을 풀었고 과
거도 흘린 시냇물이었다. 더군다나 이웃의 사정도 닮았으
니 마음도 하나이었고 내심은 화합으로 뻗쳤다. 그런데
더욱 고마운 것은 그녀의 대답이었다.

"오빠가 늘 생각나지 않겠어요?"

"그게 무슨 말인지?"

"성공한 오빠가 우상이지 않을 수 없으니."

"말속에 뼈가 있구나. 하지만 겐 일이 바빠 오지 않는 것일 뿐 소식을 모르는 건 아니잖아?"

노모의 반격은 기대를 잠재웠다. 물론 그녀는 도움을 청하려했으며 친밀을 바랐다. 사실 노모도 같은 마음이었다. 그러나 둘의 간격은 그렇지만도 않았다. 사실 어려운 자리에서 합심을 이루는 건 쉽지 않았다. 더군다나 노모의 존재로 고마움을 가진 터라 그녀의 퇴각은 자연이었다. 사실 그녀도 모친의 지리를 모르지 않았고 가난은 동병상련이었다. 더욱이 홀아비의 처지는 가련하지 않을 수 없었다. 그래서 사정을 아는 노모는 가끔 도움과 조언을 나누었던 것도 사실이었다. 그러나 그날은 그렇지만도 않았다.

"저도 기다림이 허망한 짓이란 걸 잘 알아요."

"아니다. 기다림이란 희망이잖아."

"그래도 오빠는 자수성가의 소식을 날렸으니 서운한 것도 없지만 사실 우린 콩 구워 먹은 자리라서."

"그런다고 뭐가 다르겠어?"

대담한 노모의 위로에 그녀는 거부하지 않았다. 물론 그녀도 바위처럼 굳은 소망이 거짓이지 않았다. 사실 아픔을 드러내려는 의도는 아니었다. 다만 그간의 답답함을 참고만 있을 수 없었기에 허심탄회한 게 죄이었다. 물론 사정을 토로한다는 것도 쉽지 않았다. 서둘러 곤혹에 자리를 피하는 그녀에게 동행이 따랐다. 물론 그녀도 불편한 심기를 지우지 않았다. 하지만 그는 부정적이지 않은 생각을 건넸다. 더군다나 아픈 손가락인 오빠의 사정을 누구보다도 잘 알았고 위로도 더했다. 그러한 현실의 일심은 고향을 사랑하는 까닭이었다. 물론 시골의 젊은이라면 누구라도 같겠지만 유독 그에겐 불문율인 탓이었다. 다가서며 은근히 기대를 비쳤다.

"기다리기보다 찾아가는 게 낫잖아요?"

"나라고 모를까요. 하지만 그러면 노인을 버리는 짓이지요. 그러나저러나 어른은 마지막의 언덕이거든요."

"언덕?"

"아니라면 어찌 노모를 기렸겠어요."

"이웃이잖아요."

그의 한심한 대답은 한동안 침묵을 주었다. 그러다가 이내 심중을 드러냈다. 그만큼 그녀도 탈출은 다급함이었고 그간 속내를 털었다. 그녀도 가난한 탓에 결혼은 생각하지도 못한 처지였다. 그의 전언이 공감을 전했다.

"어려운 사정도 다르지 않잖아요?"

"그런지는 모르겠지만 세상은 그렇게 낙관적이지 않더라고요."

"괜한 걱정에 매일 건 없어요."

"그게 무슨 말인지?"

"어머니도 고마워하지 않겠어요?"

눈길은 의혹을 매달아도 대답은 이내 정해지지 않았다. 물론 속내를 모를 사안이 않아 이내 침묵이 고마웠다. 하지만 집안일도 손이 잡히지 않는 건 사실 같았다. 물론 예전의 모습에 미련도 남은 것 같았다. 하지만 그건 다 지나간 일이었고 망각은 미래의 길이었다. 그러나 그녀는 자신을 생각하면 이탈은 당상이었다. 그런 일이 있은 후 잠사의 일은 냇물처럼 강으로 흘렀다. 잠박의 먼지를 털며 노모는 말을 맺었다.

"그간 고생들 했다. 이제 수매할 일만 남았으니. 물론 기대는 하지만 결과란 다 하늘의 선물이니 욕심은 없다. 그렇다고 흘린 땀도 적지 않았으니 실망할 일도 아니지만 사실은 기대도 많다는 게 사실이잖아. 일한 결실은 빈손만이지 않겠지?"

"누구라고 다르겠어요?"

"알아줘 고맙다."

"사실 같이 일하던 순간이 행복했던 것 같아요."

"그래. 고맙다. 그래도 함께 할 수 있었던 건 과거의 연속이기 때문이 아니겠어. 그래서 노파심으로 하는 말이지만 사는 일도 무관하지 않을 게다. 그저 어디를 가더라도 믿으며 나누는 일이니."

"대답은 쉽지 않지만 잊진 않겠어요."

"그래서 나도 생각해보았지. 사실 시골의 가난으로 젊음을 다 보냈고 또 결실 또한 기대한 것보다 형편없지만 그레도 결실은 되었지 않겠어?"

"그래서 존경한 것 같아요."

"그건 너희라고 다를까?"

"사실 그간 고생을 하면서 불평이 없었다면 거짓이겠지요. 하지만 고생은 견디지 못할 일도 아니었고 견디다보면 버틴 용기에 놀라지 않을 수 없었지만 그게 어찌 자랑일 수 있겠어요. 그러니 험난한 고생의 피안을 찾아 망상을 즐길 순간도 찾았고요. 더군다나 훗날 오빠가 돌아온다면 나는 뭐라 대답할 지도 모르겠지만요. 그런데 사실 그 날이 언제일지도 모르는 게 현실이고요. 더군다나 부친은 공수래공수거로 육신도 이젠 예전이지 않거든요."

"그래도 이웃이 있잖아."

"그게 무슨 말인지는 알아요. 하지만 아무리 친하다고 하더라도 그건 울 밖에서 울안을 바라보는 일과 같은데 그 믿음이 오래 가겠어요. 그래서 가난은 두렵지 않지만 결코 받아들이기 쉽지 않거든요. 그래서 희망의 나래를 펴고 훨훨 날아볼 생각이고요. 다만 그것도 두 번 주어지는 인생도 아니니 신중하지 않을 수 없겠지만요."

"그렇다면 이리하면 어떨까?"

"무슨 말인지 짐작도 못하겠지만 도움이라면 거절하진 않겠어요. 비록 어떤 힘든 일을 하더라도 가난처럼 이기지 않겠어요?"

"그럼 됐다. 연락은 다음에 하마."

"그리되면 걱정은 하나 줄겠어요. 사실 객지는 고향의 까마귀를 만나는 것만으로도 반갑지 않을 수 없으니 그 도움은 외면할 수 있겠어요. 그리고 이후도 사정은 이전과 같을 것이고요."

"이제는 걱정이 하나 사라졌다. 그간 너무도 곁에서 바라보며 남의 일이 아니었는데 이런 모습을 보니 나도 이젠 마음이 놓였다."

"부친도 좋아하실 거예요."

"그래. 사정을 알고 보니 그간은 너무도 무심했던 것 같았구나. 사실 그간은 마음뿐이었거든."

"왜 그것을 저라고 모르겠어요. 하지만 누구나 사는 과정은 고갯길이고 희망의 풍선잡기이잖아요. 사실 한때 풍선을 잡을 요량으로 곳곳을 달렸지만 이젠 다르지요. 그러나 어찌 생각하면 그만한 고생도 좋을 것 같아요. 그리고 오빠를 만나기라도 한다면 그리 살아왔다고 자랑하고도 싶고요. 다만 오빠도 예전의 모습은 아닐 테니 이해가 필요한 건 사실일 것이고요. 더더욱 이웃한 오빠는 결혼도 성공한 한 분이 아니겠어요."

"알아줘 고맙다."

"아직은 만나지는 않았지만 사랑하는 아내 분도 보통은 아닐 것 같아요. 더더구나 도시의 사람은 시골의 무지렁이와 다른 법이고 미모도 인형이지 않겠어요. 그리고 박식한 말씀은 샘물이겠고요."

"그 말을 듣고 나니 나도 그간 모른 사실을 알게 되지 않을 수 없구나. 사실 이곳으로 찾아오리란 생각만 했으나 그것을 듣고 보니 무리한 생각이었고 그 애도 그러할지도 모르지 않겠어? 물론 누구라도 대화를 나누기 전은 같지도 않겠지만 그러하지 않을 수 없는 건 사정이었으니."

"사람마다 생각과 모양이 다르잖아요."

"다른 건 겉의 차이이지만도 않잖아. 사실 누구나 마음은 영원한 하나이겠지만 사정에 매인 현실은 또한 다를 뿐이니."

"사랑이 약이겠군요."

노모는 눈길에 의혹을 매달 순간이었다. 물론 생각이 고

루하진 않았지만 박식일 수 없었다. 물론 천성의 선함도 작지 않았으니 이해심은 당상이었다. 그런데 이면은 허탈을 잡으며 내심 기대를 풀었다. 그건 매일 해가 떠오르는 것과 같았다. 그런데 기대의 차질도 머지않아 드러났다.

"소문처럼 수매 값이 바닥이었구나. 하긴 농사일이 천시이지 않을 수 없는 사정이지. 그리고 그건 한때의 곤혹일 터이니 불만은 없지만 그래도 마지막까지 욕심은 더했지. 그건 땀을 너무나 흘렸기 때문이 아니겠어."

"그럼요, 하지만 이 일이 전화위복이란 생각이에요. 이 기회에 그 지긋지긋한 노동을 끝장낼 수도 있으니."

"그럼 이제 목구멍은 어떻게 채우고?"

"설마 죽기야 하겠어요? 장성한 자식이 둘이나 있는데."

위로를 건넸지만 노모는 이내 우려의 눈길이었다. 아직도 길을 찾지 못한 사내도 곁을 지켰다. 물론 그의 표정은 무뚝뚝했지만 기대는 허물어지는 모래성이었다.

'이젠 맘 놓고 떠날 수도 없을 것 같군.'

'형을 찾아간다?'

'그것은 아니지. 설마하니 둘도 아닌 동생을 외면하겠냐는 기대가 문제이거든. 더군다나 그토록 세월을 함께하고 나눈 정도 장애일 것이거든.'

'난 달리 생각하지. 이젠 형과 인연을 정리할 때도 되었

지 않겠어.'

'형은 혈연이지만 길은 다르겠으니.'

의혹의 질문은 불안한 과정을 알렸다. 물론 귀담을 사정도 아닌지라 걱정은 바람이었다. 하지만 내심 노모의 표정은 순간마다 그림자처럼 일렁거렸다. 더군다나 그녀의 만남 이후는 더욱 심했다. 물론 화답을 기대한 건 실망이었다. 더욱이 집안의 사정도 편치 않았다.

"요즘 어른 건강은 어떻지?"

"하루 버티기가 쉽지 않은 것 같당게요."

"하긴. 세월을 이기는 장사 있겠나."

대화는 위로를 건네려는 찻집에서 머리를 맞댔다. 물론 수매한 이후의 보답도 전했다. 하지만 모자로 얼굴을 가린 그녀는 여행객처럼 위장했다.

"변신이 놀라워요."

"멋진 게 아니고요?"

미소를 귀 뒤까지 찢으며 구석진 자리로 잡았다. 시골은 소문이 번갯불인 곳이었다. 그래서 노동의 결실인 보답도 풍문 차단을 선결해야했다. 그러니 얼굴을 가리지 않을 수 없었다.

"그간 감사하지 않았겠어요. 그리고 결과는 노모께서 전하는 것이라 기밀이지요. 사실 이웃이라기 보단 가족이란 말이 옳지만."

"그건 틀린 생각은 아니지요. 어미를 잃은 정을 그분에게서 느꼈고 정도 베풀었으니."

"그래서 의혹도 풀렸고요."

마치 마술을 공연하는 듯 뱉은 말에 눈길은 쏠렸다. 창밖의 능선은 부드러운 곡선으로 뽕밭까지 이어졌다. 그 너머엔 큰 바위가 자리했고 숲으로 이어진 수목지도 드러났다. 그건 깊은 악산이 아니었기에 순덕을 드러냈다. 그런 산속은 곰과 멧돼지도 다닐 터였다. 그런 사실을 그녀도 모르지 않았다.

"봉사할 마음이었는데?"

"받아들일 분이 아니지요."

"누구라도 그렇지 않을 수 없는 건 귀한 선물을 이미 받지 않았능가요?"

"무슨 말인지?"

질문에 본능이 앞섰다. 물론 연고나 가족도 없었으니 도움은 인정으로 짝을 지웠다. 물론 사정은 다르지만 현실을 거부할 수 없었다. 그래서 고향을 떠난다는 마음은 미련이 남겼다. 순간 그간 형과의 사연이 결코 없을 수 없었다. 그런 사정에 그녀는 속내도 숨기지 않았다.

"소문을 들었지요?"

"보상이요?"

그녀는 고개를 끄덕이었다. 물론 관광단지로 수용된 땅은 보상이 도시보다 적다는 건 사실이었다. 그러나 이곳 형편을 안다면 그것은 기회이지 않을 수 없었다. 물론 그녀도 다르지 않았다. 물론 돌담의 집은 크지 않았다. 좁은 터에 건물도 손톱일 터였다. 그런데 보상은 소문으로만 풍성했다. 그러나 개발이후의 사정은 청사진이지 않을 수 없었다. 더군다나 그것은 시골의 환골탈퇴이었다. 가난에 찌든 시골은 기회도 없었고 미래도 찢었다면 개발은 호기이었다. 그건 명성을 가진 절이 까닭을 주었다. 하지만 구역은 제한적이었다.

"오빠가 왔으면 좋았는디."

"누군 다를까요."

"그래요? 사실 난 딸이라 가질 것도 없지만 그쪽은 반분이 아니겠어요? 갑자기 하늘에서 꽃비가 내렸는데 양보한다고요?"

"그쪽도 마찬가지 아닌가요?"

대화는 불안을 늘였고 결과는 바람 빠진 풍선처럼 되었다. 물론 기대한 결과도 아니지만 그건 외면할 일이지 않았다. 더군다나 예전의 답습이란 사실이었다.

'예전도 닮았으니 보상을 생각하면 우선은 화가 치밀지

않을 수 없지. 사실 나도 그간의 인내가 한계이었으니 더는 양보할 수도 없잖아?'

'이게 무슨 악연인지.'

'생각해보라고. 젊음이란 언제나 기회가 오는 것도 아니잖아. 사실 살다보면 기회는 세 번은 온다지만 난 이미 한번은 지나간 게 사실이고 거기에 이번은 독식의 차례이란 말이지.'

'그럼 형은 과연 양보할까?

'셈법이 다르잖아.'

'이런 게 귀신 씨 나락 까먹는 소리란 게지만 그는 전혀 물러설 수 없을 걸?'

생각의 차이는 단계를 만들었고 현실은 조건이지 않았다. 그리고 그건 예전의 반복이지 않을 수 없었다. 그러나 그때는 가정을 꾸리고 삶을 다질 순간도 어린 탓이었다. 물론 그런 사실을 드러낸 건 기억이 부른 태풍이 오기 전 평화이었다. 이제는 형의 미련도 자각이 차지했다. 그런 조건은 상부상조였다. 물론 소문은 아직 와 닿지 않았다. 사실이 공고되고 시일이 길어지면 불길이었다. 그런데 그 대안이 조금도 도움이지 않았다. 더군다나 곁을 지키는 노인의 가세도 더하지 않았다.

'일시 무시일, 석삼극 무진본....앙명 천지일 .... 일종

무종일.'

7

그렇게 조용하던 태풍의 전야는 오래가지 않았다. 워낙 좁은 시골이라 골짜기까지 치부는 건 손바람과 같았다. 물론 그간의 일을 마친 뽕밭이 예전의 울창했던 숲은 폐허로 변했다. 물론 기대하지 않은 땅이었으나 확장의 덕이 미쳤다. 더군다나 좁은 집은 도움이지 않았다. 그러니 작은 번데기에서 탈피한 나방처럼 자유를 만났다. 물론 현실은 아직 보상이 다 이루어지지 않았지만 꾼들에게도 기회이지 않을 수 없었다. 그건 예전의 전례도 그렇거니와 동창의 출현은 답습이었다. 물론 오랜 격리의 세월에서 해제된 갈증은 호들갑이 우선이지 않을 수 없었다.

"이게 얼마만이지?"

"표정이 나쁘진 않구나."

"예전은 촌놈에게 그게 무슨 말이냐 했겠지만? 지금은 좋은 뜻으로만 들리게 되는 걸? 더군다나 백운동에 천사도 잡아둔 나무꾼이잖아."

"아직도 화려한 혀는 여전하고."

동창은 예절도 차리지 않았고 조롱을 퍼부었다. 더군다나 그와의 대화는 서로의 격식도 필요하지 않았으니 더는 누도 아니었다. 더군다나 그의 성공은 상전벽해를 이룬 것 같았다.

"예전의 네가 아니란 걸 모르진 않았지만 직접 대하고 보니 나는 아직도 초라하고 쥐구멍인 처지이잖아."

"반전하려는 속내가 적지 않잖아?"

"뭘 보고 그러는지 모르겠군."

자신에 찬 눈길은 대답을 더하지 않았다. 하지만 그도 이곳에 급작스레 출현한 것은 까닭이 있었다. 외모를 윤기로 치장한 태도처럼 영광의 구현이었다. 더군다나 먼지만 쓴 그의 모습과는 비교불가이었다.

"선수를 쳐보겠단 게지?"

"그렇지."

"풍문이란 게 언제 완결될지 알 수 있나? 사실 이런 일은 고려공사이지 않을 수 없는 건 전례이지 않을 수 없거든. 그런데 사정은 급하니 일탈이 나쁜 것도 아니잖아?"

"점까지 치나?"

"점쟁이는 아니고. 이런 일을 겪다보면 절로 와 닿는 영감이 생동하지. 그렇다고 성공을 보장하는 것은 아니겠지만."

"그건 부당한 기우이지. 사실 나도 수차례의 실수를 이기지 않고 어찌 이런 기회를 잡을 수 있었겠어. 그래서 너와의 우정으로 비밀결행하지 않을 수 없잖아?"

"당연한 판단."

"호기가 두 번 오겠어?"

동창의 눈길은 이내 형사처럼 살폈다. 물론 동시에 실정을 캐내려는 듯 이리저리 주변도 살폈다. 물론 시골의 찻집은 화려하지 않았다. 그건 시골의 진면목이었다.

"이젠 너도 꽃길에 닿았잖아?"

"그리 될까?"

"그럼. 과분하지."

불안한 사정을 살피던 그는 위안을 주었다. 물론 산전수전을 다 겪은 수완이라 무소불위란 말이 옳았다. 물론 예전의 사정은 지금이진 않았을 터였다. 부농에 과수원도 가졌고 시내의 가게도 두 개나 지녔다. 그런데도 그는 만나면 나대지도 않았다. 아마도 그건 친구를 배려하는 성격이었고 조심이 도움이었다. 그리고 언제나 양보를 즐겼다. 가난과 부귀의 차별을 두지 않았다. 그건 진정한 부모의 교육이 더했을 터였다.

그렇게 마파람에 게 눈 감추듯 술잔을 돌리고 얼큰한 기분은 저수지로 걸음을 옮겼다. 물론 수면은 도시의 삶

을 지우는 약이었다. 물론 곁을 지키는 그도 그랬고 이후
는 곤혹도 드러냈다. 그런데 그는 사랑도 결핍되지 않았
다.

"인연이란 따로 국밥이었지."

"누구라고 다를까?"

"언약한 사람도 있잖아?"

"그것이 말이 된다고 생각해?"

"실없는 말은 아니지. 만약 싫다고 한다면 보쌈을 해서
라도 항복을 받아내야지."

"지금이 언제라고 그런 말을 하지?"

"넌 아직도 양이기만 하구나. 사랑과 돈이란 수레바퀴처
럼 때때로 달리는데 거북이의 걸음만 하다가 매가 나타나
채가면 그때 뭐라 항변할 셈이지?"

기회란 말에 호감이 가지 않을 수 없었다. 물론 그것이
아직은 현실로 닥친 일은 아니지만 지나칠 경우도 아니었
다. 더군다나 그가 찾아온 걸 보면 머지않아 닥칠 현실은
확연했다. 비록 비탈과 평지의 차이는 있게 마련이고 구
릉을 낀 곳이라면 매수자는 잔디밭에 바늘이었다. 그런
사정을 잘 아는 동창인지라 방법은 선행이요, 이후는 의
리이었다. 이제 소문이 현실이 된 것은 누구도 의심할 수
없었다. 그러한 확신에 지난날의 사정도 떠올랐고 도시에

형을 닮을 차례였다. 사실 그건 도장 같은 판박이로 불만
도 아니었다. 물론 자수성가할 조건은 자신의 역량이었다.

"누구라고 다를까?"

"불온한 생각이지. 하지만 사실 부모님을 위한다면 일을
막는 게 좋지만 사정은 쉬 그러하지 않은 걸?"

"너도 너이지만 이후의 사정을 생각하지 않는다면 지금
의 삶이 전도될 순 없지. 물론 인생에 기회가 있다지만
그걸 기다릴 것도 아니잖아?"

"그랑 게 말이지."

내락을 얻고는 도움도 청했다. 물론 창에 비친 부드러운
동창의 얼굴은 화려하지 않았지만 윤기는 대추를 닮았다.
물론 빛깔과 윤기는 풍요이었다.

"난 네가 언젠가는 금의환향할 것이라 믿었었지. 사실
그간의 소식도 풍문으론 들었지만. 그리고 사실 이번 일
은 나쁜 제의도 아니잖아. 더군다나 허송세월할 수도 없
당게."

"염려하지 말라고."

"그럼. 좋은 묘안이라도 가졌단 말이겠지. 사실은 가난
이 아직도 거북이의 등껍질인 까닭에 탈출도 쉽지 않잖
아?"

"불가하지도 않지."

"그게 무슨 말이지?"

"사실 네 형을 보면서도 난 느꼈지만. 사실 세상의 성공은 수단과 방법을 반분하지 않잖아?"

"그렇다면 나도 한 수 배우지 않을 수 없겠군. 더군다나 이곳의 사정이 등까지 떠민당게."

"끌어당기진 않고?"

"그렇다면 불행을 벗어날 길은 없지. 그래서 오늘은 내가 술을 사지 않을 수 없겠군. 사실 그간 곳곳을 떠돌면서 얼마나 고생했는지 고백하고도 싶단 말이다."

"이제는 운이 열렸잖아?"

"좋지. 결정이야 내가 내리겠지만 너는 전화위복할 수단을 제공하란 말이다. 그건 너의 경륜이 아니겠어?"

"그야 당근이지."

사실 기대를 한 것도 사실이지만 이야기를 나누는 것만으로도 환희이지 않을 수 없었다. 물론 그렇다고 계약까진 아직도 산이 많은 터라 이루어지진 않았다. 그런데 동창의 도움은 시일도 오래 끌지 않았다.

"미리 보아둔 가게도 있으니."

"그곳이 어디지? 사실 지금이라도 달려가 확인하고 싶지만 사실 마음만으로 불가능이지 않잖아?"

"두드린다면 돌문은 열리지."

제의의 내막에 망설임을 지웠고 결행은 시간처럼 진행되었다. 더군다나 가게란 말도 호기심의 망상일 수 없었다. 사실 가게란 말이 현실이지 않을 수 없었고 기대도 키울 일이었다. 그리고 그건 기회의 완성이며 사랑의 성사이지 않을 수 없었다. 물론 동창의 혜안이 더할 것으로 걱정도 날렸다.

　"도울 사람도 알잖아?"

　"누가? 지출이 만만치 않을 텐데?"

　"그런 정도는 매출로 충분하지."

　그의 말은 완성의 단초이었고 사랑의 조력이었다. 물론 아직은 개업은 아니지만 기획은 절반의 이룸이었다. 더군다나 그녀의 소원도 성사하는 일이었다. 물론 가게란 때를 가리지 않는 피곤이기도 하지만 농사일관 비교를 달리했다. 형의 사정도 그랬고 아우는 닮는 법이었다. 물론 그녀의 환영이 더할 터였다.

　'이 정도면 성사이겠지?'

　'때론 거짓말이 외삼촌보다 나은 법이지만.'

　그런 세월의 시계는 물처럼 흘렀고 뜨거운 관심은 지열과 풍선을 닮았다. 물론 시골은 관심도 뜨거웠지만 생각대로 일은 되지 않았다. 하지만 동창의 도움은 거칠 것이 없었다. 결국 고향을 떠난 몸은 현장을 지키는 돌이었다.

"가게가 생각보다 아담하고 깨끗하지?"

"청결이 아니라면 식당을 찾아오겠어?"

부족한 부분은 대출로 서류와 확인을 거친 후 채워졌고 가게에서 도울 사람도 사귀었다. 물론 노모의 묵인은 비밀의 기둥이었다. 그리고 정한 가게는 해안에 자리한 상가의 입구로 다정한 것은 장국의 사투리였다. 물론 낯선 어감은 갈대처럼 떨었고 동화란 시일도 필요하단 생각이었다. 사실 그렇다고 물러설 처지도 아닌지라 화합을 외쳤는데 그녀도 인정할 것만 같았다. 그리고 어떻게 이곳을 알았는지 모르겠지만 그 뒤 방문은 환희이었고 기대는 감격뿐이었다. 이럴 용기를 가졌단 말은 누에의 변태였고 나방도 기대를 밀었다. 물론 아직 현실은 미약했다.

"시골은 어찌 되었는지?"

"집이 넓지도 않아 매가도 낮잖아요."

"그럼 이곳은 무슨 일로?"

물론 대답을 쉬 건넬 사정이지 않았다, 물론 기밀을 꺼낼 수도 없는 건 가족인 탓이었다. 사실 오빠의 소식은 절망도 아니었다. 물론 이웃의 정으로 정보를 들었으니 방문도 따랐단 것은 푸른 물결로 춤추었다. 가까운 바닷가를 함께 걸었다.

"바다가 너무 아름답잖아요?"

그녀는 대답을 이내 건네지 않았다. 하긴 바다의 광야는 꿈일 터였다. 그간 그녀도 시골의 생활이 답답했단 사실이었다. 그런데 뜻밖의 제의도 따랐다.

"나도 이곳이 싫지 않군요."

"그래요?"

확실한 대답은 건네지 않았다. 물론 사정을 모르지 않았기에 사정을 덮은 터였다. 하지만 그러한 그녀의 소신은 실망이지 않았다. 사실 하루가 다르게 격변의 사태를 살핀다는 게 우려만 같았다. 물론 그 같은 사정이 실망도 아니었다.

"그런데 돌아봤어도 남은 건 빈손이니."

"이웃이 있잖아요."

"그게 무슨 말인지?"

문득 실수에 웃음이 마냥 이을 수 없는 듯 어깨까지 흔들었다. 물론 시내의 구경에 그녀는 기대로 이별까지 아쉬워했다.

"고생은 견딜 만 해요?"

"정은 아직 들지 않았지만."

"그게 무슨 뜻인지?"

"고향이 더 낫단 말이지요."

"그건 세월이 쌓이면 같잖아요."

내심 다독이는 말에 고개를 끄덕였다. 물론 아직은 이루어진 것은 아무 것도 없었다. 다만 그녀도 친척집에 머물렀고 소문까지 확인한 터였다. 그러나 오래 머물지 않겠단 사정에 아쉬움이 더했다. 잠시 그녀의 걸음은 가게가 궁금한 듯 발을 옮겼다. 사실 아직도 정리가 되지 않았고 일도 한가한 게 사실이었다.

　"언제까지 조용할 순 없겠지요. 그건 이곳도 농사처럼 계절을 타고 태풍도 견딜 일이니 아직은 실망하지 않고요. 비록 아직은 터가 단단하지 않지만 인내는 패기가 감당하지 않겠어요."

　"그게 무슨 말인지는 알겠지만. 조금은 성급한 결정인 것 같아요."

　"사실 그렇게 말하는 것을 보면 고난이 겁나 봐요. 하긴 누구라도 그럴 테니 그렇게 생각한다는 걸 나무라진 않겠어요. 하지만 난 이곳이 내가 살 천년왕국만 같아요."

　"하긴 나도 그럴 것이라 생각했고 바라본 바다처럼 작을 수 없는 게 마음이지요. 그래서 한때 시골을 사랑했던 시절이 좋았단 생각도 하지만 그렇다고 이곳의 미래를 도외시할 순 없고요. 희망도 나날이 커지고 있으니."

　"더 남은 건 없고요?"

　"사실은 나의 사정도 그렇지만 그래도 언약은 아직 지

우지 않았으니. 사실 한때는 부모님을 원망하고 미워한 때도 있었거든요."

"그렇다고 마냥 원망할 일은 아니잖아요. 사실 옛적을 생각하면 어이도 없지만 애교도 넘치지 않겠어요?"

"맞는 말이에요. 사실 그 생각에 한동안은 전적으로 동의할 수 없었고요. 그러나 이러한 모습을 보니 포옹은 한팔만일 수만 없단 생각이고요."

"호호. 고마워요. 사실은 나도 다르지 않아 그곳을 떠났거든요. 하지만 아직은 성공이란 말을 건네긴 이르지 않을 수 없잖아요."

"그게 혹시 치장은 아닌지?"

"어찌 그렇단 말을 할 수 있겠으며 또 갈증이 심하다고 우물서 숭늉을 찾겠어요. 비록 예전의 이웃의 정은 거품이었지만 이리 찾아본 결과는 다르니. 물론 사정이 아직 넉넉하진 않겠지만 그것은 시간이 필요한 터라 이런 말이 도움이 될지 모르겠어요."

"그 말이 실수는 아닌지?"

"실수라도 본 건 거짓이지 않잖아요."

주변으로 눈길을 돌리는 순간에 전등은 영롱한 빛을 뿜냈다. 물론 손가락을 물어 아프지 않을 손가락은 없는 법이었다. 더군다나 형의 광영도 지울 수 없었다. 사실 그녀에게 자랑은 형의 그림자를 지우는 것도 사실이었다. 그래서 그날의 만남은 특별이었다.

"꼭 그래서 하는 말은 아니지만 이젠 더 원망하지도 않을 거예요."

"그게 무슨 말이에요?"

"오빠 말이지요."

"흐흐. 자라보고 놀란 가슴 소댕보고 놀란다죠?"

그렇게 만남과 헤어짐 겪은 게 병이 되었다. 물론 그녀의 방문에 답방은 예의이었다. 하지만 그녀를 방문하는 것도 생각처럼 쉽지 않았다. 사실 젊은 총각이 처녀를 찾는 건 결례인 법이었다. 물론 어둠은 모습도 가리겠지만 그녀는 불허일 터였다. 그러나 사정으로 답방을 미룰 사정도 아니었다. 그런데 그녀의 방문이 기어이 불을 지르고 말았다. 하긴 부모도 싫어할 까닭도 없겠지만.

그렇게 걸음을 달려 돌담을 찾았고 잠시 맴돌며 안의 동정을 살피는데 기어이 사건이 안에서 터진 외침이었다.

"이렇게 죽을 순 없잖아요?"

"누가?"

"흑흑…오빠가 돌아오기 전엔 죽을 수도 없다고 하지 않았어요?"

"……"

"그러니 숨을, 그냥 쉬어보라고요."

위기에 현상을 확인할 겨를도 없다는 듯 몸은 대문을 박찼고 늘어진 노인의 몸은 그의 품안이었다. 더군다나 노인의 몸은 장승처럼 누웠고 눈을 감지 않은 듯 눈물이 비쳤다.

"숨이 없지요?"

"아직 죽지 않았으니 병원으로 가야겠군요. 그런데 화급하여 구급차도 부를 수 없겠어요. 이를 어찌한다?"

"차는 보았어요."

"차요? 이제 보니 확인해 두었군요."

사실을 전할 여유도 없다는 몸은 바람처럼 골목을 달렸다. 오면서 이웃한 주차장에 벤츠를 확인한 탓이었고 기대는 도움이었다. 노인의 몸이 낙엽처럼 가벼웠고 천마는 날개를 펼쳤다. 사실 시골의 길이란 굴곡에 편협으로 위험이 따랐으나 날개엔 무용이었다. 물론 달리는 천마의 힘도 무한한 것도 사실이었다. 그녀의 감탄은 눈물이었다.

"천마가 틀림없어요."

"그럼 그냥 승용차로 여겼어요?"

"거짓말이 세상을 태풍으로 휩쓸었으니."

"하긴."

8

저수지의 절경은 객창한등이었고 벤츠는 굽은 길에 내리막을 가볍게 날았다. 사실 속도계가 가리키는 바늘은 정점을 넘나들었다. 그런데도 실내의 침묵은 저수지의 수면을 닮았고 불안은 기대에 내리막을 달렸다. 하지만 좌석의 옆에서 나직한 음성은 멎지 않았다.

"뭐라고 감사할지."

"남의 일이 아니잖아요."

"이건 봉사가 아니라 은총이군요."

차가 도착한 도심의 병원 응급실은 젊은 의사가 자리를 지켰고 환자를 살폈다. 그러나 진찰을 끝낸 결과는 낙담이었다. 그나마 다행이라면 뒷일을 알리는 조언이었다. 의사는 그게 마지막의 도리란 말로 건물 뒤를 가리켰다. 하지만 그녀는 저항을 버리지 않았다.

"살려달라고 왔더니 사망을 선고한다고요."

권유를 한 의사는 고개를 가로저었다. 검은 뿔테의 안경 너머로 눈길도 냉정을 잃지 않았다. 그리고 꺼낸 말은 도움도 아니었다.

"영원한 평안이 아니겠어요?"

"그게 처방이라고요?"

"의사는 병을 고치는 사람이지 망인을 살리진 않거든요."

"그런 말이 중환자에게 위로라 생각하나요?"

끝내 절규의 억지는 무용의 경계를 넘었고 보호자의 걸음은 건물 뒤를 찾았다. 물론 내심은 부정에 안타까움을 지울 수 없었다. 그러나 현실의 타협은 당연이지 않을 수 없었다.

"어찌 이런 일이 생길 수 있어요?"

"자연이란 게."

"뭐라고요. 이웃의 친구로 여기었던 일이 지금에 와 생각하면 그저 사촌이었군요. 사실 그런 것도 모르고 애간장을 더했으니 이런 불찰이 또 어디에."

"그런 말이 아니잖아요."

"그럼 죽음을 받아들이라고요?"

"그래도 현실은 인정하지 않을 수 없으니."

이내 장례식장의 암울한 준비는 시간처럼 흘렀고 마냥 상주를 기다릴 수 없는 것은 집안의 사정이었다. 물론 부고도 날리지 않았지만 문상은 이었고 사람도 많지 않았다. 더군다나 떠난 사람의 기다림은 슬픔을 더했다. 내내 출입문을 바라보는 그녀의 눈길은 애처로움이었다. 이젠 기다림도 소용이 없었고 결과는 낙담이었다. 그녀는 허탈에 지친 듯 분노까지 터트렸다.

"아무리 올 수 없는 처지라도 이러할 수는 없지 않겠어요? 이웃의 도움이지 않았다면 시신도 수습하지 못할 번했잖아요. 사실 이제는 매사 소용없는 일이란 걸 모르지 않았으니 장례에 전념하지 않을 수 없겠고요."

"실망은 희망의 시작이에요."

"희망이 시작이란 말은 언 듯 위로일 듯해도 사실 이제는 떠올릴 말도 아니에요. 사실 아버지의 죽음을 외면한 자식이 되었잖아요."

"그래도 남일 순 없지요."

"이젠 이웃의 정보다 못하지 않나요?"

"이웃의 정이란 말이 좋군요. 사실 이런 일은 누구나 나서지 않을 수 없잖아요."

"아뇨, 요새는 그렇지 않아요."

결연한 대답에 그는 순간 당황하지 않을 수 없었다. 물론 애사의 슬픔도 컸지만 슬픔에 질 순 없었고 곁을 지키는 건 도리이었다. 그녀도 이내 순간의 슬픔을 기대로 바꾸었다.

"이럴 줄 이전부터 짐작은 했어요. 사실 소식도 끊어진

지 강산이 변했거든요, 더군다나 이웃의 사람처럼 여기지
않을 수 없었고 또 마지막의 도리만이라도 기대했거든요."

"그게 실망인가요."

온화한 표정에 대답은 없었지만 그녀의 눈길은 떨렸고
미소는 미약하였다. 더욱이 자리한 의자는 이내 거리를
넓혔고 그건 기대이지 않을 수 없었다. 겉으로 드러난 슬
픔애도 아량이었다. 물론 그의 대답도 같았다.

"사실 지난일은 조금 미안했어요. 방문의 대접을 소홀했
었고 사정도 여의치 않았거든요. 사실 고생을 하려는 곳
에 방문도 쉽지 않잖아요. 하지만 버틴 고생의 보람은 사
실 기대를 부를 것이라 믿었어요. 그러니 너무 실망하지
도 않거든요."

"실망은 아니지요. 사실 그건 고래의 인내이지 않겠어
요."

"그것은 틀리진 않지만 오죽하면 그랬겠어요. 사실 그때
마음을 난 이미 정했거든요."

"그래요? 사실 그간은 막연한 이웃으로 사촌처럼 지냈
지만 집안의 속내까지 몰랐잖아요."

동병상련에 위로를 받았다는 듯 고개를 숙였다. 물론 장
례의 일은 그의 몫이었다. 동창도 곁에서 사태에 조력을
다하는 중이었다. 하지만 길 수 없는 것은 가게의 사정이

었다. 물론 주방장의 대답은 담보이었지만 빈 가게의 사정은 풍전등화였다.

"사실 그 정도의 사업이지만 이젠 걱정을 날렸지 않겠어요. 물론 곁을 지키는 친구의 도움이 작지도 않고요. 하지만 아직은 일이 처음이니 조심도 필요하겠고요. 그동안 겪은 경험이 있어도 사람의 속까진 모른 단 사실이지요. 그래서 인간의 일이란 안개와 같단 생각이고요."

"말을 듣는 것만으로도 고맙지 않을 수 없어요. 하지만 그런 일에 사람은 조심하지 않을 수 없지만 사실은 이웃의 믿음도 더 중요하지 않겠어요. 설혹 내 말이 거슬릴지는 모르겠지만요."

"아녜요. 노파심이었으니."

"사실 이런 순간이 이리 쉬 오리란 걸 예상도 못했지만 사실 지금은 망인의 은총만 같아요. 살아 맺은 언약을 죽어서도 이루라는 뜻이 아닌지 모르겠어요. 그래서 하는 말은 아니지만 결례는 아니 되었는지."

"호호, 어찌 결례가 아니겠어요. 그리고 이왕 말이 나왔으니 진심을 드러낼 참이고요. 사실 난 예전의 언약은 중하지도 않지만 생각해보면 억지가 아닌가 싶었어요. 그래서 지난 번민을 거듭하며 이런 순간을 기다렸고요. 그런데 지금에야 야릇하게도 이러한 시간이 주어져 망설여지고요. 그러니 일을 마친 다음 자리가 좋지 않겠어요?"

"그렇게 마음을 드러낸다면 더는 미룰 이유도 없겠지요."

"그럼 어디로?"

"아녜요. 비단 이번의 일을 통해 숙제를 정리할 생각은 아니었는데 더 미룰 일도 아니에요. 물론 생각 같아선 지금이라도 좋겠지만 그래도 장소의 사정도 살필 필요가 있다고 생각하거든요. 비록 화급한 일이지만 그래도 전후의 사정도 따져보지 않을 수 없으니까요. 그래서 지금은 장례의 일에만 전력을 다할 생각이고요."

"고마워요."

"아직도 뜸이 덜 들었나?"

"급할 것은 없지."

"이리저리 재다가 탈만 생길라."

"탈?"

"그런 얘기는 안 들은 것으로 하겠어요. 사실 사람의 일이란 믿음의 선택일 수밖에 없는데 어찌 잘못에 탈선이며 구연에 얽매일 수 있겠어요. 그리고 그건 고래의 중압일 뿐이지 않겠어요."

"고래라."

"이젠 세상이 변했잖아요?"

"하지만 세상을 산다는 게 어디 순종만 하겠어요. 그래서 수단도 부리고 시골에서 흙도 썩어 섞였으니 진정 인간이 되었지 않겠어요?"

"그리 말한다면 뭐라고 답할 수 없겠군요. 하지만 그것은 진심의 절반도 이르지 않았잖아요."

"그렇다면 남은 절반이라면?"

"궁금해요?"

"누에를 기르며 배운 것들이 한두 가지가 아니었어요. 물론 그간 일을 같이 하는 과정에서 이미 알겠지만요. 하지만 아직 마음은 공허하지 않을 수 없고 또 그건 생각한 것처럼 다가오지 않았으니 미완일 뿐이고요. 하지만 눈앞에 확신을 가지게 만드는 일은 다가왔단 생각이지요. 물론 나만의 간증도 아니지만 그것은 환영일 수도 없으니. 물론 이런 말을 어찌 들을지는 자신의 몫이겠지만."

순간 마주한 얼굴을 살폈고 동창은 혀끝을 떨었다. 더욱이 붕어 입에서 내뿜는 연기도 여유를 찾지 않을 수 없었다. 하지만 그곳은 금연구역으로 스스로 동창은 밖으로 나갔다.

"마술처럼 현란하군요."

"마술이요?"

"진실이지도 않지만 또 믿지 않을 수도 없잖아요."

비난을 던지는 표정에 그녀는 미소를 매달았다. 물론 그도 생각한 생각을 했었고 모르지도 않았다. 하지만 시골의 기적은 바라지도 않았으니 침묵은 당연이었다. 물론 그녀도 말을 더하지 않았고 내일의 기약도 필요했다. 밤을 새운 건 둘의 수고로 결과도 적지 않았다. 물론 시간은 일사천리로 달려 마지막 일을 마쳤다. 더군다나 죽음의 충격은 끝에 매달렸다. 물론 그건 잡을 수 없는 달과 같았다. 하지만 아직도 상심한 건 거짓이지 않았다. 다만 보답이라면 언약이 우선이었고 그 속은 화두가 겹이었다. 이내 나타난 동창은 천마를 끌어대었다.

"마이가 좋지 않겠어?"

"왜?"

"진정한 천마가 어느 것인지 겨뤄봐야지."

"하긴 면목은 숨었지."

서로 기대한 바가 같다며 눈길은 그녀를 살폈다, 물론 예상하지 못한 제의에 대답까지는 얻었다. 그리고 일을 마쳤으니 시간도 허할 터였다. 돌아오는 중 찻집의 위안이 결실을 얻었다. 하지만 아직은 조심할 자리란 말이었다. 물론 찻집의 사정은 여전히 사람이 많지 않았다. 더군다나 천마는 마당에 매였다. 예전 그곳은 학교를 가는 중간으로 가게가 자리했지만 지금은 찻집으로 바뀌었다. 더군다나 하천이 곁을 지켜 개발하려는지 중장비의 소음까지 더했다.

"하천도 중병에 걸리게 되었군."

"맞아. 생명이 사라지겠으니."

"아무리 개발이 만능이라지만 이건 앙화잖아?"

"하지만 개발하지 않는다면 이 시골은 폐허가 되고 말지. 부끄러운 얘기지만 예전처럼 사람이 지키지도 않아 폐촌을 벗어날 수 없거든. 그런데 다행으로 사찰의 주변이 개발이 된다는 것만으로도 얼마나 다행인지 알아. 이젠 떠난 사람도 돌아올 것이고. 물론 개발은 만사는 아니지만 그러한 사업은 번창을 부르지. 그래서 행운이라 말이지 않을 수 없거든."

"그럼 개벽인가?"

"아무래도 좋아."

"사실 그 말이 좋긴 하지. 지난 일도 이제는 해결이 되지 않을 수 없고 또 이후의 기대도 장밋빛이지 않을 수 없으니 말이지."

"그런데 들리는 소문에 주택은 보상이 되었다지. 하지만 우리는 아직도 소식에 없으니 언제나 희소식이 들릴 런지. 더더욱 사정은 좋지 않은데."

동창과 대화는 이내 수면아래 들었다. 물론 그녀의 사정으로 빈자리를 지킨 탓으로 기밀을 털었다. 그건 아마도 그녀도 반기지 않는 말 같았다. 그녀의 처지가 날개를 펼치긴 일렀다. 둘의 속삭임은 이어졌다.

"도시서 기적을 봐야 나도 힘이 나지. 물론 이리 말하는 건 네 성실을 아는 탓이지. 그러나 성실은 교과서에서나 권하는 말로 실제완 거리가 멀지. 물론 그곳이 사시로 배가 드나들고 문물의 교환이 으뜸인 곳이기에 상업은 거의 불경기를 모르는 곳이었지만."

"하지만 실망하긴 아직 이르지."

"맞아 세상이 다 불경기인데."

흔쾌한 대답은 기대를 놓지 않았고 머릿속은 산의 능선을 따랐다. 하긴 고개는 넘으면 이내 고개가 나타났다. 그건 넘지 않을 수 없는 것이 인생도 같았다. 사실 그곳은 이제 정든 제 이의 고향이 되었다. 더군다나 마음에 와 닿는 것은 그녀의 태도였다. 예전보다 달라진 모습은 푸른 바다의 갈매기를 닮았다. 잠시 후 돌아온 그녀의 질문이 따랐다.

"정담을 많이 나눴어요?"

"물론이지요. 사람들도 정겹고 믿음에 인정도 넘치지 않을 수 없더라고요. 사실 이젠 걱정은 없지만 아직도 질긴 환영은 쉽진 않잖아요."

"좋다니 안심이지만 환영은?"

"염려할 건 아니지요."

"그게 무슨 말인지? 듣기에 좋은 말로 꾸미기를 좋아한다면 속내는 오래가지 않아요. 그리고 바라보니 갈매기처럼 속삭였지 않겠어요?"

"갈매기요?"

"자유의 날개."

"날개가 아니라면 어찌 그곳을 찾았겠어요."

"아직은 그렇지 않아요. 하긴 예전보다 자신만만하니 좋게는 보이지만 여자에게는 우려이지 않을 수 없어요."

상생의 눈길은 수면을 나는 오리를 닮았고 하늘로 솟더니 이내 곤두박질을 쳤다. 물론 수면 속은 모르겠지만 아마도 월척을 본 것만 같았다. 더군다나 그곳은 월척의 명당으로 저수지에서 다투는 곳이었다. 사실 그런 정도의 여유는 친구의 도움이 절대적이었다. 그뿐만이 아니라 그녀도 도움을 외면하지 않았다.

"희망적일 거예요."

"고마워요."

"그러나 만만하게 생각하진 말아요. 아무리 마음이 급해도 우물서 숭늉을 얻진 못하잖아요?"

"그곳은 보증 수표인데요."

"그럼 이제 형처럼 되지 않을 수 없다는 말인가요?"

"대답은 이르지만."

회피한 대답은 여유를 길게 주지 않았다. 이내 눈길은 시시각각 주변을 살폈고 산의 정상 아래로는 바위가 보였는데 도술로 쌓은 돌탑을 닮았다. 물론 아직은 마이를 보지 않았다. 하지만 그곳의 명성은 한두 가지가 아니란 사실이었다. 더군다나 탑사의 위용은 명성이 금산에 뒤지지 않았다. 물론 금산은 덕의 산이었지만 그곳은 암산이었다. 얘기를 듣다가 어색한 눈길은 암산을 찾았다. 그래서 탄성도 끝을 달렸고 마이는 뒤로 밀렸다. 더군다나 그녀의 사정도 시간을 다투었다. 그간 고뇌를 가진 나날의 피곤과 일도 많았다. 물론 그건 그녀의 몫이었다. 이제 앞으론 혼자만이 감당할 바늘구멍이었다. 그런 사정에 시골을 떠나려는 기대는 쌓이지 않을 수 없는 밤이었다.

이윽고 도로로 나온 천마는 속력을 올렸다. 그리고 얼마 후 정류장에 멈췄다. 물론 산세의 모습도 좋았지만 상가의 즐비는 희망이었다. 그러며 멀리 가지 않고 걷겠단 단서도 달았다. 물론 집이 지척인 지라 오래지 않았다. 그런데 기약한 대답을 받았으니 허탈이지도 않았다. 물론 의문도 따랐다.

"마이랬지요?"

"네. 천마가 숨은 곳."

"그럼 우리가 탄 천마는?"

마주치는 눈길은 미소를 발랐다. 그리고 며칠 후 천마는 사람을 태우고 도로를 다시 날았다. 물론 지난날과 같지 않은 속도도 달렸지만 나타난 절경엔 멈춤이었다. 더군다나 먼 길에 숨도 거칠지도 않았지만 오늘은 그렇지 않았다. 긴장으로 얼마를 달리다가 주차장에 조용히 멈췄다. 그리고 드러난 마이에 경배를 드렸다. 물론 기대한 천마의 모습은 아니었고 귀만 드러났다. 역시 드러난 것보다 숨은 모습이 궁금하지 않을 수 없었고 그건 귀만으로도 짐작을 불렀으니 마이는 빙산의 일각이었다.

"산속에 이런 비경이 있었다니요?"

"보이는 것이 다가 아니었지요."

"그게 무슨 말인지 짐작은 하지만. 사실 세상이 하도 수상하여 쉽게 믿기지 않는다는 것도 인정하고요. 그간 시달린 세월도 적지 않으니 모래 속에서 바늘을 찾은 기분이니까요. 그런데 마이를 대하니 그간 서운함도 날렸고요."

"하긴 서운함은 미진일 테니."

"숨긴 게 뭐지요?"

질문의 의혹에 그는 미소를 물었고 대답은 잠시 걸음으

로 내몰았다. 물론 산길을 오르는 걸음마다 힘이 든 것은 여자의 나약함인데 지난날의 곤고함을 이겼을 터였다. 하지만 이런 기회가 많지 않았단 허무는 이길 수 없었다. 그녀도 그간 노동으로 단련한 몸이었다. 조심스럽게 흔들리는 나뭇가지의 시원함이 이마로 전해왔다.

"이제 시작일 테면 정상은 비밀을 드러내지 않겠어요. 사실 예전은 관심도 없었지만 지금은 기이하지 않을 수 없기에 그렇게 말하는 거예요. 더군다나 이 순간은 암산의 등반일 테이니."

"등반이요?"

"사실 전엔 설산을 꿈꾸었고 형이 오르는 걸 부러움으로 여겼지요. 사실 그곳은 누구나 갈 수 없는 곳이며 오르려는 의욕도 작은지라 욕심뿐이지 않을 수 없었지만 이젠 그런 마음이 되었잖아요."

"그럼 전화위복인가요."

"사실 그런 건지는 모르겠어요. 하지만 이젠 실망도 사라지고 사실 이곳의 풍광만으로도 감격이니 그곳이 절로 비교되었지 않겠어요. 더군다나 혼자도 아니니."

"행여 짐으로 여기진 않겠지요?"

"짐이라고요?"

그녀의 얼굴이 미소를 드러내자 화장기가 코끝을 파고

들었고 절로 고개는 끄덕이었다. 사실 가까이 얼굴을 대하고보니 더욱 천사이지 않을 수 없었다. 물론 과장하면 거짓이겠지만 심저에 믿음은 다르지 않았다. 그리고 시골의 비경처럼 그녀도 조잡하지 않았다. 이내 다다른 마이의 정상은 땀의 결실이었다. 좁은 틈으로도 풍광을 드러내었다. 앞으로 수마이가 곁으로 바위를 안았는데 무엇이 서운한지 고개를 돌렸다. 하지만 서의 암 마이는 곁을 수마이에 미안한 태도로 버티었고, 서로 원망까지 둘렀다. 그래서인지 가까운 암자는 염불소리가 틈을 비집고 이었는데 그래도 서운함은 풀리지 않았다. 더군다나 그곳을 찾은 남녀의 마음도 아랑곳하지 않았다. 하지만 염불은 쉬지 않았다.

"색즉시공 공즉시색... 색불이공 공불이색...."

"야릇한 느낌이 나지 않아요?"

"감격은 아니고요."

대답은 떨리는 눈길까지 흔들었다. 물론 속 시원한 대답을 건네지 않았지만 이마에 땀방울은 환상이 아니었다. 사실 부정할 수 없는 것은 마음이었다. 물론 그런 마음을 가지고 산을 오르기는 쉽지 않았다. 그러나 일은 예정된 흐름으로 진행되지 않았다.

"사실 이곳을 찾자고 한 것은 의도한 것은 아니지만 언약이 생각났지 않겠어요? 물론 이루어질 사랑도 아니겠지만."

"성사를 어찌 알 수 있나요."

그녀의 반문에 절망은 바람으로 지워졌다. 물론 그간 객지를 떠돈 상흔이 터이었다. 그렇기에 땅이 굳으려면 비가 필요한 법이었다. 고난은 힘들지만 과정이 무용이지 않았다. 그리고 그건 삶의 목적이었다.

"그럼 사랑으로 풀어볼까요?"

"그게 무슨 말인지?"

손을 들며 암 마이를 가리켰는데 그녀는 동의하지 않았다. 물론 흰 나비가 꽃을 찾다가 머리까지 날갯짓을 이은 탓이었다. 물론 그렇다고 철군할 사정도 아니었다.

"서운함도 없단 말인가요?"

"의도도 의심스럽지만 그 사정이 저 마이들이라고 다르겠어요. 그리고 사실 배덕이 사랑을 깨트렸다는 게 문제이잖아요."

9

배덕의 두려움은 마이의 모습으로 현실이었고 그건 세

월로도 이기기 쉽지 않을 일이었다. 물론 그것은 오랜 세월동안 이어온 공감일 수밖에 없단 사실이었다. 시작이 있으면 종말은 당연하고 그건 새로운 시작이었다. 그리고 걱정은 암석을 쌓아올렸으니 그건 천지탑의 존명이었다. 정성을 들여 하나하나 쌓은 돌은 굵기도 하거니와 그 높이까지 하늘을 찔렀다. 그건 인간의 기원이고 힘이었다. 물론 마이보다 높진 않지만 기상은 뒤지지 않았다. 골을 부는 바람이 시샘을 그리 부리지만 어찌할 도리도 없었다. 그런 위태한 위협에서도 오랜 세월을 풍설로 이긴 인내는 대단도 하거니와 서운함의 해결이지 않을 수 없단 모습이었다. 그렇게 숨을 고른 후 조심스레 결론을 꺼냈다.

"비애라도 바뀌지 않겠어요?"

"무슨 말인지."

"그러니까. 원망을 언제까지나 가질 게 아니라 저리 돌아선 비애를 살피잔 게지요."

"용서를?"

"그것이 아니라면 이리 애틋할 수 없겠지요. 사실 예전은 하나를 보고 둘은 생각하지 못한 예단으로 이젠 부정이라도 되돌리지 않을 수 없으니 서로 마주할 모습은 멀지 않거든요. 물론 아직은 모습이 아니라지만 그것을 염

원하는 생각은 시종이 하나였잖아요. 그리고 서로 사랑을 느끼면 고통은 사라지지 않을 수 없는 환영이고요. 그건 우리도 다르지 않겠지요. 사실 외람된 말이지만 사랑은 시종으로 환영과 다르지 않지만 구하여 얻지 못할 것도 아닌 것이 아니겠어요. 그러니 잠시의 인생이지만 지금의 생각은 조그만 미혹도 없거든요."

"좋은 말이군요. 사실 사랑을 싫어할 사람도 없지만 그래도 그 사랑을 이루는 길은 꽃길이지 않네요. 그런데다 요즘은 사실 배덕이 유행하는 세상이고요. 더군다나 그리겨지도 않았으니 고통은 언제나 돌며 짐질 수 없는 가혹함이 아니었겠어요. 사실 이곳에 와 이런저런 것을 살피지 않았다면 생각은 아직도 우물속일 처지였고요. 그런데 천지탑은 그 마음을 알아줄 것 같아요?"

"사실 마음을 전하는 일도 쉽지 않잖아요. 그런 말을 듣고 한을 푼 들 세상은 바뀔 것도 아닌데 공연한 염불이지 않겠어요. 사실 그리 하라는 건 간섭이 아닌가요."

"어떻게 그런 외람된 말을 하죠?"

"네. 부친을 귀동냥했으니."

확실의 말에도 동의는 일렀고 걸음은 정상에서 맴돌았다. 아래 골에서 치미는 바람은 땀을 놔두지 않았다. 거기에 사찰에서 들리는 염불소리는 새소리처럼 은은했다. 정상에서 내려다보이는 마이는 태평천하였다. 봄도 지났건만 겨울에나 찾는 오리도 저수지에 머물렀는데 아마도 귀향을 잊은 것 같았다. 물론 무성했던 뽕밭의 기억도 이젠 허망일 텐데 마이는 그렇지 않았다. 그리고 예전 언약이 번개처럼 머릿속을 채웠지만 꺼내기는 조심스러웠다. 물론 그간의 중압감이 바위 같았기 때문이었다. 물론 기억은 사슬이었고 이를 깨트리기는 장승일 뿐이었다.

"이제는 물러설 수 없을 것 같아요. 물론 늦은 고백이라 미안하지만 그래도 먼저 미안했단 말을 건네지 않을 수 없고요. 사실 요즘도 그런 일은 하늘의 별을 따는 일이지 않을 수 없잖아요. 그리고 그게 무슨 궤변이냐 하겠지만 난 이 순간 질문을 기다리었거든요. 그간도 의혹이 없었던 건 아니지만 이곳을 보고나니 확신도 들었지 않겠어요. 그래서 지금도 미안하지만 헤어지자는 말은 거부할 수밖에 없고요. 그리고 그건 비겁으로 짊어질 바위를 피하는 일이지요. 그리고 그건 그분들의 뜻도 아니잖아요?"

"사실 같이 걸으면서 이런 순간을 예상했으니 대답은 어렵지 않군요. 그러나 마이의 모습을 보고나니 그런 생각을 했다는 게 얼마나 어처구니없는 짓이냐고요. 그건 진정 용기가 아니잖아요?"

"용기라... 그게 무얼 말하는지 사실 짐작할 순 없지만 확신이 가지는 건 운명은 피할 길이 없다는 거잖아요. 그러니 그저 봄날의 꽃놀이로 여길 수도 없고요."

"아니에요. 그런 정도로는 부당할 일이고 인생을 가볍게 여기는 짓일 수밖에 없어요. 그리고 더욱 심각한 것은 예전으로부터 지금까지 켜켜이 얽힌 과보의 부자유이겠고요. 그래서 조금도 이해할 수 없는 게 운명에 순종하겠다는 핑계이지 않겠어요? 그것은 아직도 자신을 알지 못한 사실이지요. 그리고 그런 믿음을 가진 사람이라면 언제나 상황에 흔들릴 사람이지 않겠어요."

"결코 그렇지 않아요. 인생이란 두 번 주어지는 것도 아니고 사랑도 하나라면 감당할 짐이지요. 그렇지만 믿었던 도끼에 발등을 찍힌 기분도 알고 있거든요."

햇살이 등을 밀어도 대화는 이어졌고 주차장에 기다리는 동창의 생각은 물거품이었다. 하긴 내 코가 석자인데 동창의 관심은 문외이었다. 그렇게 햇살이 방향을 밀도록 하산은 늦어지지 않을 수 없었다. 물론 오를 적보다 내릴 적 위험을 경계한 탓도 있었다. 이윽고 늦은 시간의 주차장의 불빛은 마이의 형상으로 빛났다. 하지만 산속의 불빛은 꽃밭이었고 도로엔 단지까지 차들이 가득했다. 이윽고 도착한 주차장에 동창이 보이지 않았다.

"자릴 피할 사람이 아닌데?"

"혹 약속한 건 아니고요."

"그럴 수도 있지요. 하지만 사업에 매인 사람이라 급한 일이 불렀을지 모르죠. 그간은 휴식과 일대사를 구상하며 여유로운 것 같았는데. 그렇다고 집까지 걸어갈 수도 없고."

"잘못이라면 용서는 하겠지만 거짓은 결코 그럴 수 없죠. 물론 그간 정직한 사람으로 믿었으니. 그런데 산속이라 해가 지니 추위가 밀려오는군요."

"이곳이 얼마나 지대가 높은지 알겠어요. 하지만 걱정하진 말아요. 비록 풍설이 쏟아지는 산속이라도 온전히 지켜드리지 않을 수 없으니까."

불안에 위안이 더하자 그녀의 안면이 펴지지 않을 수 없었다. 물론 둘은 등반의 시간도 짧지 않았다. 그러니 둘의 간격은 틈이 없었고 언약의 사슬에 도전적이었다. 그런 사정에 그녀의 몸이 소름을 돋았다.

"이제껏 수다에 공염불만 해댄 게 까닭이군요. 사실 힘도 빠졌거니와 한기를 이기려면 무어라도 보충해야하지 않겠어요?"

"다른 뜻은 없고요?"

뜻이란 말에 조금은 실망을 물었다. 하지만 그녀의 처지라면 그도 다르지 않았을 터였다. 이내 찾은 식당의 사정은 한기를 지웠다. 하지만 고원에서 밤은 추위는 실내 공기로 가실 수 없었다. 물론 음식에 약주가 따랐다.

"추위엔 약이군요."

"더군다나 도수가 강한 것도 아니에요. 서양은 음료수와 다르지 않고 우리도 축제에는 반드시 마시지 않을 수 없는 음료이니 불안을 걷을 수 있지 않겠어요. 그리고 오늘의 무사도 축하하고요."

"예전엔 듣지 못한 변명이지만 싫진 않군요. 그간 고생한 오늘의 노고도 외면할 것이 아니지만 갈증이 심했지 않겠어요?"

"갈증이요? 진작 그런 말을 하지 않았는지. 만일 그랬다면 아래까지 한 걸음으로 달려 갈증을 어찌 두었겠어요. 더군다나 자신의 일도 미룬 희생인데 말이지요. 사실 그래 사과하려는 뜻도 묻어두지 않았어요. 물론 기대의 실망은 이르겠지만."

그렇게 위안을 던지며 기대를 건넸다. 물론 그녀도 갈증이 심했으니 사정도 다르지 않았다. 역시 등산이란 여력의 소진이고 보충을 외면할 수 없었으니 취기는 당연이었다. 그렇다고 누른 감정을 드러낼 수 없단 사실은 그녀도 다르지 않았다. 그런데 그녀의 취기는 길었는데 그것도 부모를 닮았다. 물론 그도 취기의 상태에 잠긴 탓은 절제

의 기억은 허무이었다. 물론 노도의 취기는 갈증의 해갈
이었다.

"사실 보잘 것 없는 인생이라 생각했는데 이제 생각해
보니 그 생각이 아닌 것 같아요."

"왜요. 누구나 같지 않나요."

"사실 예전은 그랬지만 지금은 다른 것 같아요."

"다르지 않다면 산다는 게 다양할 까닭도 없고 전쟁도
불사하는 게 차별의 판가름이지요. 그래야 자신의 모습을
자랑할 수도 있지만 그게 힘이라 드러내지 않을 수 없으
니 모양과 색은 다른 것 같지만 사실은 하나일 수밖에 없
는 게 한계이지요. 그러한데 그렇지 않다고 불평하는 사
람도 많지 않을 수 없으니 그건 싸움이 얼마나 재롱떠는
짓인지?"

그의 확신에 찬 말은 취기를 올렸고 그녀는 이끼처럼
바위를 덮었다. 물론 내일의 모습은 확신할 수 없었지만
사랑은 행복하지 않을 수 없었다. 더군다나 반쪽의 사정
은 잃은 반을 원하는 눈발이었다. 그것은 마이 오리, 갈매
기도 그랬고 고향의 저수지도 같았다. 사실 그간은 불만
도 많았던 터라 조심을 더하지 않을 수 없었다. 하지만
이젠 과정이야 어찌하든 하나를 이루지 않을 수 없는 터
라 실행의 성패에 모든 걸 걸고 말았다. 그러나 현실은

흐른 세월만큼 이탈을 즐겼다.

"장사란 땀은 조연이지."

"그게 무슨 말인지?"

가게의 사정이 예상처럼 돌아가지 않다는 걸 모르지 않았다. 그런데 주방장의 직언은 놀랍게도 투자의 바닥이 문제란 말이었다. 사실 이웃한 가게도 다 그렇겠지만 손님은 늘지 않았다. 그렇다고 준비를 게을리 하거나 가격을 올릴 수도 없었다. 서로 눈치와 버티기이지 않을 수 없었다. 하지만 그 불황은 생사여탈의 자리를 무너뜨렸다.

"이웃한 가게도 접었다고 하잖아요. 그러니 우리도 그의 뒤를 따르지 않으려면 특단의 구제조치가 필요하다고요."

"구제조치?"

"식당은 음식의 맛도 좋아야하지만 요즘 사람은 그것만으로 만족할 수 없고 더군다나 무한의 리필에 경품까지 건네지 않겠어요. 가격은 묶더라도 양을 더하지 않다면 숨 쉴 나날과 비어지는 자리가 같을 수도 있고요. 더군다나 오던 단골도 하나 둘 빠져가는 판이니."

"다른 방법은 없을까? 그렇다고 끝까지 오늘처럼 이웃과의 경쟁에 사생결단일 수도 없으니 탈출이 좋지 않겠어. 더군다나 가게가 버틸 여력이 줄어들면 더 큰 일이 기다리는 걸 아느냐고?"

"버티기란 최후 수단도 이젠."

주방방의 대답은 조심성을 드러냈는데 기대는 작아지고 우려는 커지지 않을 수 없었다. 물론 초보의 사업에 주방장은 도움을 베풀었고 그간 이어온 거래도 주도한 터였다. 그런데 넘어져도 코가 깨진다고 나라에 덮친 불경기는 누구라도 가리지 않는 태풍이지 않을 수 없었다. 그리고 그것은 인내의 한계를 넘었다.

"잘되는 놈은 엎어져도 떡함지라던데 이젠 수술하자고 말할 처지이지도 않잖아."

"이럴 때를 예비해 대출을 허하지요. 물론 손을 벌린다고 인색한 은행이 자선사업을 하지도 않으니 더 버티고 난국을 타개하자면 여러 친구의 손길이 마지막이지 않겠어요. 하지만 보증이란 말은 기피이지 않겠어요?"

"누가 자선을 좋아하나. 더군다나 세상은 더욱 각박해지고 나 살기도 버거운데. 은행도 피하고 자립을 하려면 방법은 제한이지. 그건 절망적인 사태에 누구라도 그러지 않을 수 없지만 위험은 늘 상존하지. 하지만 그것이 나에게만 구원이 될 수는 없지. 뒤에서 지켜보는 눈길의 노인들은 물론이고 또 한 사람의 애태우는 기다림도 더했지 않겠어. 그러니 파산은 사망의 선고이고."

이어진 번민의 골목은 장막처럼 트이지 않았다. 불안에

휩싸이니 운도 덩달아 급감해 바닥에 눌러앉았다. 그렇다고 물품의 대여도 쉬운 일이 아니었다. 사정이 위태롭게 되자 얼마가 지나지 않아 거래단절이 통보로 날아들었다.

'가게를 연다는 건 불가야.'

'그런데도 가게에 미련이라면?'

'방법은 대출이고.'

'그래도 언덕은 있잖아요?'

"이런 위기에 혈육이라면 외면은 하지 않을 거요. 물론 그간 사정을 털기에는 미안함도 많겠지만. 그러나 이런 일은 누구보다 혈연이지 않고는 불가하단 사실이지요. 더군다나 그간 밀린 재료값에 인건비도 이젠 모래 탑처럼 쌓였고 드디어 차압도 시간을 다투니 이젠 다른 방법도 없잖아요."

"차라리 죽으라는 게 낫지."

"어려울 때야 혈연의 진정을 확인할 수 있지 않겠능교."

주방장의 권유도 심기는 여전히 추풍낙엽이지 않을 수 없었다. 물론 미래를 생각하면 옳은 권유일 수도 있지만 결코 그럴 수 없었다. 그러니 주방장은 밀린 임금까지 내밀지 않을 수 없었다. 더군다나 재료를 끊은 중개인도 날이 밝는 대로 기물까지 압수한다고 했다. 그런 주방장의 조언은 거의 협박이었다.

"형은 거의 재벌이라 하지 않았능교?"

"재벌은 무슨. 그래서인지 소식까지 돈절했는데 이제와 무슨 면목으로 불쑥 나타나 도움을 청한단 말이지? 위안 보단 타박이 내려치지 않겠어? 그러니 난처한 형의 입장도 헤아리지 않을 수 없고 그간 간극도 생각해야 하지 않겠냐고. 차라리 일찌감치 죽을 터를 찾아야지."

"그럼 그 사람은 어찌하고요?"

사실 마지막의 말은 죽음을 초월했고 결과는 허망이지 않을 수 없었다. 더군다나 형의 구원은 차라리 죽음이 반가울 정도였다. 그게 냉정한 세상의 모습이고 마지막의 선택을 할 까닭이었다. 하지만 그런 증에도 심정은 지하수처럼 흐르고 혹시나 기대감은 눈덩이를 굴렸다. 더군다나 몸은 그 방법을 쫓아 열차의 역으로 달렸다. 물론 주방장의 말처럼 형의 자비라면 샛길도 나타날 것 같았다. 하지만 돈절한 의리에 심정은 당위이지 않았다. 더군다나 어렵게 마주한 자리의 변명은 그의 냉소도 쪼그라들었다.

"도박을 했군."

"도박은 아니었고요. 다만 땀을 믿었는데 운과 때가 맞지 않았을 뿐이에요. 그러니 재기는 필연이지만."

"흐흐, 그 말을 들으니 과거가 떠오르는구나. 나도 그런 처지에 빠지지 않았느냔 말이다. 물론 적은 돈으로 성공을 바랐지만 그것은 허상이었다. 그 사람을 만나지 않았다면 지금의 내가 있을 수 없었단 말이다. 그러니 너도 그런 사람을 아내로 맞이하는 게 길이 아니겠냐?"

"아무래도 난 좋아요. 하지만 그런 사람은 기대하지도 않거니와 더군다나 그런 도움이라면 손톱만도 생각하지 않으니 다시는 둘러대지 말아요."

"여자란 사랑의 상대만이 아니지. 사랑에 도움까지 더한다면 금상첨화가 아니겠어. 그리고 그런 안일은 예전의 고생을 짐 지는 일이라 독박일 뿐이다."

"이제와 도움을 말한다는 게 미안하지 않을 수 없지만 그래도 의리는 끊지 않았으면 좋겠어요. 물론 그것은 부모의 바람이기도 하지만 이번의 일도 나에겐 절대적일 수 없으니까요."

"절대적이란 말은 허망하구나. 사실 인연이 있다는 게 나의 뜻도 아니지만 이런 사태에는 도움도 아니지. 네가 부른 일이라면 독박은 당연이지."

"괜스레 왔군요. 사실 부모님까지 들먹이기도 싫었지만 그런 까닭에 고향까지 버렸고요."

"그런 건지 아닌지는 관심도 없지만 이런 모습을 부모님이 알기라도 한다면 실망을 넘어 절망이잖아. 아니 이런 위기는 너만 당하는 것도 아니고. 하지만 세상의 사람들은 독립에 매진하고 여차하면 신장을 팔아서라도 살아 가지. 너처럼 손을 벌리지는 않지. 그리고 구걸은 나보다 상대방이 먼저 거절하지 않았어?"

"실망이군요."

"길을 조심하길 바란다."

"아무래도 난 좋아요. 하지만 그런 말은 정말 남은 정도 지우겠군요."

모독을 쓴 사실에 갈 길도 눈에 들어오지 않았다 물론 형제라면 이런 일에 외면은 금수이었다. 더군다나 예전 내내 밥그릇을 부딪쳤고 지게도 홀로만이지 않았다. 그 러나 고향을 떠난 이후 모습은 개별이었다. 이제는 더 머 물 까닭도 없었다. 더욱 자존심의 저항은 눈덩이처럼 굴 렀다. 위기는 언제나 따르는 법이고 방법은 과정의 길이 었다. 그런데 형의 인연은 절벽이었다. 이제는 미련도 버 리고 서운함도 정리할 터였다. 그런데 자연스럽게 잔재의 흔적은 남았다. 그런데 그것은 갈수록 어둠속이었다.

'이걸 죄송해 어찌 사과하지?'

'무슨 방법이라도?'

'객지에서 함께할 생각뿐이었지. 하지만 불운에 안타까 운 사정이 겹쳤으니 방법도 사라졌거든. 그래도 잘해보겠 다는 생각으로 일을 저질렀으나 결과는 사망이지. 거기에

거절도 당했고 자본도 잠식되었으니 지존의 사랑은 사상 누각이었다고.'

변명에 위로는 삼십육계뿐이었다. 더군다나 내일을 장밋빛으로 호언한 주방장에게 뒷일을 부탁했고 밀린 임금은 후일의 짐으로 돌아왔다.

"그래도 부활을 믿는다면 뒤에라도 청산할 것이지만. 사실 그간 도움보단 고생이 많았던 건 고통에서 느낀 행복이었잖아요. 아직도 총각사장이란 말은 지울 수 없지 않겠능교."

"한번 사장은 영원한 사장이랑 게. 사실 허상의 꿈을 접고 영원한 사랑도 얻었잖아? 그렇지만 현실은 냉정하고 그리고 방법도 좁다면 어둠은 필연이지만. 그리고 누에를 어릴 때 배웠다니 어둠도 불안할 까닭이진 않잖아?"

"그렇다고 나방도 아니잖아."

"나는 하긴, 이젠 관심도 없고."

더는 고통에 매이지 않으려고 둘러댄 변명은 곤혹이었다. 물론 구름을 나온 달처럼 주방장은 얼굴에 조롱을 던지지 않을 수 없었다. 그것은 물론 희망이었지만 이젠 방파제가 기다릴 뿐이었고 너머엔 갈매기가 날았다. 그런데 지워지지 않은 어둠은 영원한 어둠도 아니었다. 미약한 어둠은 거짓인지 몰랐다. 하지만 통보를 받지 않은 상태

의 파산에서도 구원을 기대하지 않을 수 없었다. 더군다
나 사랑은 양심에 짐으로 무게를 더했다. 그리고 더는 나
비처럼 날 수도 없었고 이후는 어둠만이지 않을 수 없었
다. 그런데 정작 어둠은 행운을 던졌다.

"이렇게 끝낼 순 없잖아? 행여나 해서 찾았더니 이 같
은 바보의 짓을 하는 건 네가 나의 친구도 아니지!"

어둠의 속으로 달리려던 열차는 멈췄고 그의 몸은 바닥
에 나동그라지지 않을 수 없었다. 그리고 증오의 생각도
사라지지 않았다. 다만 자신의 희망을 꺾은 원흉이 다름
아니라 동창이었다. 사실 이런 일을 기획하며 실패를 도
운 원흉이었다. 그런데 그의 변명이 증오를 날렸다.

"원수도 사랑하랬잖아?"

10

원수를 사랑하란 말은 충격이었고 구명에 동의하지 않
을 수 없었다. 물론 돌린 걸음은 도살장을 드는 사정일
터였다. 사실 심정은 사과는커녕 얼굴도 마주대하기 싫었
다. 하지만 생을 얻은 보답엔 박정함일 수 없었다. 푸념
섞인 회한을 털었다.

"사실 사정을 생각해보면 죽어 사라지는 게 옳겠지만 그렇다면 슬퍼할 사람이 또 나오지 않겠어?"

"그래서 걸음을 돌린단 말이지?"

"좋아. 하지만 사실 지금은 지옥을 가기보다 더하잖아. 그리고 인연은 있다지만 그건 차라리 없는 게 나은데 다시 그곳을 가야한단 사실이 가혹하잖아?"

"아니라면?"

"차라리 삼십육계가 낫지 않겠어. 그게 서로를 살리는 길이고 상처를 다시 잊는 길이지. 그러다가 세월이 지나 상흔이 아문다면 대면은 다행일 테고. 그런데 지금은 감사란 없고 원망만 가득하지 않겠어?"

저항하는 변명은 이슬로 떨렸다. 물론 나락의 사정이란 것을 동창도 모르지 않았다. 하지만 승자의 권리를 강요하는 것은 물론이었다. 더군다나 그렇더라도 결과는 다르단 말이었는데 장례식장의 간판이 멀리 눈에 들어왔다.

'저 곳에 들면 되지 않을까?'

"사실 은원을 하나하나 따질 것도 없거든."

"그게 과연 끝일까?"

얼굴에 대답을 하는 대신 미소를 던지며 안내한 자리는 바벨탑의 찻집이었다. 사실 그 집은 형의 건물처럼 웅장했는데 즐비한 주변의 건물도 사진과 같았다. 사실 그런

곳은 소수이지 않았다. 그런 형의 집안엔 가득 채운 장식장이 하나도 모자라 복도까지 보였다. 곁눈으로 살폈으니 보물도 많았지만 값은 부지기수이고 매매도 은밀함이었다. 이내 하나만 건네면 될 일을 박정함으로 거두절미했다.

'무얼 훔치려는 건 아니겠지?'

'그러니까 부르는 게 값이 되겠군요.'

더는 푸념에 끈을 잡지 않아도 대답은 없었다. 어두운 골목을 내려오며 망상을 지웠다. 아무래도 항구의 밤길이라 길도 밝지 않았다. 물론 기대를 크게 한 것도 아니지만 실망은 지푸라기라도 묶일 참이었다. 그리고 구제는 자신의 권한 밖이었다. 너무나도 막막해 형에게 손을 내민 억지의 구걸이었다. 이번의 일은 예전보다 가벼운 것도 아니었다.

'하긴 작별을 선택했으니 그나마 다행이지만 그래도 마음은 원한이 맺혔다는 게 지금의 처지이잖아. 다만 이후의 일도 장애일 수밖에 없으니.'

그건 당위의 변명이었다. 다시 걸음을 재촉한 건 술기의 덕이었다. 산다는 일이 왕래의 반복이란 생각으로 대로를 지나 정류소에서 걸음을 멈췄다. 열차는 밤을 달렸고 새벽엔 서울에 닿았다. 사실 몇 해 전 방문 때만 해도 소박한 곳도 광란의 건물 숲이었다. 물론 그러한 모습이 발전을 의미했다. 하지만 구석의 어둠까지 지우진 않았다. 빈부의 차이는 사람도 나누었는데 복잡한 역사는 의자마다 걸인이 눈을 감았다. 물론 구석에 누웠던 생각도 사정이 다르지 않았다. 더군다나 그런 일을 수차 겪었었다. 그러다보니 머릿속은 이내 변명도 찾았다.

'이건 날 위한 게 아니잖아?'

'맞아. 그분이 지켜보거든.'

'그분이 가시지 않았으니.'

고백은 걸음을 앞으로 내밀었다. 그리고 멀리 기적을 울리며 출발하는 열차의 소리가 들렸고 그도 버스에 승차했다. 버스 속은 만원이었는데 일부는 손잡이에 의지하여 이리저리 몸을 흔들었다.

'예전 전신주를 안은 사내와 같잖아?'

'언제 넘어질지도 모르고.'

'그게 무슨 망상이지?'

'하지만 결과는 다르지 않지. 누구는 운이 없어 실수가 따랐고 구원도 바랐지. 하지만 기대는 사라지고 원망만 더했는데 그의 도움은 죽기보다 이젠 싫단 사실을 알려주었지 않았겠느냐고.'

'이게 바른 길인지?'

바른 길이란 말에 변명하지 않을 수 없었다. 하지만 작심은 이내 실행으로 드러났다. 더군다나 선택한 사망마저 거부당한 처지는 명령을 따르지 않을 수 없었고 어느새 버스는 전철역을 지나는 순간이었다. 그러니 번민을 더이을 수도 없었다.

'무슨 말을 꺼내야 서로 상처가 되지 않을 런지? 더군다나 아우의 폭언에 질책은 우박이었으니 더는 인내를 기대할 수 있겠느냐고.'

고백은 이내 걸음을 따라 이었고 육교도 올랐다. 물론 육교의 건너편에 자리한 집이었다. 건물의 도로는 육 차선으로 많은 차들로 붐비었고 인도는 사람이 넘쳤다. 다만 이르단 사실이 걸음을 묶었다.

'나도 그렇지만. 그분들이 더 중하지 않을 수 없지. 우린 그분들의 분신으로 다를 것도 아니지만 이젠 다르게 되었지. 영원한 행복을 잡은 것도 따지고 보면 형수의 유산의 덕이고 그 권한이었지 않겠어?'

'그렇다면 형은 원망이 아니지.'

걸음은 육교를 내렸고 계단의 수도 세어보지 않았다. 물론 도로의 건물은 한쪽뿐만이 아니라 맞은편도 같았다. 그런데 우독 눈에 들어온 것은 교회의 십자가로 화해와 사랑을 전하는 것만 같았다.

그렇게 도착한 건물의 앞으론 많은 사람들이 빈번하게

지나쳤다. 물론 햇살도 더한 탓이지만 도로의 차들도 열차처럼 줄을 지었다. 더군다나 많은 사람은 여행을 가는 모습이었는데 표정은 거의 파안대소이었다. 그러나 그의 사정은 도살장을 들어가는 황소였다. 현관문에 가까이 다가서니 안은 조용했고 문도 잠그지 않았다.

'금방 누가 나갔나? 문까지 잠그지 않았잖아? 그리고 형수도 만날 일도 아니지. 하긴 일에 시간이 없다할 테고 나도 그럴 시간도 없잖아.'

궁색에 위안은 잠시 주변을 살폈고 이내 더는 참을 수 없다는 듯 안으로 들었다. 하지만 안으로 들려면 안의 허락이 필요한 순간이지 않을 수 없었으니 잠시 망설였다. 아마도 누가 금방 나갔는지 시근이 허락을 주었다. 물론 그러한 기분은 여간 다행이지 않을 수 없었다. 그건 비겁한 모습으로 침입의 자유이었다.

'어디를 갔나?'

'하긴 담판이 좋잖아?'

화답을 자연스레 하고는 눈길은 주변을 둘렀다. 물론 주인은 아니지만 도둑의 기분도 싫지 않은 본능이었다. 다만 비겁한 사정이 발각되면 여간 난처하지 않았다. 하지만 고난을 담은 처지라 대안도 있었다. 사실 무엇을 훔치려는 것도 아니었고 가족의 인연이었다. 물론 집안의 침묵은 긴장으로 몰았다. 그건 외출한 사람의 잘못을 탐닉으로 머릿속을 풀었다. 물론 둘이 함께 외유를 나갔다면 문을 열어 두진 않을 터였다.

'만일 함께 나갔다면 계획은 어그러질 수밖에 없지만 그렇다면 기다리기도 황망하잖아? 그래서 안에 사람이 있을 처지라 안심은 되지만.'

'지금 무엇을 이렇게 중얼거리지? 그건 비 맞은 중의 처지란 말인데.'

잠시 눈을 살피던 여유도 길지 않았다. 서둘러 일을 마쳐야 다시 귀환의 열차를 탈 것이고 이후는 일을 맺을 터였다. 물론 이국의 정경만이 진정 자유이지 않을 수 없었다. 그런데 갑자기 구석의 공간에서 여인의 고함이 주변을 아랑곳하지 않고 터졌다.

"이게 무슨 짓이에요. 처음부터 아니, 이전도 그런 속셈으로 보았지 않았겠어요? 그리고 이런 짓을 용납할 것으로 알았어요?"

"사실은, 그것이 아니라고. 그저 이런 우연으로 이렇게 되었으니 화는 뒤로하고 사과부터 받아주겠어?"

"이런 일을 사과를 한다고 해결이 된다고 믿어요. 그리고 그런 짓을 하며 도둑처럼 즐기는 모습을 상상하면 더는 용서할 일도 아니잖아요."

"그럼 어찌 할까?"

"솔직히 이 사실을 만천하에 고하지 않을 수 없겠어요. 그래야 다시는 이런 짓이 죄라는 것도 알고 다시는 범하지 않을 테니 진정한 사과이지 않겠어요? 그래서 사람을 믿지 말라고 했으니."

"생각해 보니 내 잘못을 알겠어. 하지만 이런 사실은 누구나 그러하지 않을 수 없고 비록 신이라도 같지 않을 수 없는 원죄이지. 사실 지난 나날도 고마운 나날이었는데 티끌 하나 때문에 봉변을 원하는지 모르겠지만. 그러니 용서로 매듭을 지을 순 없는지?"

"결코 그럴 순 없어요."

"내가 무슨 짓을 했다고?"

서로 노려보는 분기는 절벽으로 몰았다. 더군다나 좁은 틈의 얼굴을 훔치었으니 사정은 다 드러나지 않았다. 하지만 혼란의 머릿속은 명확하지 않을 수 없었다.

'이럴 수는 없는 법이지.'

'사과는 무슨 사과? 이런 죄는 여자에겐 살인과 다르지 않은 데 사후에 용서하란 말이, 말이 되겠느냐고.'

사과를 거절한 여자의 눈길은 더욱 표독해졌다. 물론 나신을 본능적으로 가리는 손의 전율도 크지 않을 수 없었다. 내심 눈길은 총알을 입가의 발설로 날리었다. 분통함은 그녀와 다르지 않았고 다만 도둑이라 나설 수 없었다. 더군다나 상대는 형이란 사실에 여인의 저항도 파약으로 달렸다.

'실수라고 하기에는.'

'그럼 의도적이라고?'

'그렇지 않다면 어찌 그런 모습을 연출할 수 있었겠는 지?'

의혹은 여자의 명분을 위로하지 않았다. 물론 내막의 사연은 모르겠지만 나신은 거짓이지 않았다. 다만 좁은 틈의 우연은 모두도 아니지만 그들도 같았고 그건 독점일 뿐이었다. 더군다나 이번의 일을 돌아보면 단회의 일도 아닐지도 모른단 언질까지 주었다.

'이젠 끝장이지.'

'끝장이란 말을 하지 않을 수 없는 건 이건 단순한 실수라고 하기엔 뭔가 많거든. 들은 이야기도 분명하지만 만남은 한번이지 않았으니 가능하게 된 일이지. 물론 김 칫국일지도 모르겠지만 이별은 판결이겠고.'

"표정이 왜 그래?"

제 정신으로 갈 힘도 잃은 절망에 선술집을 들렀다. 이른 장사에 술집의 여자는 미소를 지으며 말을 건넸다. 입 가에 여유까지 발랐다.

"무슨 일인지 모르겠지만 이보다 더 좋은 세상이 어디에 있겠어?"

"그게 무슨 말인지?"

"난 표정만 보면 사정을 다 알 수 있거든. 그리고 때론 위안이 필요하지 않겠어. 하지만 그것도 의지할 바가 되지 못하니 사랑이 제일이란 말이지."

"사실 그른 말은 아니지만 난 그럴 기분이 아니라서."

"기회는 다시 오지 않지."

"그 말을 들으니 거짓이 세상을 휩쓴단 말이 사실인 것 같아요. 설혹 내 말이 이상하게 들려도 하는 수 없지만."

"이상보다는 고생이 약이 되겠어. 사실 옷깃만 스쳐도 인연이란 말도 모르잖아. 그러면 우물을 벗어나지 않을 수 없잖아."

절벽의 문답에 그의 미소는 관심을 잃었다. 물론 그녀의 친절은 좋지만 사정은 달랐다. 물론 그도 사랑을 원했지만 돌아온 건 충격이었다. 물론 그의 눈길도 창밖으로 나가며 동정을 살폈다.

"실연을 당했겠지?"

"그걸 어찌 알았죠?"

질문이 빨랐고 여인은 자리에서 술을 따르는 중이었다. 물론 아침술도 싫지 않았다. 함께 일을 도모하려는 생각은 틈을 좁혔다. 하지만 아직 갈 길이 먼 그는 달랐다.

"미련을 가질 것도 없잖아?"

"그럼요. 고별사도 필요 없으니."

"그래도 지울 수 없는 건 충격이지 않을까?"

하지만 여자는 말을 더하지 않았다. 입술을 핥으며 길을 살펴도 보이는 건 차들이었고 밤하늘의 별처럼 많지 않을 수 없었다. 밤을 샌 왕복의 걸음은 아쉬울 것도 없었다. 사실 그간 믿음이 없었던 건 아니었다. 그리고 언약에 확실한 보장도 받았으니 고난도 겁나지 않았다. 다만 현실은 바위처럼 장애이었고 넘기엔 세월이 짧았다. 이는 원수를 사랑하는 일도 아니었다. 물론 그간 열심인 까닭에 상흔도 지운 터였다. 그러나 환영은 사라지지 않았고 그럴 때마다 바위를 굴렀다. 이제 눈앞은 망망대해일 뿐인데 의지의 기둥도 무너진 것 같았다. 그는 자신도 모르게 선원의 상담소를 찾았고 이내 갈매기가 되지 않을 수 없었다. 그러기엔 주방장의 도움이 컸다. 자신의 선배가 화물선의 조리사로 추천한 까닭이었다.

제3책 대양

벚꽃 피고 지니 눈꽃 흩날리다.

11

바닷가를 조석으로 걸을 땐 수평선 너머의 외국을 동경하곤 했었는데 이렇게 빨리 현실이 되리란 건 꿈에도 생각하지 못했다. 물론 꿈에 그린 여행은 아니었으니 뜻밖의 외유는 탈출이지 않을 수 없었다. 물론 상흔의 치료로는 그만한 방법도 없었고 더욱 반가운 것은 외국의 사정까지 본단 기대감이었다. 물론 그간은 우물 속사정이라 부른 건 악연의 연발이었고 자학은 자존도 허물었다. 물론 그러한 사정의 출구는 바다였고 그곳을 날아가는 마음은 갈매기이지 않을 수 없었다. 하긴 이곳도 좁은 땅은 아니었으니 선원의 빈틈도 넓지 않았다. 그러나 마음만 먹으면 문은 열리었고 더군다나 관람의 호사까지 얹었다. 다만 그것을 실행하긴 여러 모의 미련과 비분이 섞었다. 그러나 미련의 번민도 이젠 불필이었다. 하지만 독백은 끊어지지 않았다.

'그 짓이 고의이지 않았다고? 그간 쌓인 풍문은 그럼 무엇이란 말이지?'

'시골에서도 사실 그런 유명세를 떨쳤잖아? 조금 배운

걸 내세워 순진한 사람을 속이곤 했었지.'

갈등의 비웃음은 짧을 수 없었다. 잊으려 하면 할수록 끈끈한 엿처럼 진력을 더할 뿐이었다. 사실 그것은 형의 잘못만은 아니었다.

'남녀의 일이란 죄도 아니잖아?'

'굳이 죄라면 원죄일 뿐이지.'

'그것이 사실이라도 이왕 한번뿐인 인생에 단 한 번의 사랑이라면 꽃길을 쫓지 않겠느냐고.'

'그런 건 자신의 야욕을 에두르는 변명이지 않겠어? 왜냐면 사랑이란 오직 하나의 지존인 까닭이니.'

분란은 차마 맘만으로 이어갈 수도 없었다. 그리고 무릎을 꿇은 사내도 다르지 않았다. 하도 야릇한 기연이라 경악도 침묵이었다. 물론 그런 모습은 예상도 할 수 없었는데 외면을 부른 건 을씨년스런 모습만이 아니었다. 더군다나 생명처럼 생각했던 언약의 파탄이란 건 충격 그 자체이었다. 그건 심각한 죄악이었으니 용서란 말도 꺼낼 수 없었다. 더군다나 욕탕은 은밀한 자리이지 않을 수 없었다. 그러니 이런 일이 벌어진 것도 두 사람만의 비밀일 터였다.

'하긴 누구나 비밀은 갖는 법이지. 그리고 그건 자신만의 일이니 그것이 무슨 짓이라도 드러낼 까닭도 없잖아?

그렇다면 그 사실도 두 사람에게는 은밀함이 되고 같은 일도 반복할 수 있잖아. 하지만 난 전후도 알 수 없었고 외면만 당할 처지인 건 그 목격의 결론이었으니.'

의혹의 꼬리를 잡았지만 차마 생각을 잇기도 힘들었다. 물론 사람을 믿는다는 건 인간의 도리였고 오뉴월의 서리와도 달랐지만 목격은 부지의 사실이었다. 만일 이렇지 않았다면 이건 맹인의 부덕함이었다.

'이렇게 되로 주고 말로 받는 짓은 형이 평소 즐긴 것도 사실이지만. 그렇다면 이건 도리의 악연일 뿐이지. 미리 작정한 짓이 아니라면 어찌 그렇게 때를 맞추었겠으며 그런 곳에서 나신을 보이느냐는 말이지. 사실 나도 그날 밤 눈을 들어 살폈지만 그저 동굴 속이지 않았겠어?'

'그건 예전의 버릇이지 않다면 환영이겠지.'

'비록 표정은 놀랐고 당황한 모습이었으나 사실은 자신의 자랑이지 않을 수 없다는 면도 있지. 요즘의 모델은 그것이 영예와 자존심의 지표가 되지 않겠느냐고?'

머릿속은 사슬의 연속으로 어둠을 밀쳤고 일그러진 표정은 사천왕이었다. 그러나 급히 지우려는 의도는 도리의 의혹도 잡았다. 그건 한시도 잊을 수 없는 건 불의인데 원죄이었다. 그리고 지나는 순간마다 환영은 번개처럼 나타났다 사라지길 반복했다. 그래서 밤낮을 시달리며 탈출의 길로 돌진하지 않을 수 없었다. 하지만 현실은 불안만 더하며 거센 파도의 조롱만 던졌다. 물론 기대한 사랑의 믿음은 바위와 같았지만 이젠 모래처럼 부서졌다. 그런 나날은 거의 폐인의 모습이지 않을 수 없었다. 물론 고된 노동에 고통은 차라리 위안이었다.

'이 땅을 떠난다는 게 미안하지만 그래도 출구가 되었지 않겠어? 사실 가게를 정리도 제대로 하지 못한 채 주방장에게 부탁만 던지지 않았느냐고? 그렇지만 차포를 떼고 나면 먼지뿐이지. 그는 그것도 고맙다며 일자리까지 소개를 더했으니 이리 되었잖아. 사실 그래서 다음 귀국을 하고 고향을 찾게 된다면 제일 먼저 만나지 않을 수 없는 사람이지. 이게 마지막의 믿음이지.'

'마지막이라고?'

사색을 이어가는 순간 배는 기적을 길게 울렸고 닥치는 파도의 저항에 흔들리지 않을 수 없었다. 하지만 항해의 명제는 전진뿐이었다.

'몸이 이렇게 흔들리는 순간이 좋은지 모르겠군. 남들은 멀미를 한다지만 난 상쾌한 정신으로 돌아오고 기분도 좋아졌지. 그런데 아직도 마음이 어두운 건 과거의 충격이 결코 작지 않는 파산 때문이 아니겠어? 더군다나 이별도 제대로 하지 않았고.'

'지금 무슨 연민을 가지는지 모르겠군, 그리고 그렇다고 무엇이 달라진다는 것도 어불성설이지. 사실 한손으로는 소리는 낼 수도 없지만 부활을 한다는 것도 말뿐이지 않을 수 없지. 이 정도의 아픔으로 타협해야 하잖아?'

당돌한 각오에 미소도 터졌다. 빛고을 거리의 노인의 모습도 잠시 떠올랐는데 그것이 연상되는 바는 무상 등등이었다. 하지만 그건 언제까지 위안일 수도 없었지만 분별심이 미래의 기대이지 않을 수 없었다. 그러며 이내 멀어진 부두를 돌아보았다.

'실망할 일도 아니지만 중한 것은 내일을 기약하지 않을 수 없단 사실이지. 사실 인간의 삶은 사랑만일 수도 없지 않겠어?'

그의 위안은 이내 받아들여졌다. 한결 마음의 고통도 줄어들지 않을 수 없었다. 물론 눈길만으로도 간음이란 판단이었지만 그건 부지이었다. 그것도 언약을 맺은 아우의 사람인데 말이다. 그런 죄악은 돌의 세례만이 답이었다. 물론 정숙을 다하지 못한 처신도 문제겠지만 결과는 도적의 눈길이었다.

'이젠 그런 사실을 지우지 않을 수 없지. 이젠 지나간 일이고 엎어진 물이며 미래의 인생을 설계해야한단 말이지. 물론 그녀도 양심이 있다면 더는 미련도 없을 테이고

제 갈 길로 가겠지.'

'그래서 난 이국으로 떠나지 않을 수 없지. 그리고 그곳은 그런 사랑도 용서할 수 있는 인간으로 변해야하지 않겠냔 말이지. 그곳은 원수를 사랑하고 그녀도 용서될테지. 그러나 예전의 언약이 아직은 가시처럼 찌르는군. 하나만이 사랑이고 책임을 담보한다는 게 마이란 것이었으니. 그건 나만의 생각도 아니고 조상도 바란 사실이라면 어찌 배반을 생각할 수 있었겠느냐고.'

하지만 명확한 대답을 부정하는 순간 조소가 터지며 반항을 불렀다. 물론 누구도 자리를 지키지 않은 게 다행이었으니 안심하며 조리실로 향했다. 그러나 입구는 한 사내가 미소를 지으며 반기었다. 물론 심야인지라 침묵에 마주한 탁상은 정갈했다. 그러자 사내는 목마른 사슴처럼 접대하길 원했다. 물론 상은 초라했다.

"누군가 궁금하지?"

"피부색도 다르고."

"조리실에서 부른다면 언제나 달려올 친구라면 이해가 되겠어?"

"조리장과 친하나?"

사내는 머리에 손을 매만지는 습관이 보였다. 더군다나 그는 주변에 관심을 버리지 않았다. 물론 비공개된 조리실의 안이라 찾는 사람도 없었다. 더군다나 사내는 과민한 성격으로 규정을 지키려는 듯 문도 잠갔다. 그렇기에 찾는 자와 대하는 자는 동무였다. 더군다나 이젠 내쫓을 까닭도 없었다. 그도 한동안 조리실의 책무에 선임의 신임도 있었을 뿐 아니라 동료들과도 다감했다. 그러니 사내가 건네는 말은 이의이지 않았다.

"이렇게 속을 풀자는 까닭이잖아."

"그게 무슨 말인지? 이 배는 유람선도 아니고 지금은 안식의 시간인데."

"그렇지. 하지만? 일은 고되고 고민이 태산이니 잠들 수 있겠어?"

"하긴 옳은 말이지, 뱃일을 한다는 게 마냥 즐겁지만은 않고 힘든 일이거든."

"그러니 풀어내지 않을 수 없잖아?"

더는 사내도 심기를 숨길 사정도 아니었다. 물론 그도 곤혹이 있을 뿐만 아니라 내일도 산이지 않을 수 없단 것이었다. 물론 동료의 친근함도 바다에선 싫지 않았다. 그러니 퇴각은 고려하지 않았다.

"무엇을 구하고자 배를 탔는지 모르겠지만. 내가 보기엔 돈만이 목적은 아닌 것 같은데?"

"족집게가 따로 없군."

"그래?"

"무슨 뜻인지?"

"무슨 뜻이긴? 이런 배를 탄 사람은 누구나 산전수전을 다 겪은 처지이고 유다처럼 주인도 팔 능력이지 않다면 허수아비란 것이지."

사내의 말은 호기심을 당기지 않을 수 없었다. 사실 해박함은 아니지만 배신을 말하는 처지는 동감이었다. 물론 함께 배를 오른 일도 선임이라 상사만큼 두려운 법이었다. 더군다나 조리실의 엄격함도 모르지 않는 자였다.

"이런 저런 사정을 살피고 찾아왔지 않겠어? 그런데 다행인 건 한국인이란 사실이고."

"한국을 좋아해?"

본능의 질의는 창밖의 어둠속으로 눈길을 끌었다. 물론 간간 스친 대륙의 불빛은 밝지 않지만 존재감은 드러냈다. 하지만 그래도 미련인 것은 분명한 고국이었다. 더군다나 사내는 질문을 대수롭지 않게 여겼다.

"도망치게 만든 곳이잖아."

분명 사내의 말은 무엇을 감지했단 사실이었다. 일단 진정된 마음으로 긴 숨을 뿜었다. 그리고 고개를 가로젓지 않을 수 없었다. 조리장의 순찰을 대비하지 않을 수 없었다.

"시간이 길지 않은 걸?"

"그래도 여유로운 건 사실이고. 이젠 지난 악몽을 지우려 하지만 세상의 일이란 어디 마음으로 될 수 있겠는지. 그래서 번민도 따르고 도망치려고 하지만 사천왕의 손아귀를 벗어날 순 없지. 그러니 배를 탈적 마음은 달랐겠지만 지금은 안정의 시간도 되었으니 불만까지 숨길 것 없지 않겠느냐고."

"그렇다면 싫을 일은 아니겠군. 사실 고국도 한때의 벚꽃이지 않았거든. 그러니 아무리 좋은 꽃이라도 열흘가지 못한 건 가엾은 처지이지 않겠어?"

"그런 걸 자산으로 알았다면 실망이지만. 그러나 사람은 언제나 실패의 연속을 바다 위의 파도처럼 헤쳐 나가지."

사내의 고백은 어느새 상사화를 매달았다. 하지만 그건 사정도 그와 다르지 않은 탓이었다. 물론 말은 요란하지 않았으니 약간의 술은 도움이지 않을 수 없었다. 물론 기대한 말은 아니었지만 사정은 싫지 않았다. 더군다나 그의 병환도 숨기지 않았다. 그러며 이은말이 자신은 약을 구한단 말이었다. 물론 잠시 그 말을 처음은 이해하지 못했다. 약간의 위로가 술이었고 약이지 않았다. 사내는 이내 고백을 풀었다.

"사실 나도 고통의 굴레에 메이지 않았다면 배를 타지

않았을 거야. 그리고 사실은 가난을 이기기 위한 선택은 차선이었지. 그런데 그보다 더한 거북이의 등껍질처럼 질기고 잔인한 짐을 졌지 않겠어. 그래서 바다를 나의 무덤으로 선택한 것이었지."

"나도 다르지 않다고 생각했는데 새 발의 피였잖아. 물론 가난의 까닭이 실연이었지만 동료보다는 가볍잖아."

"위로가 고맙군, 진정 친구의 덕담이고."

"그래?"

희미한 말은 사내의 얼굴을 어둠으로 가렸다. 물론 술과 안주로 배를 채운 것은 힘도 주었다. 그런데 사내의 사연도 간단치 않아 형언할 수 없는 애민을 느끼지 않을 수 없었다. 물론 정든 고향과 가정을 떠난 까닭은 그의 사정인 줄만 알았다. 그러나 이웃한 사내는 다르지 않았고 갈 길도 모르지 않았다. 그런데 그의 구명이 특이했다. 그러며 배를 어떻게 타게 되었는지 사연을 대란 것이었다. 물론 이론의 여지는 없었지만 과거의 사랑과 비분을 들이밀자 고개까지 끄덕였다. 그러며 조리장이 도움이 되겠단 말도 건넸다. 물론 그런 말에 귀가 솔깃한 것도 사실이었다. 그런데 진정한 도움은 과거의 청산이었다. 처음은 전쟁으로 해결될 줄 알았다. 그런데 전쟁은 해법이 아니었다. 물론 패자는 순종을 보였으나 그건 일시적이었다. 그러니 진정 승리는 마음이었다. 물론 처음 만난 사내의 말이라 전적으로 신뢰하지 않았다. 그래서 운항의 여유로운 시간의 여락으로 여길 참이었다. 그는 친절을 보였고 일도 조언을 더하지 않을 수 없었다. 그러니 조리실을 살피는 건 돕는 게 아니라 감시란 생각이었다.

"나도 이전은 조리실에 살았지. 그런데 어디서 굴러먹은 낮도깨비가 남의 일자리와 기대를 가로챘으니 미안하지만 감시는 당연한 것이지. 그러나 만일 일을 동참시키겠다면 아량도 베풀겠단 것이지. 이웃도 사랑하랬잖아?"

"평범한 말이군. 하지만 조리실 일은 나에겐 임무이기도 하지만 자격이 있어야만 할 일이지 않겠어?"

"옳은 말. 더군다나 음식이란 함부로 만들 것이지도 않잖아. 하지만 보조란 일은 자격으로 구하는 게 아니지. 그러니 나를 보조로 여기란 게지."

"나에겐 그런 권한도 없지만 굳이 그렇게 일을 원하는 까닭은 뭔지?"

단도직입의 물음에 사내는 침묵을 이었다. 물론 술에 취한 까닭은 당연함이었다. 더군다나 일의 분담은 해법도 아니었으니 거절할 필요도 없었다. 그리고 그의 말은 억지로 면탈도 지웠다.

"거절하겠단 게지?"

"나는 권한이 없거든."

자연스런 대답에 불만을 드러냈고 미처 그간 보이지 않았던 어둠만 밝힌 것 같았다. 물론 일은 서로 달랐고 위치도 갑판과 조리실이었으니 애초부터 억지이었다. 키는 여섯 척이었고 가슴은 넓었으며 힘도 세었으나 심성은 험하지 않았다. 그러니 짬으로 곳곳을 누비고 다녔다. 더군다나 음식의 기술도 없었으니 줄다리기는 당연이었다. 사실 나중 안 사실이지만 그는 인도인으로 달란트의 신분이었다. 아직도 신분을 가린다는 세상도 놀라웠지만 그는 피하려는 수단으로 배를 탄 까닭이었다. 그러니 반감은 길지 않았다.

"세상도 바뀌었잖아?"

"인습은 그렇지 않더라고. 더군다나 가난한 자에게는."

화물선은 화살처럼 곧게 달렸는데 그건 항구의 접근이 용이한 탓이었다. 물론 암초를 피한 운항은 화물의 선적과 하역이 주 임무였다. 물론 가벼운 짐은 항공이 경계와 속도를 허물었지만 부피와 무게는 제한이었다. 더군다나 세계의 곳곳으로 가는 짐이 대부분이었으니 배는 최선이었다. 거기다가 배를 조종하는 선장의 노련함은 능력이었다. 무역도 전쟁과 다르지 않아 경험과 능숙함은 속력을 닮았다. 그러나 난제도 많았으니 일감의 증감은 선사의 운명이었다. 그런 사정은 선원이게도 힘이지 않을 수 없었다. 사실 인도인의 승선은 그 기회를 잡은 일이었다. 물론 뱃놈의 운명이란 누구나 그렇듯 가난의 탈출이었고 세월을 더하지 않을 수 없었다. 그런 사정에 고물이란 구미를 당기는 일이었다. 하긴 그런 기회란 바다에선 불가이었으니 누구라도 기회를 기다리지 않을 수 없었다. 그러니 은밀함은 당연이었고 호출은 신임뿐이었다.

"하선을 준비하자고."

"그런 일이 가능해요?"

"사실 어느 곳도 그렇지만 바다의 처지는 상시로 변하지. 아무리 준비하고 쌓아도 오랜 일에 세월을 보내다보면 자연 재료는 부족할 뿐이지. 시간이 짧거든."

"무슨 말인지 알겠지만 행동이라면 번갯불이지 않겠어요. 더군다나 명령이라면 순양이지 않을 수 없고요."

"좋아. 그럼 시간을 단축하자고."

"둘 만요?"

조리실의 안을 곁눈질하던 인도인은 사라졌고 더는 관심이지 않단 태도이었다. 하지만 일이란 개인의 사정이지 않기에 동참이란 불가이었다. 더군다나 그간 보인 조리장의 신임을 보면 초보는 행운이었다. 더군다나 항구의 외출은 쉽지 않았다. 물론 배의 부족한 물품을 보충하는 목적이었다.

 "사실 이번의 일은 소홀할 수도 없고 일도 어렵지 않아. 나가는 김에 작은 가방을 배달하는 일이 추가되었지. 물론 가방을 받아가는 사람이 밖에서 대기까지 받으니 걱정할 건 없잖아. 신속히 나가면 약속한 사람에게 넘겨주고 시장을 들르면 되거든."

 "선원인가요?"

 "선원이 뭍엔 있을 수 없지. 우리는 그저 화물선의 선원으로 수탁한 화물을 건네고 수수료를 챙기면 그만이니까. 그것이 무엇인지 알 필요도 없잖아? 다만 수탁자의 위탁물이니 전달하지 않을 수 없고. 그건 우리의 사명이거든. 그런데 불행 중 다행이라면 그 일이 끝나면 휴식이 잠깐 주어지잖아? 사실 그런 휴식은 예정된 것이 아니라 환대에 따른 것이지만 뱃놈에겐 금상첨화잖아?"

 "무슨 일이기에?"

 "그건 가보면 알겠지."

 "그렇게 가방을 전달하는 걸로 주어지는 휴식도 그렇지만 환대는 더 이상 바라지 않아요. 더군다나 고방을 채우는 것도 시간이 모자라는 판인데."

 "그래야 거래처를 얻지. 사실 이런 일은 신용을 으뜸으로 하기도 하지만 신나는 덤까지 주어진다면 외면할 일이지도 않잖아? 다만 시간이 짧다는 게 흠이지만."

"흠이요?"

"그렇지. 사는 게 다 흠의 쌓임이 아니겠어?"

조롱에 희망을 섞었으니 싫지 않았고 일에 불만도 날렸다. 더군다나 예비의 언질이 여간 구미를 당기지 않을 수 없었다. 물론 그의 말은 이런 일은 전적으로 빈틈의 배려란 사실이었다. 다만 화물선의 일이 태산인 탓으로 틈이 많은 것도 사실이었다. 그건 태풍으로 요동의 문제와 달랐다. 이는 틈을 메우는 자갈과 닮았고 불안을 기우로 만들었다.

물론 인도를 항해하는 순간 형의 생각도 떠올랐다. 물론 그는 배는 타지 않았지만 외국산을 다녔는데 특히 설산을 좋아했다. 물론 그가 찾은 설산의 배경도 신기로웠지만 정상의 언질은 허울로만 남았다. 사실 설산이 신의 영역이란 말을 싫어하진 않았다. 얼마나 고행의 연속이면 그런 말을 붙였겠느냔 생각이었다.

'신의 영역이라니?'

'신성한 곳이거든.'

'그런데? 아무리 산이 높고 험해도 오르지 못할 사정도 아닌데 어찌 신의 영역이지? 그럼 오른 사람은 신이 되었단 말이잖아?'

하지만 형은 대답지 않았다. 그도 신의 영역을 오르지 않았기에 침묵했는지 몰랐다. 그런데 인도인의 고백이 설산을 드러냈다. 물론 인도는 크고 너른 나라라 바다와 설산을 두루 품었다. 그래서 그의 말도 진지하게 들렸거니와 사실도 남달랐다. 그의 말은 오히려 바다가 더 신의 영역이란 말이었다. 사실 그의 아집으로 몰았지만 사실 신의 영역은 다른 곳이었다. 그가 짊어진 달란트의 운명이 진정한 신의 영역이었다. 그래서 그는 일에 유달리 집착하는지도 몰랐다. 하지만 그의 자유는 도피이지 않았다. 그래서 즐겨 외우는 말도 들려주었다.

"빛나던 등촉의 하나인 조선, 그 땅에 가 살고 싶다."

12

충격적인 고백에 한동안 어안이 벙벙했고 야릇한 미소를 지으며 고집의 심정을 밀치며 아량을 건넸다.

"기회란 다음에도 있지 않겠어? 사실 아직은 사정도 모르고 맡겨진 일이라 중차대하지 않을 수 없으니 따르지 않을 수 없잖아. 그리고 나도 그간 고생만 짊어진 터라 기적을 좋아하는 것도 사실이지만. 하지만 그 생각은 자존의 치졸함이지."

"다른 뜻은 없겠지?"

"뭘? 숨긴 사연이라도 있냐는 말이겠지. 하지만 인간은 누구나 다 정직을 좋아하지 않겠느냐고."

솔직한 대답이 비록 씨 나락 까먹는 소리라도 싫지 않단 표정이었다. 물론 친구란 외로움을 나눌 뿐만 아니라 의지이지 않을 수 없었다. 그리고 예상하지 못한 일의 배려는 나눔의 대상이었다. 물론 이 일을 독차지할 생각도 없지만 때때의 양보는 매력도 더할 터였다. 물론 일은 조리장이 앞장을 섰고 그는 운반자이었다. 하지만 선득한 의혹은 기밀로 남았다. 그래서 눈길은 주변의 동정에 예민하지 않을 수 없었다. 더군다나 외지의 화려함과 함께 그림자가 따랐다.

"자연스러운 행동이 좋잖아?"

"그런데 가방의 속에 뭐가 들었는지 너무도 가벼운 걸요? 아마도 가방 속에 다이아라도 들었단 느낌인데 그렇다면 밀수꾼을 돕는 일이잖아요. 그렇다면 머지않아 범죄로 수배자로 현상금이 붙지 않겠어요. 하긴 막장까지 간 인간이니 큰 걱정은 하지 않지만 그래도 감옥은 싫거든요."

"겁나나?"

"겁나는 건 아니지만. 하지만 높은 장벽과 독방은 자유를 박탈할 것이며 면회할 사람도 없다면. 그렇기에 부당한 일이라면 거절도 생각할 셈이잖아요. 물론 친구는 강탈이라도 마다하지 않을 것이고요. 그는 그래서 고물을 특히 좋아한다죠?"

"고물? 그렇다면 생각을 해보겠지만. 하지만 이번은 하선을 하였으니 어쩔 수가 없잖아. 그런데 그 고물이 오히려 진품보다 낫지 않겠어?"

"낫단 말이 무엇을 의미하는지 모르겠군요. 그런데 그는 이 일을 그리 집착하는 까닭은?"

"까닭이라기 보단 위안이 필요해서겠지. 어찌 보면 절망의 울을 벗어날 수도 있으니."

"내막은 모르겠지만. 사실 그런 의욕이라면 다음도 양보는 불가하지 않겠어요. 물론 뱉은 약속을 번복한다는 것도 무엇 하지만 어찌 보면 시비를 피하자는 뜻이잖아요? 물론 이번의 일도 초행이니 겁도 나지만 위로일 것도 아니잖아요. 그간 난 미혹의 바다를 헤치는 즐거움도 이젠 알 것 같거든요. 물론 그래서인지 그간의 고민도 줄었지만 기대도 했단 사실이고. 그러나 아직은 예전의 기억이 그림자로 남았지만요."

"그건 누구라고 다를까? 그건 마치 자라에 놀란 가슴

소댕보고 놀라는 짓이잖아?"

"소댕? 그른 말은 아니지만 지금은 동의할 수 없을 것 같아요. 사실 그간 세월도 많이 흘렸단 말을 이제야 하게 되지 않겠어요. 하지만 생각처럼 훗날까지 깨끗해질 진 아직은 모르겠고요. 더군다나 변화가 죽 끓듯 한 세상이 잖아요."

"그래서 약은 최고이지."

서로를 바라보며 간극에 틈을 줄였다. 물론 나타난 이국의 부두광경에 눈길은 흔들렸지만 그렇다고 일에 소홀하진 않았다. 물론 가방을 가지고 나간 후 절차를 거치는 일도 조리장이 앞장섰으니 불안이지 않았고 이후 거래는 낯선 곳에서 이루어졌는데 인근의 화려한 환영식도 따랐다. 그런데 기대한 접대가 아니었으니 술상에 하강한 천사의 모습은 꿈속의 환영이었다. 물론 긴장을 푸는 일은 술이 제일이었다. 물론 낯선 곳의 장소라 찾는 것으로도 호기심이었다. 더군다나 나타난 여인은 옷이라기보다 천사의 날개란 말이 옳았다. 바라보는 눈길로도 이것이 영원이면 좋았지만 그건 순간이었다. 순간의 불꽃이 허용된 순간이었다. 물론 여자는 바라보는 차체로 감탄이었고 이에 대한 화답은 티끌로 변했다. 더군다나 다가온 여인의 친절은 경계심까지 깨트렸다.

"이런 자리는 처음이에요?"

물론 음성도 부드러웠으나 예의도 반듯했다. 그리고 건네는 어설픈 언어는 모국의 걱정을 절로 방아 찧기로 만들었다. 더군다나 콧구멍까지 막힌 숨을 입술은 풀어내지 않을 수 없었다. 물론 방도 흰 천으로 사방을 둘렀고 천장은 불빛이었다. 그리고 놓인 침대는 안락을 최대로 허용한 고급이었다.

"그러나 여자는 처음이진 않죠."

"말은 맞겠지만. 그런 걸 사랑이라 하기엔."

"진실을 폄훼하지 말아요."

"무슨 말인지?"

"사랑은 다 같은 것으로 동등할 수밖에 없는 것인데 어찌 차별을 두느냐 말이지요."

낯선 거리의 천박한 여자에게 한 말이라고 하기엔 졸렬함을 불구덩이에 던졌다. 물론 그날의 만남은 거래의 환영식이었으니 회오는 애당초 없었다. 아니 좋아하는 기분으로 언젠가는 이루어질 사랑이라 느낀 것도 분명 사실이었다. 그리고 꿈은 친절한 여인의 품안으로 성사되었다. 그런데 기분은 그것만이지 않았고 예전의 보복에 미소도 물었다. 하지만 그 미소는 이내 오래가지 않았고 인도인의 격분에 반격의 재료였다. 그러자 여인의 속삭임은 버들강아지가 되었다.

"오만을 낮추지 않았군요."

"나를 어찌 알고 그런 말을 한단 말이요? 사실 이곳도 처음이고 만남도 그러한데 어찌 날 그렇게 밝힐 수 있는지? 그건 이곳의 생활과 무관하진 않겠군요. 물론 이런 말을 어떻데 받을지는 모르겠지만 나는 조금도 탐나지 않는다고요."

"말은 그렇게 하지만 핵심의 처방은 아니군요. 물론 낙담한 사랑에 위로를 원했겠지만 진실로 위로란 가식의 껍질을 벗는 일이지 않을 수 없잖아요. 사실 나도 이웃을 찾아가는 부모에게 느낀 불만도 적지 않았거든요."

"이웃이요? 그렇다면 우리가 이렇게 불만을 공유하고 더군다나 만남이 그 뜻을 전할 수 있다는 것은 사전 합의가 되기라도 했단 말이요?"

"그걸 인연이라 부르는지는 모르겠지만."

"아니에요. 사실 처음은 아픈 병을 고칠 요량이었고 이곳은 고통의 해방이지 않겠어요?"

"호호, 원한을 그렇게 한다고 해원이 될 줄 알아요?"

반문의 얼굴은 경계의 벽을 허물었고 앞에 드러난 가슴은 일순간에 거리를 당기지 않을 수 없었다. 물론 어두운 밤의 기억도 떠올랐는데 그것은 장님이 코끼리를 더듬은

짓이었고 지금은 백일하의 사진처럼 털까지 숨기지 않았다. 물론 그녀의 자신감이 도도한 탓이겠지만 여자의 실오라기 하나도 없는 몸은 거추장스러운 격식을 희롱으로 날렸다. 순간 생각은 예전의 사랑이 동굴의 환영이지 않을 수 없단 생각에 눈총을 쏘았다. 물론 아직 드러나지 않은 여인의 곡선은 신의 조각이었고 탄성은 호흡을 막았다. 더는 숨쉬기기가 불편하단 듯 고개를 숙이는데 여인은 손가락으로 얼굴을 올리었는데 놀랍게도 어색하지만 근심을 갈랐다.

"탐닉만 할 건 아니겠죠?"

"이젠 그 무엇도 필요하지 않아요. 그저 곁에 있는 것만으로도 사랑이고 심신이 하나이지 않겠어요?"

"하나란 말이 정말로 멋지군요. 물론 내일이 어찌 될지 모르겠지만 진정 하나를 이루는 순간은 죽는다고 해도 싫지 않다 생각하거든요. 그러니 사랑이 제일이 아니겠어요?"

"그런 말을 선뜻 부정할 순 없지만 사랑은 만병의 불사약이란 말도 거짓이지 않군요. 사실 이곳에 오기 전에 사랑을 해보았지만 그것은 맛도 느끼기 전 파국이 된 터라 멍든 고통에 겁부터 났거든요. 그러나 이곳은 신비한 곳이며 구원을 나누고 받는 곳이잖아요. 그리고 그 사랑이면 죽음도 두렵지 않겠고요."

"그렇게 본심을 드러내니 그간 익힌 상술도 버릴 수 있겠어요. 그리고 이 만남은 아마도 그간의 숙제를 풀 계기가 될지도 모르겠거든요."

진심에 고백으로 시간을 지웠고 잠시의 순간이지만 결코 잊을 수 없는 만리장성이었다. 물론 아쉬움은 없지 않았지만 가식이란 생각은 벽을 허물었다. 그리고 짧은 이별의 아쉬움에 탄성을 섞었는데 정작 그 일은 치료란 사실이었다. 그리고 둘이 되었을 때 아쉬움은 한이었다. 더군다나 여자의 갈구는 격정에서 터지는 숨소리만이 아니었다. 물론 그 역시 예전의 기억으로 머릿속이 흔들렸지만 망각은 약이었다. 더는 약을 사랑하지 않을 수 없는 순간이 진실이 되었다. 그러니 여자의 애교도 따랐다.

"사랑을 했다고 했는데 이런 기분이었어요. 그렇지 못하다면 날아간 새를 원망하다 날 찾았지 않겠어요?"

"그게 그러니까 사정도 있었고 또 인연이 아니랄까. 그러니 언약도 유리잔처럼 깨어지더라고요."

"그렇다면 언약이 아니라 입발림이었군요. 그러나 오늘은 다르잖아요."

"다르단 말에 동의할지는 모르겠지만 난 조금도 실망하지 않아요. 사실 이 순간 진정한 사랑을 알았단 사실이지요. 사실 그 사람이 첫 자리를 고집할지도 모르겠지만요. 하지만 아무래도 하루살이로 살아갈 수 없는 인간이라면 순간은 아니거든요. 그리고 또한 행운이지 않을 수 없고요. 물론 이곳을 찾은 인연도 야릇했고요. 그리고 나의 진정을 보였지 않겠어요?"

"아무려면 말로 뭘 더 해요. 실행하지 않는 말이면 그건 부도수표이거든요. 그러니 그런 사랑은 진정을 폄훼할 뿐이지 않겠어요."

"그런 말을 듣는다는 것도 기분이 상하지 않아요. 사실 그간은 단견의 과오이었거든요."

"그래서 조국을 버렸나요?"

"물론 진의는 아직 모르겠지만 현실은 그렇더군요. 사실 이웃이란 사촌이지 않을 수 없고요. 그런데 사랑은커녕 그간 시기와 싸움질로 한만 쌓았지 않겠어요?"

불만은 잠시 그녀의 내심을 살피며 시선을 바닥에 깔았다. 사실 쳐다보는 살결도 솜처럼 고운데다 진실의 광분은 거의 마약이지 않을 수 없었다. 물론 하는 일과 사정은 천차이겠지만 자랑은 과하지 않았다. 그리고 그것은 지나가는 철새의 결핍을 채웠단 사실이었다. 물론 그녀와 오래 지낼 수 없는 건 일 때문이었다. 더군다나 조리장의 기다림은 순간을 허락하지 않았다. 이내 숨을 고르려는 순간에 나약한 속삭임이 전했다.

"이것으로 사랑이 끝일 수 없겠지요? 그간 사실 오해도 있었거니와 한도 풀어야 하고요. 더군다나 사랑은 미약하나 명분은 강하거든요. 물론 나는 조국의 자랑을 나눌 마음도 결핍되지 않았고요. 그건 조상의 은덕에 감사하지 않을 수 없는 사람으로 예전의 오해는 살라야지요. 물론 서로 자란 곳도 다르고 미천한 신분이라 해법도 그렇겠지만 조그만 힘이라도 더하지 않을 수 없잖아요."

"난 그럴 존재이지 않은 걸요?"

"그럴 리가 있겠어요. 이곳을 찾은 눈길에서 본능적으로 느끼지 않을 수 없었거든요. 일종의 예감이지만 비록 지금은 바닥일지라도 지존이지 않은지?"

여인의 도전은 몸을 장승으로 만들었고 후퇴란 조상의 얼굴에 먹물을 끼얹는 짓이란 사실에 갈등은 길지 않았다. 물론 그건 예전의 사랑을 지우는 일이었다. 더군다나 이웃의 사정도 오래되었으며 구원에 의협도 앞섰다. 물론 그녀의 사랑은 마술처럼 목숨이 다할지라도 고귀하단 느낌뿐이었지만 사명이 시한에 갇혔다. 그리고 낯선 곳에서 이별은 자연스럽지만 인간은 내일을 즐겼다. 물론 이후 만남이란 말은 장승도 조롱할 것 같았다.

얼마 후 배로 돌아오자 인도인이 기다리고 있었다. 선제

공격을 주저 없이 날렸다.

"사실 그동안 널 괴롭혔던 고통이 달아났지 않겠어. 그리고 얻은 결론은 이후까지 일을 놓지 않겠단 집착이겠지. 그것은 그동안의 고통이 파산한 까닭이겠고. 그러니 오늘의 표정이 부처이잖아?"

"그걸 아는 걸 보니 맛을 모르지 않는구나. 사실 그간 번민에 시달리는 나날이 그렇게 고통이었는데 한순간에 날렸다는 게 놀라지 않을 수 없거든. 물론 변명일지 모르나 그간 얼마나 치졸했는지 알았지 않겠어?"

"오해라고 해도 대답은 옳은 말이지. 그리고 그건 네가 겪었듯이 불꽃의 순간이지 않을 수 없단 사실이지. 물론 그걸 난 비웃음으로 내치지만."

"그런 말은 여간 충격적이지 않을 수 없군. 사실 너를 보면서 추한 생각도 없지 않았는데 결론은 위선은 오래가지 않는단 것이지. 그리고 그런 일에 집착하고 신의를 빙자하는 짓은 도리도 아니니. 그리고 진정 내가 그런 일을 탐낸다고 여기나?"

"흐흐, 그럼. 그렇지 않다면 다음에 양보라도 하겠어?"

"치졸한 대답이니 선약하진 않지. 더군다나 진정한 친구라 여긴 순간도 있었으니. 그게 나의 일이고 상사의 명령이라면 하는 수 없잖아?"

"명령은 따르지 않을 수 없지만 사정은 상황을 바꿀 수 있지 않겠어. 사실 그간 참은 순간도 내겐 지옥이었잖아? 그런데도 막무가내로 고집을 부리려는 모양인데 어찌 반기란 말이지? 더군다나 숨이 넘어갈 순간이라면 어떤 구원도 소용이 없으며 일방적인 조치는 살인이지 않겠어. 난 일찍부터 그것을 찾았고 그곳에서 구원을 받았지. 하지만 결론적으로 말해 넌 그럴 가치도 없잖아?"

"무슨 말인지 알 수가 없군. 그리고 나도 사정이 없지 않아. 이 일은 내게 지옥을 벗어날 기회이니 그런 말은 어이도 없고."

그러자 인도인 고개를 가로저으며 주변의 청소를 시작했다. 물론 바닥은 오물로 가득했지만 청소엔 정결해지지 않을 수 없었다. 물론 이후도 기대의 손길이 분주했다. 다만 다시 만날 기회의 상실이 같을 수 없단 절박함이었다. 물론 그간 보았던 그의 모습은 기이로 곁에 다가섰다. 그러자 그의 말이 따랐다.

"금고는 잠갔어?"

"지금은 빈 걸?"

"난 거래를 마치고 와도 항시 잠갔지. 누가 염탐할 걸 대비해야 하잖아?"

"그 말이 무슨 말인지 모르진 않지만 일리는 있군. 사실

살림을 맡은 자라면 고방의 열쇠는 중한 법이지. 물론 그
래야 안심할 수 있으니. 비록 개문은 편할지라도 온전함
은 아니지."

"괜한 참견이었지?"

"무슨 뜻인지."

"아냐. 혹시나 하는 노파심이었는데 혹 사정을 모르지.
아무리 억누르고 닦아도 안락의 탐욕은 불가한 일이지.
그러니 도둑이 살피지 않겠어?"

"짐작 가는 사람이라도?"

"모르는 게 좋아. 하지만 언제나 일은 등잔의 밑이 어둡
기 마련이잖아. 그러니 금고는 반드시 잠가두고 늘 보살
피란 말이지."

"고맙군."

"무엇이 더 궁금한 게 있나?"

그의 질문에 사정을 드러낼 순 없었고 의심은 도리도
아니었다. 다시 항구를 떠난 뱃길은 어둠의 파도를 갈랐
고 어둠의 속은 별만이 순간을 밝혔다. 뒤를 더 돌아보는
것은 미련일 뿐이었다. 시간은 길을 따랐고 지나는 과정
은 항구를 찾아가는 길이고 정박은 언제나 하역과 승선을
반복했다. 하지만 기회는 많지 않아 조리실의 보충은 기
획에 따를 뿐이었다. 그런데 어느 날 조리장의 점검이 따

랐다.

"금고는 잠갔나?"

"그럼요."

"도둑은 순간을 즐기거든."

질시를 띤 눈길은 머리카락을 흔들었다. 그런데 책임감
이 작아서가 아니라 예감이 앞섰다. 사실 조리장의 언질
은 이웃을 떠올렸고 그 의혹은 렌즈처럼 살피지 않을 수
없었다. 물론 파도를 넘는 나날이 지속되었다. 하지만 그
것은 또 다른 문제를 부르지 않을 수 없었다. 왠지 지난
번 찾았던 그날의 보충이 미흡했던 것도 사실이었다. 물
론 뱃일은 그 뱃속과의 싸움이었다. 그런데 더욱 불안한
것은 노동의 체력이었다. 그건 부족한 에너지의 보충은
음식이 필수였다.

13

그럭저럭 배는 인도의 서쪽 봄베이를 향했고 화물의 하
역도 있었다. 물론 대국의 사정과 많은 인구는 화물의 양
도 남달랐다. 그렇기에 잠시의 기회는 하선의 기회와 보
충을 필요로 했다. 그 시간은 어느 정도는 예상한 시간의

여유로 짬도 있었는데 도착한 곳의 모습은 가난의 전형
그 자체이었다. 물론 그런 가난의 모습을 본 건 처음도
아니지만 빈부의 차이는 나라도 하지 못할 일이었다.

"아무리 가난이 지독해도 그건 개인의 책임이 우선이지.
물론 누구나 공평한 기회의 여건은 아니겠지만 노력은 사
정을 외면하거니와 차별을 두지 않잖아?"

"사실 나도 배를 타고 여기저기 살펴보면서 사실 이런
곳은 처음이지 않을 수 없군요. 마치 전후의 사정이지 않
을 수 없는 모습이고 기회의 상실감도 따르지 않겠어요.
사실 이 나라는 대국인데 말이지요."

"대국도 근태에는 망국을 피할 수 없거든."

기억을 더듬는 조리장은 이내 고개를 끄덕이었다. 물론
예정된 일은 신속히 이루어졌고 짬도 길지 않았다. 물건
은 마켓의 구매가 대부분으로 선상까지 배달이 약속되었
다. 더군다나 거래는 현금의 결제로 신속하지 않을 수 없
었다. 그리고 준비된 가방의 물품도 이내 들고 내렸다. 물
론 허름한 빈민가의 변두리를 찾았다.

"이런 곳은 감시도 필요하지 않잖아."

"그러니 범죄가 다발하지요."

"경찰도 보신은 필요할 테지."

물건의 거래를 마치자 사내는 옷깃을 잡아 당겼다. 물

론 이후의 거래도 자신들과 하잔 말이었다. 물론 일만 있으면 사양할 턱도 없었지만 그건 개인의 선택이 아니었다. 기밀이 존재하는 자리는 누구나 체계를 따랐고 이는 안전을 중요시한 까닭이었다. 물론 여유의 시간도 많지 않았다. 그래도 술 한 잔의 여유가 마냥 기대감을 부풀렸다. 물론 망상은 언제나 자유롭게 날았다. 그리고 안내된 곳은 허름한 집이었는데 사람들의 소란도 들렸다. 물론 그러한 소란은 경계심을 불렀지만 사내의 귓속임은 편안을 주었다. 그렇게 봄베이의 빈민가를 훔치며 잠시 쉬었다. 물론 도심의 높은 건물은 어느 곳과 다르지 않았으나 할렘은 그렇지 않았으니 천지차란 그것이었다. 더군다나 허름한 집의 주인은 미소로 반기었는데 나타난 소녀는 목불인견이었다.

"저를 바라보는 눈길이 불편하면 퇴실하지 않을 수 없겠군요. 하지만 그건 만난 인연에 과도한 부정의 탓이지 않을 수 없고 그건 나의 잘못은 아니지요. 그래서 난 언제나 그런 분에게 설산을 아느냐고 되묻지 않겠어요? 진정 그곳을 알지 못한 사람은 사랑은 고사하고 영생도 진창일 테니까요. 그래도 마음이 허락하지 않는다면 오늘은 궁핍함을 피할 수 없겠고요."

"굶길 순 없지."

긍정을 섞은 사내의 대답에 소녀는 반기지 않을 수 없었다. 물론 어린 소녀가 희망한 일이란 부정직한 일이었다. 물론 그것은 초대의 목적이었지만 이미 겪은 오랜 심정의 불안을 표출하지 않을 수 없었다. 더군다나 이런 곳의 소녀란 사실이 진실이지 않았다. 소녀는 빙하 같은 냉철한 웃음을 지었다.

"설산이 싫지 않다니 여간 고맙지 않을 수 없군요. 하지만 정작 그곳은 생각처럼 낭만적이거나 환상적인 곳도 아니에요. 그러나 난 운 좋게도 그곳에서 태어났고 살았으니 누구보다 잘 알아요. 사실 설산은 보기와 달라 척박한 곳으로 암벽만이 우뚝하니 불로초도 살기 힘들어하지 않을 수 없거든요. 그러니 그런 사정을 상상도 못한 사람에게는 나의 이야기는 전설이겠지만 손님은 눈길부터 달랐으니 이리 나부대는 것이지만요."

"나부댄다? 그런데 어떻게 외국의 말을 그리 잘 하는지 궁금한 걸. 사실 내쫓지 않은 건 긍휼해서라기보다 너무 잔인한 모습을 보니 차마 그럴 수 없었을 뿐이고. 이젠 말을 한다는 사실이 고마우니 이리와 앉아보렴."

"고마워요. 그건 인연이기 때문이죠."

인연을 맺는 시간도 촉박하다는 듯 주변을 살폈다. 허름한 방에 영업은 전등의 불빛에 의지했고 도드라진 가슴은 도토리였는데 망사의 실루엣이 민망했다. 더군다나 익은 정도도 아니었으니 그런 것엔 관심도 없었다. 하지만 소녀의 말은 그간의 의혹을 걸었다. 물론 설산은 형의 환영을 불렀다. 그는 한때 설산을 올랐는데 등반가의 실력이었다. 더군다나 설산의 기억은 오래토록 지워지지 않았으니 소녀의 실화는 간증일 터였다.

"설산은 신의 영역이라 허락된 인간만이 오르는 곳이지요. 그러나 인간은 자신을 믿고 허세를 부리다가 사망으로 굴러 떨어지니 구원이 필요하지 않겠어요?"

"그런 인간을 신이 구원할까?"

"네. 그것은 모두가 인정한 사실이죠."

"그래서 이곳에 버티는 일도 같단 게지?"

당돌한 질책에 소녀는 움찔했고 순간은 침묵이 따랐다. 하지만 소녀의 얼굴은 고난을 이겼고 사연을 서리었다. 물론 그녀의 고백을 다 믿을 순 없었다. 하지만 이런 곳에서 사는 여자라면 아픔은 기본이요 희망은 초승달이었다. 사실 그런 사정을 전제하고 이야기를 듣는 건 인간의 본능이었다.

"하지만 이곳은 구원만이지 않았어요."

"그럼 부활까지?"

"나 혼자가 아니거든요."

"맞아? 가족이 있었군.'

"그러니 난 고마움뿐이에요. 그리고 쓴 색안경이라도 다 용서되지 않겠어요?"

그녀의 자랑은 조소를 주었다. 물론 무엇을 누가 용서했다는 것을 따지자는 건 아니었다. 다만 고백의 자랑이 사실은 어이가 없단 것이었다. 물론 변명도 따랐다.

"사실은. 그 분이 알려준 게 사랑이었으니. 사실 그것은 거짓도 아니잖아요. 더군다나 파국의 가정을 지탱하는 힘은 물론하고 덤으로 견문까지 더했거든요. 만일 그때 천막의 일이 없었다면 이렇게 자유로운 인간이 되었겠어요. 그렇기에 그 사람에게 일의 책임을 돌릴 수 없고요. 더군다나 그의 도움과 인연은 미래를 밝히는 등대이지 않겠어요?"

"그런 일이 있었다고? 하긴 그런 곳에 일이란 등짐으로도 입에 풀칠할 일이지만 이런 일은 영화로울 수도 있으니. 그래도 죄악을 용서받았다니 다행이잖아?"

"그런데 난 보은을 할 수 없어요."

"그게 무슨 되지 않은 말이며 가능하다고 믿는 건 아니겠지? 사실 그건 이곳에 와서야 사실을 짐작하지 않을 수 없으니. 하지만 지금은 도울 수도 없거니와 이곳을 빠져나갈 기회도 없잖아?"

"걱정하지 말아요. 나의 부탁이면 가능해요."

"그럼 좋다. 네 말이 그저 다행일 뿐이다."

소녀의 얼굴은 한동안 평안한 모습이었지만 사실 갈등이 없지 않았다. 물론 자신의 변명이 거짓일 수 없단 표정의 불안 때문인지도 몰랐다. 그리고 그간의 나날은 그녀에겐 고통이지만은 않았단 사실이었다. 물론 그녀의 말을 어떻게 받아들이건 목적도 아니었다. 사실 순간 산다는 일이 동상이몽의 꿈과도 같았다. 형의 기대는 설산을 정복하는 꿈이었다. 그러나 진정 정복했는지 묻지 않을 수 없었다.

"그분이 한국인이었어요."

"그래서 우리말을 익혔고 잊지도 않았으니 아직도 미련이 남았지 않겠어?"

"호호. 무슨 말이 그래요. 사랑도 얻고 베푸는 방법도 알려주었는데 아직까지도 짐을 지웠다고요?"

"하지만 용서가 다는 아니란다."

"그럼 다른 것은?"

"이제야 단죄를 하려는 집착이 얼마나 부질없는 일이지 알게 되었구나. 수고롭고 무거운 짐을 진 자들아 다 내게로 오라는 뜻을 말이다."

대답을 할 수 없는 절벽으로 내몰며 걸음은 끝으로 밀

렸는데 천 길의 끝이었다. 그건 사실 소녀의 이야기가 황당해서 만이 아니었다. 사실 그도 묻었던 과거이었고 들은 이야기도 무관하지 않을 것 같았다. 그런 미혹을 소녀의 만남으로 설산은 실체를 드러내었다. 물론 그 판단이 너무 이른지도 몰랐다. 그는 이내 힘없이 말을 이었다.

"짐 진 사실이 고맙다 하지 않을 수 없는 건 결코 포기할 수 없는 일이기 때문이 아니겠어? 물론 그 현실은 필연이지 않지만 누구라도 외면할 수 없는 일이고."

"그런 것 같아요. 나도 한 순간은 그랬고요."

"고백을 들으니 고맙다. 사실 이곳에 온 건 실망의 파탄이었으니까. 그러나 이젠 그 사랑이 대단할 것도 없거니와 누구라도 같지 않을 수 없는 생각이 너의 간증으로 드러났고 이 또한 나의 번민이었으니 이제라도 귀향하는 게 좋지 않을까?"

"그러면 좋겠지만 그럼 남은 사람은 어떻게 살아가죠. 왜냐면 그곳을 책임지던 오빠가 신의 품에 안기었으니."

"그럼 신의 영역에 진정 들었단 말이야? 그런데 그 이야기가 왜 슬프게만 들리는구나. 아직 젊은 시절에 신의 영역이라면 그것은 기뻐할 일도 아니거든. 남은 가족도 그렇지만 네 희생도 또한 비극이지. 그런데 그 비통은 풀릴지도 모르겠지만 감당할 수도 없다는 게 더 큰 절망이지 않겠어?"

"그래서인지 아버지는 오빠의 희생을 안 순간 거의 폐인이 되었고요."

"그래서 네가 짐을 벗을 수 없단 말이지? 잔혹한 사정이 있으리란 걸 짐작은 했지만 사실로 드러나니 나도 죄인일 뿐이구나. 그래서 이젠 나도 새로운 내일을 생각하지만 희망은 가깝지 않으니. 하지만 신의 가호가 있지 않겠어?"

"그랬으면 좋겠어요."

"그리 되지 않을 수 없지.'

"그러나 그건 신도 모르잖아요."

"그게 무슨 망상인지 모르겠지만 그건 사실 외면할 수 있는 일도 아니잖아? 그저 너를 위한 위로의 치사로 입발림을 하자는 건 아니잖아. 하지만 이젠 나 같은 사람에게도 네가 친구처럼 되었지 않겠어? 그리고 이리 말해서 될지 모르겠지만 설산은 신의 품이니 허락이 필요한 곳이지. 그러니 그곳은 인간이 쉬 오를 곳이지도 않고."

소녀는 이내 고개를 끄덕였고 떠오른 것은 형의 환영이었다. 물론 그도 설산을 가볼 생각도 했었다. 그러나 이젠 형의 일로 만족이었다. 물론 이후 들은 뉴스이지만 사고는 면했지만 죽은 이도 있었다. 그 동료는 정상의 일보직전에 실족을 당했다. 그런데 정작 관심은 다른 곳에 있었다. 그것은 등정의 성과가 아니라 사건이었다. 눈앞의 정상에서 고난을 만났다. 산소는 희박했고 보충을 기다리지 않을 수 없었다. 그런 일을 잘 아는 포터는 자신의 산소를 건넸고 정작 자신은 죽음을 맞았단 기사였다. 돌아오니 반긴 건 감시자였다.

"안색이 예전이지 않은 걸?"

"늘 그렇잖아."

"뭘 숨긴 꿍꿍이인지 모르지만? 그곳은 다음이 없는 곳이지 않겠어?"

"희망이 없진 않지."

이후의 대화는 거센 물보라와 요동으로 배를 흔드는 충격을 닮았다. 더군다나 그의 집착도 관심이지 않았다. 다만 설산의 충격은 때론 바다의 파도였고 고향의 눈발이었다.

'조금이라도 양심이 남았다면 더는 이럴 수 없지. 물론 책임을 지우자는 게 아니라 인간의 도리이지 않고는 죄악의 용서도 구할 수 없다는 게지. 그런데 아무리 생각해도 나도 다르지 않잖아. 물론 그 때가 언제일지는 모르지만 그래도 귀국은 언젠가는 이루어질 일이고 그럼 귀국할 준비도 해야 하잖아?'

'귀국?'

'잘못은 용서하면 된다잖아. 더군다나 상처를 받은 마음은 그 무엇으로도 되돌릴 수 없다니 방법도 전부하지만.'

'돌문을 열자는 게군.'

'하지만 소녀를 만났잖아?'

이내 독백하며 그녀의 얼굴이 떠올랐는데 뜨거운 열기는 경악이었다. 물론 일에 열중을 하지 않으니 기름도 사정을 알아챈 것만 같았다. 작은 화상을 조리장은 놔두지 않았다.

"조심해야지."

"이건 실수에요. 잠시 방심한 사이 당한 일이라 피할 수 없었고 고열의 기름이라 살점이 익은 게지요. 하지만 고기의 맛도 곁들이었으니 더욱 좋아하지 않겠어요?"

"인육을?"

"인육이라고 맛이 다를까요?"

"번민이 아직 깊군."

"신의 외면이죠."

당황한 대답에 순간 조리장은 폭소를 터트렸다. 물론 이를 믿는다기보다 불만에 가까웠고 강단의 차이로 부정을 지웠다. 물론 소녀의 만남도 신선한 충격을 주지만 반성은 아직 어불성설이었다. 물론 내심 말하지 않았지만 그

녀를 만난 것도 우연은 아닌 것만 같았다. 더군다나 이번
의 일은 조금의 후회도 없었다. 하지만 인도인의 눈길은
불신에 의혹만 더했다. 그러나 반전의 작정에 싫지도 않
았다. 물론 그것은 기밀의 어둠이며 희롱이었다. 물론 그
는 어둠의 탈출을 이젠 과제로 남겼다. 그러며 실패의 사
실에 의지도 꺾는 짓이었지만 도움이었다.

"그게 언제나 될지?"

"무슨 말이지?"

"귀국이 아니겠어?"

"돌아오란 소식도 없잖아?"

"그게 무슨 말이지?"

"언약은 함부로 발설할 일도 아니지만 했다면 책임은
당연하잖아?"

"여러모로 관찰이 많았군."

"관찰해서가 아니라. 사실은 하도 하는 일마다 수상하여
살펴보지 않을 수 없었지. 그래도 지금까지 잠시라도 안
녕일 수 있는 건 나도 다르지 않으니. 그런데 세월은 사
람을 놔두지도 않고 쉬 멈추게 할 수도 있으니 그저 걱정
만이 아니겠어. 아무리 싫어 떠났어도 쉬 달려갈 수조차
없다는 사실은 감옥보다 불편이지. 그러니 귀국이란 말만
들어도 서운함도 사라지고. 그래서 이제야 작정한 일이지

만 신분 또한 지워지지 않는다면 어렵겠지?"

"자유롭다더니?"

"사실은 그럴 수도 없거니와 운명이라는 말 자체도 불행이지 않을 수 없지. 사실 그래서 그간은 그 짓이 그르다 생각하면서도 순종하지 않을 수 없었으니. 아무래도 무저갱의 저주로 떨어지는 일이지 않겠어. 이젠 그 약이 아니면 버티는 마음도 실이지."

"물을 엎은 뒤 주워 담겠단 짓이잖아?"

"아직은 그래도 시간은 충분하지. 더군다나 그간은 일도 도우며 모은 것도 쏠쏠하고. 그렇지만 현실은 다르지 않겠어. 그래서 매 순간을 순찰하는 중이고."

"그걸 말이라고 하는 거야?"

"아직도 차별을 지울 수 없다고 생각하면. 하긴 지난 일은 누구라도 순응하지 않을 수 없다지만. 더군다나 이젠 세상도 변하고 또 짐을 꾸려지고 설산이라도 가면 자유의 몸이 되지 않겠어. 또 그것만이 나의 진실을 알아줄 것이고. 그리고 언젠가는 오를 곳이겠지만."

"설산을?"

"그럼. 지금까지 유감스럽게도 현혹된 일이었으니 망상의 어둠을 떨쳐야지. 그리고 이 세상도 돌지만 어둠의 사정도 같지 않겠어? 그래서 조금은 안심도 되고 불만도 스러지지만."

그들의 대화에 조리장의 호통이 따르지 않을 수 없었다. 물론 그건 일의 산적함이었다. 배는 너른 대양을 지나 작은 해협이 멀지 않은 곳으로 달렸다. 그런데 아직도 갈 길은 멀단 사실이었다. 하진 작은 별의 사정을 그도 모르지 않았다. 그러나 바다의 사정은 요원이었다. 마치 설산의 고도와 다르지 않았다. 그러는 사이 배는 어느덧 인도를 떠나더니 험난한 바다로 접어들었다. 물론 나타난 파도도 조용하지 않았다. 그러니 지나온 연안보단 힘이 들었다. 물론 멀미의 기미에 인도인은 약까지 내밀었다. 물론 그렇다고 그의 행동이 고마운 것은 아니었다. 물론 일의 산재와 재치의 도움이었다. 그런 만남은 어느새 친근함의 정으로 장애도 거두었는데 그의 말은 권유에 가까웠다. 이곳의 바다는 바라보는 것만으로도 은총이란 말이었다. 그리고 언제 다시 돌아올지 모르니 잘 살피란 것이었다. 그건 이곳의 전설을 사랑한 탓이었다. 물론 그런 말은 오랫동안 머릿속을 지배했고 저항도 있었다. 하지만 바닷길이란 어디라고 다를 것도 없었다. 다만 역사의 기록은 풍선으로 못 박힌 생각을 흔들어대던 어느 날이었다.

"소식이 드디어 왔잖아."

"무소식이 희소식인데."

"이런 불효가 어디에 있지?"

"보고도 몰랐어?"

"모르긴. 알지만 사실을 드러내지 않은 것일 뿐. 그러나 일에 옥죄인 죄수의 처지이니 어찌 소식이 그리울 수 있겠느냐고. 그래도 한동안 침묵으로 잘 참았는데."

"그러나 이리 소식을 날린 것은 고맙지만. 그러나 급하지 않다면 이럴 까닭이 없잖아. 그리고 그간 전해온 사실도 실망이었으니."

"방정맞은 소리?"

"그럼 내기라도 할까?"

"흐흐, 난 네가 이기는 걸 좋아하지 않지. 이기려고 하는 것도 따지고 보면 부질없는 욕심이었으니 차라리 양보한 것보다 못한 게 대부분이거든. 부디 그런 기대는 바람처럼 날리고 받아들여야지. 사실 이런 소식도 가뭄의 단비이지만."

"옳은 말이야. 아무리 전하기 어려운 소식이라도 지금은 예전의 사정이 아니잖아."

"설령 그 말이 사실이라도 예전은 달랐지. 시내를 가면 반드시 소식을 띄우고 안녕을 부친 세월이 얼마였느냐고. 하지만 돌아온 건 실망이었으니."

"뭐라 하지?"

"다 잊은 일들이지."

"사실 난 아무래도 좋아. 다음의 항구로 달려가도 안위는 접어두고 이젠 일에만 매진할 참이었으니까."

"그렇다면 나무랄 일은 아니지. 더군다나 건네는 고국의 소식이 그립잖겠어?"

"무슨 소식인지?"

"부고."

"차라리 거짓말이 외삼촌보다 좋다는 말이 이제야 실감나는군. 난 사실 뱃놈의 생활이 좋았고 또 유람의 맛도 좋지 않을 수 없었는데. 이건 헤어진 가족의 무소식보다 잔인한 통보이지 않겠어?"

"죽음은 누구나 피할 수 없는 일이겠지. 다만 이곳과 그곳의 사정이 가로막은 게 더 한이지 않겠어?"

조리장도 더 이상의 말을 건네지 않았다. 물론 비애의 통고도 거부할 일도 아니었다. 다만 미처 마음의 준비도 없었던 터에 소식은 벼락이었다. 물론 비애는 그들도 외면하지 않아 자신의 일로 여겼다. 하지만 바닷바람이 머리카락을 훑고 지나가도 비분은 따라가지 않았다. 바람이 배까지 밀었으니 배는 자연 고국과 거리를 벌리었다. 멀리 산하도 그림자인 듯 지나갔다. 이내 나타나는 바다의 물색도 이젠 다르지 않았다. 물론 비분이 가시지 않은 건 지난날의 회오가 큰 탓이었다. 물론 집나간 형도 그랬지만 자신의 일은 실시로 달렸을 터였다. 거기다가 뱃사람의 운명으로 참석은 불가이었다. 이젠 회오만이 한 층을 더 쌓아올렸다.

14

이내 혼란을 잊으려 일에 집중하지 않을 수 없었다. 일을 하면 새삼 불안한 마음도 잊는다는 사실은 그동안의 나날이었다. 그러나 거센 파도를 해치고 나가는 배도 파도를 이기진 않았다. 물론 자식의 실수를 나무랄 부모도 없지만 못다 한 책임은 그만의 번민을 낳았다.

'한걸음에 달려왔겠지?'

'그리고 사정도 알았겠고.'

'아니. 안다는 게 실망의 연속이 아니겠어? 그리고 가게를 하다 이런 저런 고생에 꺾여 도망친 것도 따지고 보면 인과응보라는 생각을 던질 것이니 돌아보면 불효의 지존이 아니겠느냐고. 그런데 그렇게 큰일을 쉬 받아들인 순 없잖아?'

'사실 자신의 일로 선뜻 부정할 순 없지만 사실은 남과 다르지 않잖아. 그러잖아도 그간 고생이며 구걸에 시달린 것도 그 망상의 탓으로 여기는 게 사실이었으니. 그리고 이젠 모습도 숨겼고.'

'흐흐, 산다는 게 무엇인지?'

'그래서 답을 얻어야 하는데.'

'사실 한동안은 그런 과오에 혐오하지 않을 수 없었지. 다문한 자들의 유희이지 않을 수 없단 생각이었거든. 그러나 이제는 같은 사정을 안은 고통이 더 견디기 힘들지 않느냐고.'

'이런 잡념을 불길에 던지자고.'

'그래도 무엇이 사실 부족하잖아. 마치 빈 독의 공허가 전신을 감싸는 것 같으니. 그리고 죽음을 거부하던 부친의 모습이 여간 궁금하잖아.'

'이젠 그런 망상을 태워야지. 그간도 티끌에 매달린 오만이 심했지 않았겠어? 물론 한 순간을 사는 사람이니 그 많은 실수와 아픔이 많겠지만 그래도 아직은 살만한 세상에 사랑이 넘치잖아. 그리고 아직도 한 분도 살아 지켜보고 또 그분을 보아서라도 자책은 금물이지.'

'속담에 모르는 게 약이란 말도 있잖아. 사실 나도 처음은 형의 전언이 반가웠지만 이젠 그렇지 않잖아? 차라리 훗날 알았다면 이렇진 않겠지.'

'그게 전언과 무슨 상관이지. 사실 그간 함께한 우려에 기대감이 거품처럼 사라지고 덧없는 모습만 드러났지 않았겠어.'

'그럼. 생사 모든 게 물거품이지. 하지만 그 물거품이 아니라면 산다는 사실도 그 무엇으로도 귀함을 드러내기 쉽지 않단 것이지. 그러니 아무리 고기가 좋다고 탐을 내는 짓은 어리석음이지. 그리고 이왕 말이 나왔으니 하는 말이지만 지금도 분개하지 않을 수 없는 건 자신의 과오를 인정하지 않는 일이지. 그러면 이후 감옥의 죄인이 되면 고통도 마다하지 않을 런지?'

'어차피 진실은 드러나는 걸?'

'그른 속단은 아니지. 더군다나 눈을 부라리고 바라본 일이란 다시 생각하기도 싫다는 게야. 더군다나 가정을 꾸린 사정도 부모에게는 실망이 아니었겠느냐고. 그런데 눈길을 돌리지 못하고 탐욕을 따른 걸 보면 근본에 박힌 수심은 사실이었잖아? 물론 이러한 지적도 소용은 없겠지만.'

사색으로 겨우 위안을 얻은 것 같았다. 물론 그 같은 일은 비밀인 것도 사실이었다. 그러나 일방적인 생각은 일만 더욱 복잡하게 만들 터였다. 다음 귀국을 한다면 일방의 주장은 버릴 것이고 사정을 용서할 일이었다. 물론 지금은 뱃일만이 우선이었다. 더군다나 아직은 수에즈운하도 멀었다. 봄베이를 떠난 배는 두바이를 거쳤을 뿐이었다. 짐의 하역과 선적을 마친 후 홍해로 접어든 바다는 순조로웠고 휴식도 취했다.

"표정이 나아진 걸?"

"해는 매일 뜨잖아."

"그래서 하는 말이지만. 사실을 이해한다면 매사 순항이 아니겠어? 그러나 걸림은 단순할 수 없는 까닭이고. 매이다보면 절망은 더하고 유혹의 실수를 저지르지. 물론 그른 길만 찾아다니는 게 인간이란 말은 사실이지만."

"그른 길이라니?"

"항상 일을 하면서 관찰도 많았거든. 그런데 아직도 이웃은 정을 나누자는 데 혼자만큼은 고집이 아니겠어. 물론 요가라도 하면 좋겠지만 혼잣소리만 외우지. 그것은 탈출까지 쉽지 않다는 게 사실이잖아?"

"요가 하는 망아지를 닮으라고?"

현문우답으로 시선을 떼밀며 홍해에 눈길이 간 건 사실이었다. 물론 아직 홍해에 접어든 것도 아니었다. 그러나 홍해를 바라보는 것만으로 심장은 벌렁거리었는데 예전의 귀동냥 때문이었다. 물론 아직은 건너지도 않았지만 기대는 사라지지 않았다. 그래서 그간 미처 풀지 못한 의혹을 꺼냈다. 그러자 그의 반가움이 다가온 것도 사실이었다. 그건 자신의 견해를 전한 사실이었다. 물론 그 시각과 일의 이해는 다르지만 이웃은 그렇지 않았다. 사내는 뜻을 알겠다는 듯 호주머니에서 열쇠도 꺼내보였다. 그러며 사실을 털었다.

"나도 준비했잖아."

"열쇠를?"

"이 열쇠는 돌문을 열거든."

"그게 무슨 말이지?"

조금도 물러서지 않은 시선에 그의 조롱은 사라지고 맴돌던 말도 뱉었다. 사실 그간 친근한 것도 사실이었다. 그런데 이젠 속내까지 가리지 않았다. 물론 그건 자신의 경험을 기대한 탓이었다.

"금고가 돌이란 말이지."

"아니."

확실한 대답일 수 없다는 듯 조리실을 둘렀다. 물론 구석에 자리한 작은 상자는 단단하게 만들어진 금고이었다. 물론 그곳은 돈이 아니라 귀중품이나 구급의 약이었다. 물론 선장의 명령으로 자리를 잡은 탓이었다. 그래서 외출을 할 적도 그곳에서 물건을 담았다. 물론 견물생심을 막으려 시근으로 잠간 건 당연이었다. 물론 그도 사실을 모르지 않았고 시근도 한동안 맡았었다. 그러난 이젠 더 이상 주인이 아니었다. 물론 선장, 조리장의 내락도 받지 않았다. 하지만 그는 한때 개인의 물품까지 넣은 적도 있었다. 그가 황망한 질문을 건넸다.

"저곳에 가방의 물건도 보관했지. 그러니 이젠 내게 시근을 맡기지 않잖아. 그러니 예전의 열쇠를 뺐기지 않을 수 없었고."

"물건이 다르잖아?"

"그럼 짝퉁."

사실을 지적하는 말은 폭소를 불렀다. 물론 그도 그럴 것이라 믿었지만 사실은 보물의 수집이 목적이었다. 그런데 그것은 개인의 사사이었다. 그건 신용의 상실이었고 자연 이단의 의심이었다. 그런데 사실 그는 조금도 의심할 수 없는 진심인 것 같았다. 물론 생각이 많단 사실의 내심은 거의 불혹이었다. 물론 그도 사정을 안 탓으로 티를 드러내지 않았다. 그런 사정에 금고의 짝퉁은 당연이었다. 그런 사실은 빛과 어둠이었다. 물론 그의 속삭임이 따랐고 힘도 실렸다.

"이 보물은 좋아?"

"칼이잖아?"

"진품은 아니지."

"아니, 그럼 가짜라고?"

"모습은 진품이지."

"그러면 짝퉁이잖아?"

"하긴. 짝퉁보다 나은 건 진품이지."

"진품은 없나?"

"빛이 나지 않아."

미몽의 대답이라고 하기엔 야릇하지 않을 수 없었다. 물론 그의 습성과 환경의 버릇인 게 맞지만 그런 말은 그림자일 수 없었다. 물론 그간 든 정도 많지만 박식은 기본이었다. 사실 변호사보다 죄수가 더 법에 밝은 것처럼 말이다. 그러나 그는 자랑하지 않았다. 그저 오늘과 내일은 어제와 같을 뿐이었다. 망각은 귀환을 부른 부모의 죽음을 이길 차례이었다. 하긴 나이도 적지 않았으니 그건 자연일 뿐이었다. 사망은 선상의 바람과 다르지 않았다. 그런데 바람을 타고 경고의 방송이 요란했다.

"모든 선원은 비상사태를 대비하라."

"무슨 까닭인지 모르겠지만 이런 상황이 너무 급작스럽지 않나? 더욱 망망한 바다 위인데 또 어떤 비상사태가 벌어졌단 말이지? 혹시 암초에 부딪혀 배가 침몰하는 사태라도 벌어졌단 말인가? 그런데 조그만 충격도 없었잖아?"

"정확한 사정은 알아봐야지. 그리고 방송한 대로 정한 장소로 달려가지 않을 수 없거든. 그리고 그간 경시했던 바다의 위험도 돌아보지 않을 수 없고. 사실 큰 걱정은 아닐 테지만."

"큰 걱정이라니?"

"해적들이 올랐다면 그렇지. 해적은 신출귀몰하는 자들로 아무리 불가한 곳이라도 거미처럼 오르고 일단 승선을 하면 강탈을 자랑으로 떠벌리지 않을 수 없는 짐승이잖아."

"해적이?"

인도인은 경험도 있었다는 듯 물대포가 자리한 곳을 가리켰다. 그간 무슨 일이 일었는지 까닭의 파악이 우선이지 않을 수 없었다. 하지만 물 대포가 있는 곳까지는 거리가 있었으니 입도 숨으로 벌어졌다. 사실 이런 건 일방의 침탈이었다. 더군다나 해적의 손은 총으로 무장했고 선원은 물대포로 대항한다는 것부터 불공평이었다. 더군다나 기관총보다 물대포가 사실 우월하지 않았다. 그러니 전쟁은 일방적일 수밖에 없었다. 그러나 이리라도 정당방위라며 방비하지 않을 수 없었고 결과는 패배이었다. 그러하니 순간 격분의 불만이 터졌다. 물론 인도인의 불만도 없지 않았다.

"아무리 사정이라도 해적이라면 이건 강도와의 싸움이

지 않겠어? 빼앗으려는 자는 선원을 개구리처럼 다스리는 데 적을 막겠단 자는 선지자란 말이야? 사실 이런 짓은 애당초 균형을 맞춰야했지 않겠어?"

"그래도 방법은 있지."

"대답치곤 한심하고 그런 말을 위안으로 삼는 저의가 의심스럽지 않겠어? 그리고 이제야 본심을 알겠고 해적을 상대로 맞선다는 게 부질없는 짓이란 걸 알겠다고. 그래서 말하건 데 이런 일은 과감하고 정의롭지 않을 수 없지. 그런 상황을 미처 대비하지 않았으니 방법도 없는 게지."

"그런다고 해적이 사정을 봐줄 것 같아?"

"그들도 귀중한 게 무엇인지 알잖아. 더군다나 신도 믿으니 죄악과 정의를 구별한단 말이지. 사실 나도 그렇기에 타협할 생각도 가지고."

"타협을?"

"너라면 칼이라도 바치겠지만. 하지만 난 가진 문건도 없고 또 돈도 없잖아?"

"해적이 어찌 칼을 좋아할 것이며 칼을 든다고 총을 어찌 이기겠어? 사실 그들은 항복이 목적이고 노예를 만들어 값을 받자는 게지."

"그럼 노예가 되겠다고?"

"아무려면 이름이 뭐가 중요하겠어. 중요한 건 생명을 지키려는 본능이지 않을 수 없고 결과는 대등할 수 없단 사실이지."

"구차한 처지이군."

"딱히 반가운 말은 아니지. 그러나 이런 일은 내가 처음으로 겪는 일도 아니고 네가 나타나 도움이길 바랐지만. 그렇지만 정의감으로는 살아남기도 힘들잖아."

"그럼?"

"사실 나도 드러내 말하지는 못하지만 들은 것도 있지 않겠어. 더군다나 해적을 맞을 땐 비책이라고 생각했지 않았겠느냐고."

"그럼 걱정이 없잖아?"

"대답이 먼저는 아니지. 사실 그것이 비책인 것은 맞고 거짓도 아니지만 행동을 통해서만이 생명을 구한다면 그것은 나의 책임이 아니지. 그런데 이젠 네가 가로채 비책은 물거품이 되었지 않겠느냐고."

"흐흐. 그래서 돌문을 닫았잖아?"

"이젠 소용이 없지."

"아직은."

언쟁을 더하는 순간에 배는 항해를 멈추었다. 주변을 둘러보니 파도는 높지 않았지만 바람은 약하지 않았다. 그러잖아도 파도에 멀미가 있었는데 바람은 도움이지 않았다. 더군다나 주변의 경광에 안위는 허망을 안겼다. 그때 투덜거리는 조리장의 음성도 들렸는데 인도인이 팔을 잡아당겼다.

"어디라고 나서려는 게지?"

"그건, 그렇지만. 그리고 지금은 비상사태인데 쥐처럼 몸만 숨긴다면 되겠어. 물론 저 곳은 노출의 장소이니 말이지."

"비굴한 건 아니었고?"

순간 대답대신 호주머니 속에 열쇠를 잡았다. 아마도 그가 잡은 열쇠의 느낌과 같았고 심정은 미제였다. 물론 맡은 책임을 휴지 버리듯 할 수도 없었다. 더군다나 그간의 통치약으로 위안도 한몫을 받았다. 사실 이런 저항은 누구라도 목숨까지 위태한 짓이었다. 더군다나 상대의 해적은 아랑곳하지 않는 적이었다. 하지만 인도인의 말은 핵심을 찔렀다.

"거짓말이 외심촌보다 낫다지?"

"무슨 의도인지 모르겠지만 지금은 그런 농담이 모독이군. 더군다나 위기의 사태도 아직 가시지 않았는데 그런 망발을 서슴없이 내뱉다니."

"그걸 몰라 묻는 거야?"

"뭐라고? 모르니까 묻는 말이잖아?"

"네 말이 한심하단 것이지. 이젠 거짓이 생명을 지키는 까닭일 테니."

"그런 까닭이었다면 나는 쌍수로 환영하지. 물론 나의 방책은 아니겠지만. 더군다나 노출은 몸을 기댈 곳도 없는 곳이지. 그런데 내가 머물 수밖에 없는 건, 책임이 아니라 열쇠란 놈이잖아? 그것이 구멍인지 아닌지는 나 보다는 네가 잘 알 테니까."

"열쇠? 선물을 넣은 곳의 키이지. 더군다나 해적이라면 그보다 나은 물건도 없잖아?"

그는 종이로 싼 물건을 품에서 꺼냈고 그것을 금고에 넣을 모양이었다. 물론 그것을 넣자면 조리실이나 사물함이 있는 곳으로 가야하지만 지금의 사정이 허락하지 않았다. 물론 그의 품이 아니라면 그런 보물은 숨기지 못했을 터였다. 동시에 인도인의 눈길도 주변을 살폈는데 그는 무표정으로 맞섰다. 그리고 잠시 후 조리실과 거리를 물었다. 물론 달려갈 생각도 없었고 걸음은 거북이였다. 그 곳이 물품의 보관은 맞지만 현실이 허락하지 않은 순간에 총의 굉음이 울렸다. 그래서인지 좌불안석의 인도인은 바닥에 엎드린 낙엽이었다.

"탕, 탕, 탕!"

“총소리 맞지?”

“그럼. 해적들은 신출귀몰한다더니 틀리지 않았어. 더군다나 이젠 물대포도 무용지물이 아닌가.”

“이를 어쩐다?”

“우선은 살아남아야지.”

구명은 쉽지 않았고 탈출엔 포복도 불가이었다. 예전에 배웠던 훈련도 소용없었다. 그런데 다행인 것은 금고가 멀단 사실이었다. 물론 비었으니 강탈은 수포일 터였다. 물론 아직 해적과 마주한 것도 아니었으니 고민도 털었다. 둘은 투박한 벽에 몸을 기대었다. 좌우를 살피는 해적의 눈길은 고양이처럼 빛났다.

“놈들이 어디로 숨었지?”

“선장을 잡으라고.”

“맞아.”

“도망쳤지만 독안의 쥐이지.”

총알을 날리는 사정의 곤혹에 육체는 조심도 도움이지 않다는 듯 고통도 따랐다. 이은 총성은 불길이 벽으로 튀고 총알은 허공을 갈랐다. 미리 예상한 비책도 무상이었고 머리카락은 솔잎을 닮았다. 다시 이어진 총소리가 들렸는데 결과는 굴종뿐이었다. 사실 이 싸움은 결코 이길 수 없는 시합이었다. 다만 잠시 동안의 만용이 무기일 뿐이었다. 생각 같아서는 대포가 좋았으나 현실은 물이었다. 그리고 해적은 목적이 목숨이 아니었다. 목숨보다 귀한 것이 있었으니 그것은 돈이었다. 그리고 뛰는 걸음마다 총성과 불꽃으로 강요를 이었다. 이젠 어디에 몸을 숨길 수도 없거니와 커다란 몸은 과녁이었다.

"시체 되기 싫다면 나와."

"죽이지 않고?"

"그렇지. 포로는 죽이지 않는다는 게 국제협약이지 않겠어. 그러니 우리도 무식을 드러낼 수 없지. 사실 우리는 거래를 하자는 게잖아."

"거래?"

"그렇지. 남의 땅을 지나가며 맨입으로 갈 순 없잖아? 비록 좁은 길에 짧은 거리의 세금도 적지 않던데 공이었잖아. 더군다나 우린 이웃으로 인색하지도 않으니 많이 요구하지도 않아. 그런데도 세금이 아깝다고 도망을 친다면 정의의 심판이 내려치지 않을 수 없고 다다를 곳은 무저갱이지 않겠어?"

뜻밖의 언동과 강도의 뜻밖의 회유이었다. 물론 공해에 세금이란 말은 억지였으니 그들의 땅에 가까운 것만은 틀리지 않았다. 더군다나 해협의 비용을 생각하면 턱없는 주장도 아니었으니 침묵은 당연이었고 살 길은 납세이었다.

"우린 선원이라고."

"노예는 되거든."

"실은 것은 돈도 아니고. 더군다나 노예는 바다에서 팔아넘길 수도 없고 매수인도 올 수 없잖아. 그러니 그보다는 세금을 걷는 일은 낮지 않을 수 없으며 사랑의 은총을 모르지 않겠지?"

"그 게 사실이면 우리도 말뚝이 아닌 건 맞지. 사실 신은 모두가 은총이잖아!"

그렇게 넉넉한 목소리로 대답도 건넸다. 물론 그들과 상면은 이루어지진 않았다. 물론 타협은 벽을 두고 건네는 설전이었지만 만남은 멀지 않았다. 그리고 그들이 아무리 해적이라도 신을 믿는 이상 무도할 턱도 없었다. 동시에 틈을 비집고 몸을 드러내자 인도인이 뒤를 따랐다. 그런데 믿지 못할 게 인간인 듯 그들은 포로를 잡자 다시 총알을 날리며 등까지 짓밟았다. 이젠 피할 도리도 없이 포로가 되자 인도인의 변명도 따랐다.

"말과 행동이 다른 걸?"

"너흰 일치했나?"

"무슨 말이지?"

"선장이란 자는 저 살자고 줄행랑이지. 비겁하게도 졸개

를 버리고 혼자만 도망쳤잖아. 더군다나 노예의 값도 천
한 데 무슨 거래를?"

해적은 포로에 발길질을 더하지 않을 수 없었다. 물론
강압은 저항도 무력화됐고 처분만 바랐다. 아마도 생명을
위협하지 않고는 거래도 없을 터였다. 그리고 해적은 총
구로 불꽃을 더하며 선장을 찾았다. 하지만 그것은 알지
도 못하거니와 말할 수도 없었다. 그런데 엎어진 인도인
의 호주머니가 열렸다. 이내 드러난 열쇠를 본 해적은 발
길과 협박을 가했다.

"금고 열쇠겠지?"

15

인도인을 짓밟은 해적은 키도 크거니와 수염도 입가를
둘렀으니 해적의 인상치곤 더럽기 짝이 없었다. 더군다나
얼굴을 두건으로 가렸으니 말이 거칠어도 당연하지 않을
수 없었다. 그는 구둣발로 어깨를 짓누르며 울분을 다시
토했다.

"살려는 놈은 살 것이고, 죽으려는 자는 죽음뿐이다."

"죽으려는 자는 살 것이요 살려는 놈은 죽을 것이라 들

었지 않았나?"

"지금 그런 농담이 나와?"

"난 농담이 아니지."

"누가 잡담을 하랬지. 목숨이 경각에 달렸는데 잡담을 할 배포는 가상하지만?"

"그런데 우리말을 어떻게?"

"알라의 은총이지. 요즘은 세계도 하나라 세금을 잘 내는 호구는 말도 익히거든. 그런데 네 놈이 열쇠를 지녔다는 건 보물 상자를 연단 말이잖아?"

"몰라."

"그럼 네 놈은 알아?"

추궁은 튀는 총알과 같았다. 대답의 진위에 생명이 오가는 건 당연이었다. 더더욱 침묵을 지키는 동료의 눈길에 총알도 튀었다.

"보물을 건네고 살 테냐 아니면 죽을 테야?"

"그런데 이렇게 아프게 짓누르는데 말이 나오겠어."

"그래?"

잠시 힘준 발길을 들지 않을 수 없었다. 물론 아직은 소득이 전무한 탓으로 해적은 멀리 보이는 갑판을 살피기에 바빴다. 아마도 해적은 곳곳을 뒤지려는 의도만 같았다. 물론 자신들의 목적은 돈이지만 보물도 좋을 터였다.

이내 해적은 다시 독촉을 뿌렸다.

"소문을 들었지. 약을 판단."

"약이라니?"

"내 코는 결코 속일 수 없어."

"이 배는 화물선이야."

"그럼 내기라도 할까?"

"내기는 사실 하기도 싫지만 목숨이 걸린 마당에 거짓말을 하겠어?"

"그렇다면 보물 상자가 어디에 있단 것만 말해. 고백해야 우리가 확인하지 않겠어. 듣기에 요즘 화물선은 무역이 전부 아니라던데 그것만 얻는다면 금상첨화이지. 그리고 그건 두목에게는 포상감이고. 사실을 알리고 건넨다면 너희도 목숨을 보전하며 우린 철수이지."

"무슨 말인지 모른다고."

"자백하지 않겠다고? 그럼 네가 지닌 열쇠는?"

해적은 순간 갑판의 곳곳을 주저 없이 달렸다. 하지만 굳은 철문이 닫힌 주방은 어김없이 **총구가 불을 뿜었다.** 시근을 깨어지며 문이 가볍게 열렸다. 그러자 해적은 조리실을 살피다가 금고를 찾았고 열쇠로 어렵지 않게 열었다. 그러나 안은 비었고 종이만 보였다. 그들이 기대한 약이 아닌 실망은 보복이었다. **총구의 불화살을 쏘았다.**

"물건을 빼돌렸잖아?"

"칼이 전부라고."

"칼? 하긴 녹슨 칼은 있던데 그걸로 우릴 속일 요량이었으면 그건 실수이지. 우린 칼을 좋아하지 않거든."

"무슨 말이지?"

"그럼 속이려는 짓이 아니었단 말이야? 그럼 녹슨 칼은 왜 넣었지? 보아하니 값도 나가지 않는 쓰레기를!"

"보물이니."

허탈은 잠시 시간을 끌었고 빈 상자는 해적의 발에 넘겨졌다. 물론 주변도 다른 해적이 닥쳐왔는데 위기는 순간이었다. 물론 선장을 놓친 화풀이가 겹쳤다. 더군다나 예정한 시간도 살처럼 달렸다.

"추적이 시작된 것 같아."

"이젠 우리가 도망치지 않을 수 없겠군. 도망친 선장을 찾을 시간도 없으니."

"처음부터 옴이 붙은 게야."

"옴? 하긴 무역선을 보호한다고 국경을 지키라는 군인들이 바다를 침탈하니 우리의 옴이란 말이겠지?"

"정의로운 알라는 뭘 하는지 몰라, 도적이 세상을 판치고 있는데도 말이지."

"해적은 진정 그들인데도."

이내 해적은 눈길이 두루 바다를 살폈고 난사는 곳곳에 분을 더할 뿐이었다. 그러니 몸을 피할 순간도 많지 않았다. 더군다나 날아오는 총알은 곳곳을 관통했다. 그리고 직접적인 타격을 맞지 않은 총알은 유성을 닮은 까닭이었다. 더군다나 피한다고 총일이 사정을 가릴 것도 아니었으니 운에만 기대지 않을 수 없었다. 거기에 재수가 없는 놈은 넘어져도 도랑이라고 몸을 피한 것도 튀긴 총알이 다리를 꿰뚫지 않을 수 없었다. 물론 타협은 거절한 결과이며 분노도 따랐다.

"이것은 선물이야."

"알라의 사랑이라고?"

"그래도 목숨을 앗진 않았잖아. 산다는 게 얼마나 어려운 일이며 감사한지 알게 총알이 말씀을 건넸잖아!"

"이런 잔인함을."

분기도 터질 겨를도 없이 고통은 심대하지 않을 수 없었다. 경각의 긴급은 유혈로 이어졌다. 총알이 관통은 피한 것이 그나마 다행으로 죽음까지 이어지진 않았다. 그러나 위기의 고통은 고래심줄이었다. 더군다나 타협은 추격으로 무산되었다. 물론 빈 상자는 바다의 차지이었다. 이젠 재빠른 간호가 살길이었다. 인도인이 지혈하지 않았으면 생명도 잃을 터였다. 물론 퇴각은 순간의 탈출이었고 그들의 배도 속력을 더했다. 그러나 상처의 수술은 생각할 수도 없었다. 그저 연속의 지압에 수건은 어느새 피로 단풍잎을 닮았다.

"불행이 겹친 앙화였어."

"그래도 목숨은 남았잖아."

그 말은 다시 증오를 불렀다. 물론 아무리 거머리처럼 달라붙은 해적이지만 정의에는 낙엽이었다. 그리고 그들은 퇴각으로 저 살기에 바빴다. 그런데 행운까지 더했다.

"작은 배라 속도가 곱이라지?"

"모터도 쌍이니."

"아직은 모르지. 장거리도 아니지만 추적의 시간도 많지 않겠어?"

"맞는 말이야. 그런데 이번은 이만한 손실로 귀결될 것 같아. 더군다나 상처의 중대는 알지만 찾을 병원은 인근이지 않으니 그것이 문제이지 않겠어."

"기항은 어렵겠지?"

상처의 고통은 위안으로 줄었고 배도 낙엽처럼 미끄러졌다. 하지만 선상에 화물은 거대의 모터도로 신음일 뿐이었으니 그것은 선장의 몫이었다.

"참을 수 있잖아?"

"말처럼 쉬운 줄 알아요."

"하는 수 없잖아?"

"생명이 촌각을 다투잖아요."

위급한 호흡은 미약했고 상처를 바라본 인도인도 표정을 살폈다. 물론 다리의 상처라 안위는 없지 않았지만 생명은 위급을 달렸다. 더군다나 고통의 숨결이 점점 가늘어진 사실은 촉급이었다. 더군다나 바다의 위치도 멀거니와 기항도 쉽지 않았다. 그저 정선한 배위의 처방만이 당분간의 전부일 뿐이었다. 더욱이 상흔을 당한 인내는 마지막으로 달렸다. 그런데 갑자기 주변이서 속삭이는 말이 들렸다.

"목숨이 이리 고래심줄인 줄 몰랐잖아?"

"그럼, 죽으란 말이야?"

"영생을 믿지 않나?"

"거기에다 수술할 칼도 있건만."

"칼만 있으면 가능하다고?"

"그렇지."

"불가하지도 않잖아?"

"입이 얼마나 기름지면 그런 농담이 나오지?"

처치는 생각처럼 따르지 않았고 오직 고통의 인내만이 수단이었다. 물론 그러나 사정은 외면이지 않았다. 약간의 치료에 필요한 약도 가했다. 더군다나 상처의 총알은 보이지 않았다. 물론 크지 않은 금속인지라 대수롭지 않단 생각에 어금니도 물었다. 더군다나 위기의 배려도 실핏줄이었다.

"그래도 살았다는 게 얼마나 다행인지 몰라. 사실 인간이란 대단한 존재이진 않잖아. 그저 초로나 먼지와 다르지 않은 데 그런데 총알이 걸렸잖아?"

"그걸 위로라고 하는 말이야?"

"나도 고통이 작지 않단 걸 잘 알지. 물론 내가 그렇게 당했다면 차라리 좋았단 생각이지만. 하지만 운은 불행하게도 그대의 몫으로 돌릴 수밖에 없거든. 그래도 고통을 참는다는 게 대단하잖아. 마치 영웅의 힘으로 버티는 모습이지 않겠냐고?"

"진작 영웅이었다면 이곳을 오지도 않았지. 그래도 지금은 그저 초로의 이슬이란 사실은 알았지."

상처를 쥔 손으로 인내를 씹었다. 물론 인도인의 위로도 소태처럼 쓴맛이었고 기대도 상실했다. 물론 머릿속은 회오로 가득했으나 차마 사정을 드러낼 수도 없었다. 물론 인도인의 정성에 감사할 마음도 늘었다. 그가 아니었으면 사망은 당연한지도 몰랐다.

"배탄 걸 원망하나?"

"왜?"

"도망도 칠 수 없었으니."

사정은 고개를 가로저었고 기대의 대답도 건네지 않았다. 물론 행운도 잊었을 터였다. 그러나 더욱 야릇한 것은 그의 선물이었다. 물론 선물은 분노까지 지울 수 없었다.

"빈손으로 돌아갈 수 없잖아. 더군다나 사랑하는 가족이 기다리는데 말이지. 그래서 이번의 일과 무관한 것이지만. 조그만 마음을 건네지 않을 수 없고."

"이렇게 부상을 당한 것도 서러운데 칼이잖아. 그런데 그것이 무슨 뜻인지 모르겠지만 모양만은 근사하군. 왕자의 칼도 같고."

뜻밖의 당돌한 말에 그는 당황한 얼굴이지 않을 수 없었다. 더군다나 빈 금고가 사라진 곳으로 눈길을 옮겼다. 그러더니 금고를 버렸다는 바다도 살폈다. 물론 그것이 사라진 것은 허탈이었다. 이젠 유혈도 차츰 멈춘 터라 다음을 서둘렀다. 물론 인근의 병원이라면 좋겠지만 운항은 화급이었다. 더군다나 인근의 병원도 없지만 수술도 쉽지 않았다. 물론 운항을 점검한 이후 결정을 내리지 않을 수 없는 건 선장의 몫이었다. 운항의 날짜의 도착과 인도의 거래는 휴식까지 삼켰다. 물론 항해는 이내 좁은 해협으로 접어들었다.

"이곳이 그곳인가?"

"무슨 생각을?"

"기적을 이룬 곳."

"홍해도 지났으니 기적은 이미 이루었잖아?"

"상처도 그럴까?"

"당연이 물음이겠지만 수술할 집도의 대답이 아닌 게 아쉽잖아."

"칼은 있지만 무용이고."

"칼도 다 같은 게 아니지. 수술에 쓰이는 칼과 수술로도 쓸 수 없는 고물인 걸?"

인도인의 표정은 무엇을 생각하는지 한동안 어안이 벙벙했다. 그러더니 이내 종이로 감싼 선물을 내밀었다. 물론 그가 건넨 건 고물의 칼이었다. 하지만 고물이란 다 그렇지 않았다. 비록 빛은 잃었지만 기품은 남았으니 눈이 커지지 않을 수 없었다. 더군다나 의혹의 설명은 길지 않았다.

"누구의 칼이었을까?"

"왕자."

"그렇다면 시장의 구석에 있었겠어. 그곳은 살기에 바쁜 사람들만이 모이는 곳이거든."

"그럼 이 칼로 수술을 하려했다고?"

"불가하진 않잖아."

"그걸 말이라고 하는 거야?"

"아직도 내 말을 알아듣지 못하잖아?"

사실 그의 말은 총알의 수술이 않았다. 물론 장비도 마땅하지 않은 장소에 수술을 하겠단 것은 그의 환롱이었다. 사실 수술은 인근의 의사이면 족했다. 하지만 의사의 소재나 병원은 보이지 않았다. 더군다나 운항의 집착이 화근의 단초였다. 더군다나 상처는 이제 유혈도 잊었다. 그 같은 사정은 총알과 동화를 의미했고 흉터만 남겼다. 다만 고통은 예전이지 않았다. 평생을 고통과 비분에 갇힐지도 모를 일이었다. 진정 고통의 제거는 메스뿐이었다.

"이제, 살게 되지 않겠어?"

"천한 목숨을."

황송한 대답에 사정을 훑기며 상흔을 누른 손길은 감사로 떨었다. 물론 병원에서 상처를 가르고 총알을 빼내는 수술은 어렵지 않단 말도 옳았다. 사실 식칼정도만 있으면 가능하단 말에 조소하지 않을 수 없었다. 그러나 그의 의도는 도착한 병원에서 말끔히 가셨다. 이내 서둘러 마취가 이뤄지고 수술도 어렵지 않았다. 더군다나 마취는 영원을 알리는 치료였다. 마취가 깨어나자 주변엔 아무도 없었다. 다만 쪽지가 보였는데 돌아가는 편에 오르란 글이었다.

'이젠 뱃일은 끝이야.'

"끝은 아니지. 총알은 뺐으니 당분간은 재활을 잘한다면 불구는 면하겠고 그 다음엔 할 수도 있잖아요."

간호사의 말은 다행이지 않을 수 없었다. 물론 상처는 남겼지만 그건 영광의 훈장이었다. 이런 위기를 이겨낸 인내의 결과이었다. 물론 이런 일은 처음이자 마지막이지 않을 수 없었다. 더는 목숨을 걸 용기도 사라졌다. 그리고 나은 곳의 귀국은 연명이었다. 선장의 미소가 뜻밖이었다.

"모든 게 잘 되었잖아?"

"다행이에요."

"그러니 이젠 일을 다시 해야지. 당분간은 보조로 도울 사람을 붙이겠으니 안정을 취하란 것이고."

"그간도 쉬었잖아요. 이젠 일도 반길 수 없고 구명한 은혜로 가슴이 터질 것 같거든요. 더군다나 그간 소홀한 곳도 살피지 않았으니."

그러나 귀국은 시간은 필요하지 않았다. 돌아오는 바다의 위에서 다른 소식을 갈매기가 물고 왔다.

"이런 불행을?"

"모친의 부고야."

"무슨 말로 위로해야 할지?"

"부친과 많이 다르군요. 더군다나 순종과 고통을 마다하지 않은 분이었고요. 수술하고 난 뒤도 걱정을 많이 했던 분이지 않겠어요."

"이해하지."

"흑흑. 돌아간다고 뭐가 달라지겠어요."

"침착해."

"모두 고맙지만 이젠 더 버틸 수 없군요."

"그게 무슨 말이지? 생사란 이미 정해진 일이고 누구나 피할 수도 없는 일이고보면 순응하는 게 도리이지 않겠어?"

"사망보단 부활을 알고 싶거든요."

"보고 겪었잖아?"

"그래요. 기어코 나도 닮겠어요."

"이것이야 말로 우릴 진정 경천동지하게 만드는 일이잖아?"

"하긴. 내력도 있었으니."

"내력이라고?"

"한국전쟁을 참전했다죠?"

"그건 내가 아니지."

"다를 것도 아니잖아요?"

제4책 용 담

바깥은 나 안 쪽은 너.

16

귀국을 결정하자 그간 갈팡질팡하던 마음도 정리가 되었다. 마치 배가 왔던 길을 돌아가는 것처럼 귀국도 다르지 않았다. 화물선의 뱃일이 사명이란 생각도 이젠 거품일 뿐이었다. 물론 화물선이었으니 많은 짐을 세계로 운반하는 게 책무로 지구 어느 곳이라도 간 것이 당연이었으니 곳곳의 풍광은 장사를 더한 덤이었다. 그리고 본 세계의 곳곳 모습은 경쟁과 치열한 삶이었다. 그건 같은 목적을 도달하는 경주와 같았다. 다만 그간 배에 구속당한 그간의 생활도 허허롭진 않았다. 그러나 과거를 지우겠단 마음엔 남지도 않았다. 그건 파도처럼 부서지는 나날의 물거품이었다. 더군다나 다시 돌아갈 귀국의 이후를 도외시할 수 없었다. 위험의 뱃길에서 살아남은 결과의 보전이 어떤 모습일지도 궁금했지만 희망은 아직 안개이었다. 나아지는 상처의 재활은 순응한 탓으로 그나마 다행이었다. 그런데 총알이 빠진 흉터를 보자 낙담을 더하지 않을 수 없었다. 작은 금속의 파편이 걷기를 일그러뜨린 사실은 거의 충격이었다. 젊은 탓으로 그간 몸을 경시한 나날이었지만 이젠 그럴 수 없었다.

'전화화복이잖아.'

'사실 다리라 그나마 다행이었지. 만일 심장이나 머리를 관통했다면 목숨도 끝장일 뿐만 아니라 시신으로 귀국하지 않았겠어. 그러니 더는 욕심을 부릴 까닭이 없지.'

"그런 모습을 하니 다시 심란해 지는 건 뭐지. 물론 그간의 생활이 순탄하다고 여겼었지. 물론 그래서 달란트를 벗어나는 희망도 있었거든. 그러나 이젠 그것이 물거품이지 않겠어?"

"왜?"

"티끌이란 생각인 게지."

"뭉치면 반대일 걸."

"물론. 그렇기에 생사를 겪으면서 버텨내지 않을 수 없었잖아? 사실 가난을 떨침으로 그 의도였지만 지금은 그게 먼 달이지 않겠냐고?"

"아니지."

"이제는 혼자이지."

인도인은 아쉬운 마음을 늘어뜨렸다. 물론 그 끝이 무엇일진 알 수 없었다. 하지만 삶이란 뱃길처럼 지난날보다는 내일의 파고가 문제였다. 어쩌면 매 순간 오늘을 이기면서 나은 순간의 도전이었다.

"오늘의 그 탈출에 동의하지 않을 수 없군. 이별이 슬플 까닭도 아니잖아?"

"그래서 생각하는 중인데 다시 만날 날을 기약할 수 없다는 게 더 슬프잖아. 물론 먼 사촌은 이웃보다도 못하니."

"사촌이란 말이 고마워. 그러나 그 말을 던진 게 다른 뜻이 없진 않겠지?"

"숙성된 술이면 더 좋겠지만. 사실 내가 처음 너를 좋아한 건 조상의 덕이었으니."

"나도 평생을 두고 외우지 않겠나? 하지만 가족을 그리는 마음이 우선하니 이탈은 당연하고 또 친구가 전한 말에 공감을 느끼었으니. 그러나 오늘의 이별은 아쉽지만 영원은 아니잖아. 그 곳은 아무리 멀어도 이웃이지 않겠어?"

"칼의 덕이지."

"그래, 미혹을 잘라야지."

사실 그의 얼굴은 차츰 편안해졌다. 그래도 위로라면 그 곳은 광야의 땅이었다. 물론 아직 이루지 못한 일은 사명이었다. 물론 그간의 일도 아직 미흡이라는 건 준비의 미흡이었다. 그래서인지 이별이 어렵지 않았고 기대는 거품으로 남았다. 물론 지난날의 오해는 전무일 터였다. 본시 인연은 처음이자 끝이며 정은 사슬이었다. 이유야 어디에 있던지 이별의 아쉬움은 자존을 안겼다. 그래선지 상흔의 증오도 소소일 뿐이었다. 그런데 예상하지 못한 소식이 안겼다. 인도를 돌자 설산은 멀어지고 이웃의 땅엔 벚꽃이 흩날리었다.

　'지나칠 일이 아니잖아?'

　'나완 수레바퀴이지.'

　'그럼 연분이라고?'

　'사실 지난 상흔을 지우기란 불가했잖아. 다시 만날 까닭도 없겠지만 독존은 더 어려운 일이지 않을 수 없었지. 그런데 지난 만남으로 당연히 자존도 회복하고 용서할 수밖에 없는 까닭까지 안겼단 말이지.'

　'그렇다면 어찌 그 사람을 잊겠어. 금수라면 모르겠지만.'

　'그녀의 얼굴의 표정이 궁금하군. 물론 뭐라 대답을 해야 할지도 모르겠고.'

　'하지만 이젠 너절하지도 않잖아. 허리에 보도를 찼으니.'

　'보도?'

　'현실이 생각처럼 되겠느냐 만은? 그러나 그간 독안의 사정을 벗어난 세월이었잖아? 그렇다면 어느 것을 자를

칼이겠느냐고.'

번민의 갈등은 길 수 없었다. 물론 예상하던 생각도 안 개일 뿐이었다. 그러나 그간의 변신은 짐작하기도 어려웠다. 기실 언약은 이미 잊었을지도 몰랐다. 그건 친구의 증언도 따랐다.

'화무십일홍이야.'

'그런 언약이란 같을 수 없잖아? 그건 신중한 일이었지만 환롱이란 지적이 그른 건 아니겠지만.'

'그러나 다르지. 그런 사내의 생각은 아직도 사사로움과 사명을 혼동한 까닭이니.'

'사실 인정에 매인 사실인지 모르겠지만. 그건 본질도 흐린 사안으로 사랑이지도 않으니 거절은 당연하고. 그리고 이 만남과 이별은 인간의 일상사이지 않았으니 망각일 까닭이 없잖아.'

'더군다나 사명이라면 피할 수 있는 일도 아니고 마지막까지 최선을 다하지 않을 수 없거든. 그건 비록 하류의 뱃놈이었지만 사내로서 할 일이지 않겠어?'

고민은 마음을 흔들어 파도로 만들었다. 물론 뜻밖의 고민에 단안은 길어졌고 조리장도 즐긴단 사실이었다. 사실 언약이 안개이었으면 만남은 불필인지 몰랐다.

'고마운 일이었지. 그리고 조상을 자랑으로 들먹이며 책

임을 느낀다는 말은 도전적이었지만.'

'사실 흘릴 말일 수 없는 건 또 인생의 빚이란 뜻이었지. 물론 지금은 바람에 흩어지는 꽃잎의 처지이나 잠시 바람이 지나면 드러나지. 그러니 그곳을 지나가면서 어찌 외면을 하겠냔 말이잖아?'

'더군다나 확인은 목적도 아니니.'

'더군다나 잠시의 시간도 있단 사실이지.'

'그걸 생각이라고 하는 게야?'

'비록 들꽃 같은 여자라 말하겠지만 그렇다고 그 언약은 시든 들꽃이 아니잖아. 사실 사내에게 의리를 빼고 나면 남은 것이 없거든.'

의리란 생각이 내심 불을 지르고 말았다. 사실 다가오는 동안 고민도 많았으니 망각은 애당초 글렀다. 물론 언약도 반석이었으니 대의는 가늘 수 없었고 외면은 사망이었다. 그렇기에 잠시 번민했지만 행동하지 않을 수 없었다. 물론 조리장의 동행은 당연이었다. 그건 사내의 공통으로 늑대의 본능이었다. 하긴 환영의 극락은 그 일뿐이었다. 아무리 사랑을 말한다는 것도 무상할 터였다. 그러나 늑대는 달랐다. 그러니 협력은 누구도 두 마음이지 않았다. 물론 자랑도 쌓을 터였다.

"잠시라면?"

"불가할 것도 없잖아. 다만 사정이 지난번과 많이 다르지 않겠어?"

"왜죠?"

"약을 팔지 않잖아?"

차라리 그런 사정이라면 배를 항구에 대는 일처럼 가벼울 터였다. 물론 항구에서는 하역의 시간이었다. 일에 매이지 않았으니 잠시의 시간은 해방이었다. 더군다나 거리의 화려도 요란했으니 쥐들은 날뛰었다. 연락이 간 얼마 후 안내된 자리에 그녀는 예전의 모습이 아니었다. 물론 지난 세월만큼 성숙했거니와 농염은 경탄의 대상이지 않을 수 없었다.

"이렇게 아름다울 수 있다니."

"많이 초라하다고요?"

"사실은 언약이 지대한 터이지."

"그 점은 나도 다르지 않아요. 다만 이렇게 만남을 예상하지 않았으니."

"아직도 일심이지요?"

"그게 온 까닭이 아닌가."

여자의 대답도 허망이지 않았다. 물론 지난일의 반복은 아니지만 만남은 지존이었다. 물론 그녀를 만난 것부터 언약의 실행이었다. 물론 그간 변화도 많았지만 마음은 다를 수 없었다. 긴 시간동안 함께하지 못한 아쉬움이 원수였다. 그런데 여인은 다시 충격을 안겼다.

"이런 말이 어떻게 들릴지 모르겠지만 사랑은 환영이지 않잖아요? 더군다나 이런 일을 하는 여자에게 준 사랑이란 낙엽일 터이고. 그런데 이렇게 다시 찾은 얼굴을 보니 덩달아 실망도 커지잖아요."

"그게 무슨 말인지."

"그 말이 무슨 뜻인지 설명도 필요하지 않겠지만 사실은 사랑은 떨어지는 꽃잎이지요. 그리고 난 오사카의 벚꽃이고요. 언젠가는 그곳으로 돌아가겠으니 그쪽 관 담 밖이란 말이지요."

"그럼 찾겠지요."

"변명을 대는군요. 물론 그쪽도 자존에 오만이 작지 않을 터이니 그렇게 말은 하겠지만. 물론 나도 이곳의 생활을 겪으면서 더욱 그 생각으로 굳었지 않겠어요."

"그럼 다른 타협은 없단 말이요."

"호호. 대답을 원하면 대가는 크지 않겠어요?"

"값에 꺾일 줄 알아요?"

"갈증이 심한 것 같으니 우선 물을 마시라고요. 그리고 마음이 진정이 되면 사정을 다시 돌아보자고요. 물론 그래도 일심이라면 가능할지는 모르겠지만요. 그러나 분명한 것은 한 인간의 헌신이 고귀한 것이라면 이제라도 절 잊어주세요."

"반가운 말이 아니군."

"결코 이루어질 수 없잖아요?"

여자는 다소곳하게 미약한 조소를 터트렸고 곁은 향기와 어울린 꽃바구니도 보였다. 물론 여유의 시간도 많지 않았다. 물론 약간의 술로 갈증을 풀 정도이었다. 그러나 여자의 마음은 독이었으니 취기는 오르지 않았다. 더더욱 갈증은 불길을 질렀고 사랑은 떨어지는 꽃잎이었다. 더군다나 그녀는 한가하지 않았다. 하긴 많은 사람이 기다리지 않을 수 없었다. 하지만 분명한 건 그녀의 생각은 거짓이지 않단 사실이었다. 예전 언약을 위안으로 삼았다. 그리고 지금은 사정이 같을 수 없는 건 다행이었다. 가까운 침대의 좌우에 인형이 침묵의 조롱을 즐겼다.

"잠시만 이별을 허용하자고요."

"어찌 거절할 수 있겠어요."

"이별은 허할 수 없어요. 다만 난 중요한 일이 우선이라서."

"그랬군요. 예전이나 지금이나 또 언제나 기회는 만들어지기 마련이고 이루어질지는 미지수이겠지만 그래도 운명이라면 가능하겠지요."

"운명?"

"그 말이 싫어요?"

질문의 침묵은 심기를 흔들지 않을 수 없었고 확실한 대답은 터트리지 않았다. 물론 예전의 기억도 아니지만 더는 시간이 허용하지 않았다. 더군다나 귀국 후의 사정도 알 수 없었다. 하지만 이런 이별은 제회의 불가이었다. 하지만 미소로 대하는 얼굴은 언제나 벚꽃이었다. 그런 마음에 특별한 사명을 안겼다.

"다음도 기다릴 것 같아요."

"좋아요."

그건 재회의 언약이었다. 헤어질 그녀의 얼굴도 이제는 벚꽃으로 날리지 않을 수 없었다. 아니 아쉬움은 가슴에 떨어진 꽃잎이지 않을 수 없었다.

"나도요."

"그 대답에 아쉬움을 덜었어요."

"네. 미처 오지 않으면 그곳을 갈지도 모르겠어요. 물론 지금은 따를 수 없으니 그러지는 않겠지만. 하지만 이곳을 아직 사랑하는 까닭도 많으니."

"홍콩을요."

"그렇다고 좋아하진 않아요. 이제는 어설픈 사랑에 미련을 가지지도 않고요. 세월은 소신도 성숙하게 만들지만 내겐 영원한 힘이 생겼거든요."

사실 속내는 어두웠지만 분명한 의기를 드러냈다. 물론 그녀가 보인 기대의 믿음은 동굴과 다르지 않았다. 하지만 그동안 맺었던 언약도 그렇고 또 다음도 기대이었다. 물론 이별은 선물처럼 안겼지만 더욱 질긴 건 미련이었다.

"뱃사람 운명이라 돌고 돌다 귀국의 마지막엔 부상병이 되었어요. 하지만 그래도 우물 속에서 겪은 기억을 용서했지 않겠어요. 그런데 미련은 아직도 작지 않아 그간의 만남과 씨름을 즐기었고요. 그것은 내일의 과제이겠지만."

포옹은 재회를 위한 나눔이었다. 더군다나 이젠 다음을 약정한 탓으로 귀국이 더는 무겁진 않았다. 더군다나 이 만남으로 예약할 수 있었고 뒷일은 시냇물일 터였다. 간단한 물건만 어깨에 맨 몸으로 배는 부산항에 멎었다.

'본시 공수래 공수 거랬잖아.'

'그동안 무엇을 버리고 얻었단 말인지. 그리고 내가 가진 것은 선물이 유일한데 아직도 모습은 천박하지. 사실 애당초 떠났던 그 모습이지 않겠어?'

"이게 얼마만이야?"

"어떻게 알았지?"

"너야 부처님의 손바닥 안이지."

대답을 건네며 항구를 찾은 동창은 만나자마자 기대를 내밀었다. 물론 몰골을 보고 전후의 사정도 짐작할 터였다. 더군다나 배를 탄 세월도 해를 여러 번 넘기었으니 사정을 토로하란 투이었다. 사실 고개는 수수처럼 숙이지 않을 수 없었다. 그렇다고 빈손을 알린다는 것부터 자존심이 허락하지 않았다. 그것은 실망의 시작이었고 기대의 파산이었다. 물론 드러난 사정에도 반색하지 않을 수 없었던 건 친구의 의리 때문이었다. 더욱이 술집의 자리는 어둠의 구석진 곳이었다. 그런 곳은 비밀을 털기에 나쁘지 않았다.

　"이제 무슨 일을 하려고?"

　"직장생활을 해보니 안정이 제일이지 않겠어?"

　"하긴 직장은 보기에 늘 푼수 같지만 포장된 길이지. 물론 상명하복의 감옥이지만."

　사실 종복이란 말에 저항은 없었다. 사는 길에 안정의 대가는 크지 않을 수 없었다. 더군다나 시내의 사정이 밝지 않단 까닭은 이전과 동일했다. 그런데 술에 저는 순간 그 자리에 뜻밖의 미인이 다가앉았다.

　"실례를 할까요."

　"혹시 자릴 잘못 찾지 않았어요?"

　"그럴 리가 있겠어요. 구인을 하는 중이라서."

"구인을 구한다고요. 무슨 일을 하는지 모르겠지만 난 일자리를 찾고 있는 중이니 반갑지 않을 수 없군요. 또 이런 사내가 할 일이 무엇인지 궁금하지 않을 수 없잖아요?"

궁금하단 말에 내심 여인은 눈동자를 보름달처럼 키웠고 토론도 싫지 않단 투였다. 물론 훤칠한 미모에 눈웃음과 친절한 태도가 호감이었기에 불안은 사라지고 곁에 자리한 사실만으로도 싫지 않았다. 술자리에 여인은 빈 잔에 술도 따랐다.

"건배를 하면 실례될까요?"

"허용해준다면."

"마술이 따로 없잖아?"

"무슨 말이지 모르겠지만. 사실 누구나 마술은 좋아하지 않을 수 없고 또 사실도 기적이지 않을 수 없잖아. 사실 어릴 적부터 즐겨 서커스를 찾았지만 지금은 사라지고 명맥도 실핏줄일 뿐이니. 우선 건배를 했으니 술에 이젠 취해보자고요. 그래야 구할 사람의 조건을 알지 않겠어요?"

"사실 이 분은 마술사야."

"그렇다면 금상첨화이군."

"사실 술에 안주는 맛만 더하는 게 아니지요. 그리고 난 마술하는 사람으로 조수가 필요한 터였어요. 물론 여자에게 남자가 짝이 맞지 않겠어요."

"그림도 환상적이야."

17

화답을 건네자 곁의 여인은 미소를 지었다. 그도 다르지
않아 반기었는데 동창과 여인은 초면이지 않았다. 동창의
사업이 천막이었고 그녀는 초청인이었다.

"물론 쉬운 일자리도 아니지만, 그래도 채용은 이뤄진
것 같으니 예전의 향수를 즐기는 것처럼 이 자리는 내가
책임을 지지. 사실 가게의 처지보단 빈약할지 모르나 월
급쟁이는 굶진 않거든."

"지구를 세 바퀴나 돌았다죠?"

"네. 하지만 그게 즐거운 유람이 아니었어요. 그리고 난
조리실에서 예전의 기술로 조력만 제공했을 뿐이니 비행
기를 탈 값도 건지지 못했지요. 하지만 채용된 이상 일을
하면 부족분은 채우지 않을 수 없으니 불만이지 않을 것
이고요. 더군다나 미인의 화려한 전력은 막사의 요란한
찬사이며 관심이지 않겠어요? 그러니 조그만 우려도 가질
수 없으니."

"우려요?"

"사실 너무 미인이라서."

"누군 태어날 적부터 추남이겠어요?"

동창은 두 사람의 줄다리기를 번갈아 즐겼다. 하긴 마술의 조력을 염려한 건 아니었다. 다만 둘의 시선이 불꽃처럼 튄 건 우려이었다. 하긴 미모의 얼굴에 나이도 젊었다. 그런 마술사에 비하면 그는 평범할 터였다. 하지만 이내 술잔이 돌자 다시 술을 더했고 취한 술은 경계도 허물었다. 더군다나 여자의 마술이 궁금하단 투이었다. 그러자 여인은 숨기지 않고 내막을 털었다. 이내 호주머니에서 동전 두개를 꺼냈다.

"이 동전 보았지요?"

"그건 사실이고."

"네. 지금은 손위의 동전이지만 한순간에 사라지지 않을 수 없거든요. 그것은 있는 것이 있다는 게 아니잖아요."

"그건 마술의 눈속임일 뿐이랑 게요."

"아뇨. 사실 자신의 눈을 잘 살피면서 속았다고 고백하지 않을 수 없겠지만. 그러나 이 동전은 마술로 나타났다 사라지는 게 아니거든요."

동창은 둘의 묘기에 신경질이 난다는 듯 화장실을 간다며 자리를 비웠고 여인은 손위의 동전에 다른 손으로 바람을 던졌다. 물론 그녀의 손끝을 살피는 눈은 불을 지폈다. 더군다나 천정의 전등도 밝거니와 주변의 사람도 시선을 던졌다. 물론 그녀의 손도 가만히 있을 수 없었고 동전은 분명히 손위에 있었다. 그런데 그녀의 기합이 들어가고 손을 덮고 돌리는 순간이었다.

"그럼 동전이 있는지?"

"덮은 손을 어서 펴보아요."

"네. 그렇고말고요. 자 두 눈으로 똑똑히 확인하지 않겠어요? 사실 이런 것은 고급의 마술도 아니지만 그래도 안주 맛은 되잖아요."

"안주 맛이라는 말이 좋군요. 분명 손안의 동전이 어디로 사라졌는지 모르겠지만 빈손을 보니 경악을 금치 못하겠어요. 물론 그러한 마술은 천막보다는 귀인들이 모이는 곳이라면 더 어울리겠단 게요."

"하지만 만인이 다 귀함인데. 사실 천막을 떠나지 않는 까닭이 아니겠어요?"

"그런데 어떻게 그런 기술이 가능한지?"

"그러한 말은 조금도 반갑지 않군요. 이런 일을 한낱 기술로 치부한다면 지금과 같은 처지를 벗어날 수도 없겠고요. 더군다나 조수의 일도 매양 같겠지요."

"그리 알아준다면 어찌 진력을 다하지 않을 수 있겠는

지.”

"대답이 정말로 시원하군요. 사실 만나고 함께한다는 생각을 하면 서로에게 도움이지 않겠어요. 그리고 마술은 이제 더는 여자에게도 한계이지 않지만 기술은 한계를 넘지 않는다면 도태되거나 제자를 기르지 않을 수 없거든요.”

여자의 말은 파고를 넘은 배의 요동과 다르지 않았고 기대하지 않은 멀미의 효과는 신심을 더했다. 물론 남녀의 일이란 운명적이었다. 그리고 천막의 생활로 나날이 이어졌다. 그런데 실망은 노인을 상대로 한 선물이 바가지와 비누, 세제와 집게였는데 노인들은 반기지 않았다. 물론 장막의 사정이라 그렇겠지만 마술은 기적을 불렀다. 더군다나 무대 위의 여인의 모습은 환영이지 않을 수 없었다. 물론 입은 옷과 몸매의 곡선은 극치의 야릇함으로 뭇사람들의 시선이 꽂혔는데 이어터지는 호평은 곤혹이었다.

"선녀와 나무꾼이라고.”

"그럴 리가? 여자가 구겨진 종이로 지폐를 만드는 것을 보노라면 사내는 재벌이 되겠지.”

"하긴 그렇다면 좋겠지만. 아쉽게도 마술이고 처지도 천막이니 그간 돈을 긁지 않았다면 그들도 가난은 벗지 못하겠지. 그것은 좁은 천막도 떠나지 못하는 그러한 사정을 허락하는 세상도 아니지. 그런데 내일은 상자에 든 사람을 칼로 찌른다며?"

"죽으면 어쩌려고?"

"죽진 않을 거야. 마술은 죽이지도 않거니와 마술사가 다시 살아나는 걸 보면 필시 부활을 이야기할 게야."

취기의 노인들은 마술에 관심을 지운 채 새로운 환영에 매였는데 그들은 마술사의 미모였지 않을 수 없었다. 하긴 그런 흥행이 역시 파도를 타는 배의 요동과 다르지 않았다. 주변은 번듯한 건물의 상가나 시장과 멀지 않았다. 더군다나 요즘의 노인들은 누구나 마술을 기적으로 인정하지도 않았다. 그리고 두 사람의 연기에 까탈도 적지 않았으니 성공은 가뭄이었다. 그런 나날의 얼마 후 여인과 함께한 자리에서 뜻밖의 곤혹을 안았다. 물론 공연을 끝낸 석식의 자리라 술도 더한 터였다. 그녀는 자신의 사정을 밝혔는데 혼자의 몸으로 아이가 딸렸단 말이었다. 더군다나 아이는 겨우 걸음을 배우는 중이었다.

"사정이 쉽지 않군요."

"혼자 질 짐이죠."

마술사의 눈길이 희망으로 치닫는데 아직도 취기의 시선이라 정렬되지 않았다. 물론 처지를 고백하는 것은 감연했지만 미래의 사정은 불안이었다.

"먼 길을 가자니 엎어지는 일도 있겠지만 그 상처를 서로 어루만질 수 있는 사람이라면 싫진 않겠지요?"

"돌아오지 않아요?"

긴장의 질문은 갈대처럼 잠시 흔들리지 않을 수 없었다. 물론 주변을 나간 동창은 더는 돌아오지 않았다. 그녀의 사정을 잘 아는 터라 자리를 비운 것 같았다. 하지만 사내의 시선은 그렇게 너그럽지 않았다. 더군다나 상호의 처지도 다를 수 없었다. 하지만 다른 것은 왼 손이 오른 손의 짝이란 사실이었다. 그런데 술에 취한 그의 태도는 갈지자를 거듭했다. 그러자 심중의 진정이 긴장을 더했다.

"그렇게 우유부단한 세월만 흘릴 수 없잖아요. 더군다나 그간의 생활도 고독의 투쟁이었고 이젠 서로의 화합이 필요하지 않을 수 없겠어요. 그리고 그간은 언제나 탐심만이 불꽃이었으니 마땅히 책임을 지지 않겠어요?"

"책임이라뇨?"

"훔친 것만이 아니라 살인이라잖아요."

잠시 침묵을 잇자 그녀는 다시 독촉에 매달리지 않을 수 없었다. 물론 그녀의 단죄는 일과 무관하였고 그건 원죄인 탓이었다. 물론 눈길은 마술의 지팡이에 두었고 비둘기가 나오는 모자도 건네었다. 물론 그녀가 비둘기를 날리도록 숨긴 소품이었다. 그런데 마술사의 몸이 모자의 뒤에 나타났으니 감상은 당연이지 않을 수 없었다. 물론 마술은 성공으로 끝났고 박수는 막사를 흔들었다. 그런데 그걸 문제 삼은 것이었다.

"무엇을 찾겠단 눈길이잖아요?"

"그것이 아니란 걸 잘 알면서요. 그리고 죄라면 너무도 아름다운 모습이기에 현혹된 것이니. 그러나 그 같은 시선은 사실 관중들도 같았지 않겠어요?"

"아직도 내심을 숨기는군요."

"무슨 말인지?"

긴장을 잇는 사이의 시선이 입구를 살폈다. 물론 그곳을 열어두었고 그곳을 여자애가 걸어왔다. 겨우 걸음을 건네는 모습에 분노는 사라지고 안아주지 않을 수 없었다. 그러자 아이의 손길이 누에처럼 다가왔다. 물론 그간 부족한 애정이 아이의 등에 말을 덮었다.

"사실 한동안은 기다림에 고민이 많았지 않겠어요. 하지만 사랑은 마술과 달랐고 자식도 버린 아빠잖아요? 물론 헤어졌으니 사랑은 파산이고 그러니 회군은 불가이고 빈자리는 공이란 사실이지요. 그런데 당신이 찾아들었으니 이러지 않겠어요."

"좋은 말이지만 그리 될 것이라 믿어요?"

대답을 돌리는 사이 아이의 불안도 한동안 공간을 맴돌지 않을 수 없었다. 물론 그녀도 그 같은 말을 전하고 대답을 얻는다면 다행이겠지만 사정은 그럴 수 없단 사실이었다. 물론 대답은 정리되지 않은 질문이었다.

　"돌아올 수도 있잖아요?"

　"그럴 수 있다 믿어요?"

　실망에 머물던 마술사의 얼굴은 비분이 내내 사라지지 않았다. 더군다나 처지는 막사의 사정처럼 여유롭지도 않았고 탈출구도 나타나지 않았다. 그러니 아이의 짐은 그녀만의 몫이었다. 그런 사태에 구애는 당연이지 않을 수 없었지만 사랑과는 거리도 있었다. 더군다나 그런 일은 마술도 아니었으니 그의 무관심은 재차 곤혹을 건넸다.

　"간혹 돌아오잖아요."

　"마술로도 그건 불가능하죠."

　"연어를 모르나요?"

　"그럼, 기적을 바라나요?"

　그러나 매번 같은 대답을 반복할 수 없었다. 하지만 그건 기대만이 아니었고 자신의 사랑은 기적도 아니란 것이었다. 하지만 회귀는 당연이었고 그 떠난 뒤에 남는 건 후회뿐이었다.

　"이웃에게 실망이었어요."

"하지만 그쪽도 다르지 않을 것 같은데?"

"세상이란 그저 그렇고 사는 모습도 다를 수 없겠지요. 하지만 마술이지도 않은 법이지만 때론 기적을 만들거든요. 더군다나 기술이 없으면 자신의 일탈을 후회하지 않을 수 없지만 사정은 다르거든요. 더군다나 지금은 그런 마술을 환영하잖아요?"

"그런 말이 치졸하지 않을 수 없군요. 사실 난 지금의 사정은 지존도 아니지만 사정도 다르지 않지요. 그러니 이보다 나은 곳도 찾지 않았고요."

"그럼 이곳을 지키겠다고요?"

그의 질문에 대답하지 않았다. 물론 공연은 현상을 유지했고 그나마 막사의 인기도 있었으니 노인들의 참석에 선물을 더했다. 하지만 선물론 부족함을 채우긴 일렀다.

"선물이라 준 빈 바가지의 안까지 채워준다면 얼마나 좋을 런지?"

"정녕 그걸 바란다면 물이라도 마시라고. 물론 갈증도 풀어주겠지만 물은 생명수이잖아."

투박한 대답에 관중의 얼굴은 일그러졌고 마술은 끝을 향하지 않을 수 없었다. 물론 서로의 사정을 자세히 드러내진 않았다. 그러나 드러난 사실에도 아쉬움은 따랐다. 더군다나 다음의 사정까지 대비하지 않을 수 없었다. 물론 그녀의 이탈이 우려였다.

'구애를 외면할 수 없잖아?'

'그러나 그건 아니지.'

'더군다나 사정도 다르고 그녀의 능력에 미치지도 못하잖아. 그건 마치 행운을 바랄 뿐이고.'

'그래서 고민이지만 사람을 잡자면 사랑하는 체라도 해야 하는 것이 옳은 게 아닌가?'

'그리 생각하고 처신한다면 속내의 용서할 마음은 안개였지 않겠어?'

곤혹은 미련에 매이지 않을 수 없었다. 물론 잃은 물건이 크게 보이는 건 사실이었지만 자신의 아량도 당연이었다. 그건 진정 사랑을 이룬 아량이지 않을 수 없었다. 물론 그날 딸의 모습도 눈앞에 아롱거렸다. 물론 아이의 춤은 풍선의 놀이였다. 눈앞의 풍선은 환영일 터였다. 물론 현실은 마술이 아니었다. 벚꽃의 그녀가 조용히 미소 짓는 것 같았다.

'사랑은 하나였지 않아요?'

'그게 무슨 말인지.'

'억지를 부리지 말아요.'

'억지는 그대가 아닌지?'

번민에 싸인 얼굴은 불만으로 이어졌고 이어진 귀결은

갈대였다. 물론 마술사의 관심도 다르지 않았다. 실망과 관용이 변탈을 알렸다. 물론 기다림은 끝이 아니었다.

'나도 모자라 아이까지 버렸지요.'

'사연은?'

"그도 한 때는 날 사랑한단 말을 되뇌지 않을 수 없었지만 눈길의 유혹을 이기지 못했거든요."

'사랑은 하나가 아니었나요?'

반문에 침묵은 시간이 길었다. 그러나 그건 허공에 물대포를 쏘는 짓이었다. 물론 사랑은 짝을 찾는 일이었다. 그런데 만난 짝은 같지 않았다. 물론 이탈도 당연할 상흔을 더했을 터였다. 그가 떠난 사랑도 도장 같았다.

'사실 언약을 맺으면 싫어도 참아야하지만 나에게는 그렇지 않더라고요. 그쪽 여자도 다를 사정도 아니고 모양도 도토리 키 재기인데 그렇게 유혹을 남발했으니 단죄는 강도란 말이지 않겠어요?'

실망한 결의를 드러내는 순간 기대도 지웠다. 물론 그간의 고민도 많았단 사실이었다. 물론 그녀의 기대는 마술만이지 않았다. 하지만 결과는 마술이었다.

'그래요. 사실 난 대단한 사람도 아니지만 또 그런 사랑을 감당할 수 없더라고요. 그저 하늘에서 날리는 눈송이와 같은 인연일 진 데 무엇이 더 잘나고 다르겠어요.'

'그런데 왜 그리 집착하는지?'

'가는 눈길에 닿은 모습은 환영이었으니. 그리고 사실은 그 사랑이 곤혹이지만 하나같은 기다림으로 이룰 마술이 란 생각이었지 않겠어요.'

'그렇다면 너무나 무책임하군요. 서로 줄다리기를 하더 라도 곁을 지키며 인고하는 세월이라면 기다림도 싫지 않 아요. 그러나 떠난 그 기다림이 가당할까요?'

그녀는 진심을 드러냈다. 아니 술로 밤을 새어도 줄다리 기는 끝날 것이지 않았다. 더욱이 그녀의 사정도 여유로 울 수 없었다. 더군다나 아이의 자람은 기쁨도 아니었다. 그런데 뜻밖의 대답을 들었다.

"곁을 비우지요."

"갈 곳은?"

"아직은 계약되지 않았지만 더는 풍찬노숙이 좋지 않거 든요. 사실 이렇게 참은 것도 사실 사랑의 힘이었어요."

"사랑이요?"

"안개였지만."

"더 나은 곳에 좋은 사람을 만나길 바랄 게요."

마술사는 더 시간을 끌지 않았다. 물론 그의 관심도 소 용이지 않았다. 하긴 그간의 일이 관심이란 생각을 했을 터이고 상흔을 지우지 않았다. 물론 상흔의 번민은 고통일 터였다. 더군다나 기대는 이젠 실망이란 사실이었다. 그리고 그녀는 일어섰다. 물론 막사의 짐은 옮기지 않았다. 공연할 장소도 알렸다.

"그 호텔은 남녀노소는 물론이고 상시로 찾을 곳이고 잠자리도 좋잖아요."

"호텔?"

"몰랐어요? 그곳은 누구나 모르는 곳도 아니지만 그래도 알리는 건 예전의 고난을 지우려는 뜻이지요. 이렇게 만난 것이 인연이지 않을 수 없었으니 사실은 이별이 오히려 가볍지 않겠어요?"

"그래요. 신천지이니."

"이름을 어떻게 알았어요?"

그렇게 며칠을 지난 얼마 후 돌아온 건 초대장이었다. 물론 떠난 마술사의 초대장이었고 반갑지 않을 수 없었다.

'호텔 신천지, 그리고 공연 중에 막간마다 선보일 마술.'

'여간 반가운 소식이지 않을 수 없지. 물론 참석은 당연하고.'

'새 술은 새 부대라 했잖아.'

'그럼 난?'

18

호텔 신천지는 규모가 천막과 비교이지 않았다. 드나드는 사람도 신사들이 대부분이었다. 그들은 검은 세단에서 주로 내렸고 대동한 사람들은 부유한 차림의 모습으로 실크처럼 빛났다. 물론 단장하고 이들을 맞는 직원들의 친절도 옷차림처럼 빛났으니 정문을 찾는 것도 눈치가 따랐다. 하지만 당당한 초대장이 그나마 위안이었으니 연회장의 어두운 구석은 설 자리였다. 화려한 쇼는 무대에서 이어지곤 했는데 많은 사람이 환호하며 즐기는 모습은 천국이 따로 없었다. 아니 사람들을 블랙홀처럼 빨아들이는 힘은 탈출을 허용하지도 않았다. 물론 무대는 유명세를 떨친 사회자와 가수가 흥행을 주도했고 휴식의 막간은 마술의 차례이었는데 화려한 복장은 예전의 그녀도 아니었다. 역시 꽃과 여자는 놓이는 자리에 따라 가치가 다른 법이었고 아래의 사내는 낙엽이지 않을 수 없었다. 사회자의 유창한 소개가 진가를 더했다.

"사실 이번에 초대한 마술사는 흙에 묻혀있던 진주가 아니겠어요? 진주란 보석이 이제 때를 만나게 된 것은 여

러분의 행운이지 않을 수 없고요. 물론 이 분은 국내에서
그간 머물렀지만 이후는 외국까지 초청받을 기적의 마술
까지 구사하니 이 자리에 모이신 여러분의 냉철한 평가를
기대하겠어요. 그리고 오늘의 공연을 기화로 나날이 빛나
는 마술로 여러분의 회포를 푸는 순간이 되길 바라며 그
것이 이리로 모신 까닭이 아니겠어요. 그리고 아직도 마
술이라면 사향의 미끄럼틀이라 생각할지 모르지만 죽음의
탈출은 부활과 다를 수 없지요. 물론 빈손에서 비둘기가
나오는 것은 물론이고 오늘은 특별한 공연이 짧은 순간이
란 게 아쉽지만 다음의 기회도 기다리지 않겠어요."

"사설이 너무 길잖아."

"잠깐만. 아무리 바빠도 바늘의 허리에 실을 맬 수 없는
것처럼 소개는 인사였어요. 사실 이제부터 마술사의 연출
을 보게 되는 데 한눈을 팔지 말고 보는 순간마다 손뼉을
더한다면 이 마술사에게는 힘이 되겠고요. 그리고 이곳은
여흥만이 아니며 문화의 전통까지 이어가는 영원한 안락
의 장소이잖아요. 그러니 더는 설명에 시간을 낭비하지
않고 즉시 공연으로 보답하겠어요."

"장황한 연설을 하는 폼이 국회라도 가고 싶은 모양이
로군. 사실 예전은 약장수가 저렇게 떠들어댔지만 요즘은
나라님이 그렇게 되지도 않는 소리로 목청을 돋우거든.

그러다가 스스로 화병을 얻지. 하라는 일은 않고 전사처럼 입씨름을 제일로 여기다가 덤으로 얻잖아."

군중은 불만을 터트렸고 무대 위로 마술사가 나타나면서 진정되었다. 물론 마술사의 모습은 예전과 비교할 수 없었다. 날개옷을 걸친 가슴은 곡선에 요부는 가린 것만으로도 불꽃이 튀었다. 더군다나 자리는 술에 취한 상태였고 요염은 마술사의 현란이었다. 그녀는 준비한 잔에 물을 붓더니 접은 신문지 안에 따랐고 동시에 젖은 신문지를 보란 듯 흔들었다. 그러자 젖은 신문지가 펴지고 안에 물은 돈으로 변했다. 그러자 여기저기서 박수가 터지고 탄성이 허공을 갈랐다.

"돈 벌겠다고 힘들일 까닭도 없잖아?"

"마술이야."

설전은 이내 주변의 진정으로 이어졌다. 물론 호응의 박수가 다시 요란하게 터졌다. 그러자 무대의 마술사는 정중한 인사와 함께 손을 흔들었다. 물론 뒤의 조수는 미처 치우지 못한 소품을 치웠다. 그리고 다음의 마술을 위한 상자를 무대의 중앙으로 밀고 나타났다. 다시 사회자의 설명이 따랐다.

"자 이젠 탈출을 보일 테니 이젠 눈을 감아선 안 된다고요."

"상자에 들어갈 테지?"

　미지의 사내는 술에 절어 있었다. 보아하니 나이는 삼십의 후반으로 보이는데 구석 탁자를 독차지 하고 있었다. 물론 그도 구석을 찾은 탓으로 이웃했다. 하지만 사정은 달랐다. 서둘러 마술사는 상자에 휘장을 등장시켰다. 물론 가리키는 손끝은 네모진 상자였다. 아마도 빈 상자란 뜻이었다. 이내 그녀는 예상처럼 빈 상자를 열어보였고 안은 넓지 않았으나 한 사람이 들기엔 가능했다. 그러자 조수는 아무런 두려움도 없이 그 상자의 안으로 들어갔다. 그러자 마술사는 상자를 사방으로 돌려 안에 사람이 빠져나가지 않은 것을 확인시켰다. 홀 안의 사람들은 숨을 죽이며 마술사의 행동을 살폈다. 그러자 마술사는 이번에는 긴 칼을 들고 나왔다. 군중의 눈길은 놀랐고 기대가 클수록 숨소리는 극한으로 치달았다. 물론 마술사는 칼로 상자를 노려보았다.

"정말 찌를 셈인가?"

"물론이지."

"그럼 조수가 죽잖아."

"아니."

"칼에 찔려도 죽지 않는단 말이야?"

　불안한 질문에 사내는 대답하지 않았다. 물론 실망의 눈길도 가시지 않았다. 사실 술에 취하지 않았다면 혼란하지 않을 터였다. 이내 장막이 가려지고 상자의 안으로 칼을 찔렀다. 물론 보는 사람도 놀랐고 경악한 사람도 많았다. 이내 장막이 내리고 잔인한 칼이 박힌 상자가 나타났다.

"이제 감옥이 갈 곳이겠군."

"아니지. 그렇다면 마술이 아니잖아? 만일 시신이 나온다면 마술도 오늘이 끝장나지 않을 수 없지만. 하지만 아직은 확인하지 않았잖아."

"아냐. 조수는 부활해야 당연하다고."

"조용하라고."

"마술사의 손길이 장막을 치우잖아?"

사실 마술이 최고인 것을 모르지는 않았다. 그러나 보물도 놓이는 장소에 따라 가치가 다른 것은 틀리지 않았다. 이내 열린 상자의 안은 칼날이 상자를 관통한 것까지 보였지만 조수는 있지 않았다. 비록 부활은 아닐지라도 시신이나 부상은 피했을 터였다. 그렇게 연기처럼 사라진 조수는 무대의 뒤에서 조용히 미소를 지으며 나타났다.

동시에 환호는 공간을 흔들었다. 물론 변하지 않은 것은 마술의 경이이었지만 태도는 지존이었다. 아무리 마술이라 해도 그것은 위험한 일이었다. 그래서 관심도 많았거니와 군중이 기대를 키웠다. 사실 이런 무대의 마술은 성공을 보장했다. 물론 과거의 가난도 사라지지 않을 수 없지만 영화는 당상이었다. 더군다나 곳곳의 팬들도 많아질 터였다. 그녀의 미모는 순간이 변할 때마다 환영을 더했다. 잠시 후 마술사가 조용히 다가왔다.

"이렇게 초대에 응해줘 고마워요. 사실 이곳으로 옮길 땐 서운함도 있었지만 공연으로 모두 살랐으니 다시 옛정을 이어 볼까요. 그러나 시간의 할애는 넉넉하지 않으니."

"오늘의 공연은 최고였어요. 호응도 좋았고요."

"그래요. 이제는 고생도 면하겠지만 그래도 사정은 아직은 변하지 않은 것 같잖아요.'

"이내 변할 거예요."

"확인할 겨를도 없이 그런 말이 나와요?"

"한 마음이거든요."

이내 자리엔 술병도 나왔지만 그녀는 마시지 않았다 다음의 공연을 준비한다며 손사래를 쳤다. 물론 혼자 마시는 술이라 재미는 없었다. 하지만 찾아온 심정이 흔들리며 술이 위안인 것이었다. 가까운 자리를 차지한 사내도 곁눈으로 마술사를 살피기 시작했다. 물론 누굴 기다리는지 다가오진 않았다. 그래서 곁을 지키는 그도 거리를 지켰다. 물론 마술사는 대수롭게 여기지 않았다. 다시 이번

에도 진심을 나누겠단 투였다. 하지만 속내를 드러내기에
는 민망했다. 그래서 잠시 뜸을 들이는데 이웃한 곳에 야
릇한 여자가 나타났다. 그는 자신도 모르게 눈을 키우지
않을 수 없었다.

"오래 기다렸어요?"

"아니."

"호호. 내가 뭐랬어요. 마술로는 따분함을 지울 수 없는
사람이라니까."

"그래도 마술은 최고였지."

"뭘 보고 그러는지는 모르지만 마술의 사정을 제대로
알고나 하는 말이에요."

그녀는 참을 수 없다는 듯 냉정한 눈길이었다. 물론 멀
지 않은 사내도 기대한 모습이지 않다는 듯 잠시 눈길을
돌렸는데 옆자리에 마술사가 웃었다. 물론 이런 장소에서
눈싸움을 즐긴다는 게 신사이지 않단 투였는데 모자를 만
지는 손도 부자연스러웠다. 물론 마술사는 시선을 무대만
살피고 있었다. 다음의 공연을 생각하는 듯 관심도 멈춘
순간은 순종의 미덕이었다. 물론 곁의 사내는 언성을 높
이지 않은 게 그나마 다행이었다. 물론 홀 안의 소음이
작지 않았고 음악도 이어지니 소란을 가리었다. 그러한
사정은 아는 대화는 자연 톤을 키우지 않을 수 없었다.

물론 그러한 소란이 결코 싫지 않았고 즐긴다는 기분 같았다. 다시 사내의 음성이 귓전을 맴돌았다.

"아직도 내 말을 믿지 못하는 게야?"

"그런 건 아니잖아요. 그리고 믿음이 없다면 이곳에까지 왔겠어요."

"그리 마음이 정했으면 이젠 경계심을 버려야지. 아직도 이웃의 사람처럼 단속만 하니 오늘은 기어코 결정을 보고야 말겠어."

"아직도 내 마음을 몰라요?"

여자는 손으로 얼굴을 가렸고 실내는 요란한 노래가 사이에 끼어들었다. 물론 사내의 눈초리가 본능적으로 향하는 건 치졸이 아니었다. 조금만 더 보았으면 모습을 모르지 않았겠지만 손이 사정을 불허했다. 그리고 그런 모습은 환영을 불렀는데 마술사는 외면했다. 물론 사내의 본능은 순리적이지 않은 터라 관용을 요했다. 더군다나 옹색함이 마술사의 관심을 가져왔다. 사내의 변신은 옹색함의 파산이란 것이었다. 이웃도 사정은 다르지 않아 불꽃이 타올랐다. 더군다나 구석진 어둠이 다행이었다. 사실 은밀함은 분위기를 띄우자 사내는 긴급을 불렀다. 물론 여자의 냉정이라면 전변은 쉽지 않을 터였다. 물론 잠시 인내를 맛보던 여인은 반격을 가했다.

"아무래도 오늘은?"

"무슨 사연인지 모르겠지만 사실 나의 처지도 언제까지 기다릴 수만도 없지 않겠어."

"그게 무슨 말이죠?"

"일이 아니라 등을 떼미는 까닭이지."

분명한 사내의 언질에 여인은 잠시 생각을 이었고 시선은 주변을 살폈다. 물론 그가 시선을 돌리지 않았으면 마주쳤을 지도 몰랐다. 이내 그녀도 닮지 않을 수 없었으니 관심을 더했다. 그러자 사내는 힘 실린 말을 이었다.

"사실 이곳으로 부른 건 그 의미였지 않을까. 그리고 내가 이러한 것도 오늘만이지 않겠어? 작심만 한다면 양탄자가 하늘을 나는데 이런 궁상이 웬 말이겠냐고."

"조심이 어째서요."

"누가 모를까봐."

"그게 무슨 말인지 모르겠지만. 그런 말을 공공연하게 하는 의도가 여간 불안하지 않을 수 없거든요."

여자는 불쾌하다는 듯 몸을 뒤로 물렸다. 그러자 사내는 몸이 앞으로 당긴 탓으로 거리는 다르지 않았는데 화해는 쉽지 않았다. 물론 사내도 경솔함을 사과했다.

"사실 이런 줄다리기를 즐기자는 건 아니잖아? 그리고 이건 누구라도 인정하지 않을 수 없는 현실이란 걸 인정하는데 그 오만 때문에 늘 어그러지기만 한다는 게지."

"일대사의 결정이 여반장일 수 없잖아요?"

"그러다가 쭉정이를 만나면 어쩌려고?"

"사실 지금의 생각 같아서는 선택이 꽃길일 수도 있겠지만 그러나 아직은 마음이 그리 되지 않잖아요."

"양탄자를 잃으면 무엇이 남겠다고?"

주변의 사정을 무시하며 사내의 음성은 항의도 실었다. 하지만 여자의 생각은 조롱의 미소를 즐기었다. 그건 마치 월척을 매단 강태공의 여유란 듯 고개까지 끄덕이며 시간도 끌겠단 투이었다. 그러자 사내는 분통을 참을 수 없다는 듯 곁눈을 입구로 돌렸다. 물론 입구는 많은 사람들이 드나들었고 연예인처럼 예쁜 미인도 많았다. 그러나 마주한 여인은 아무리 살펴도 들꽃에 지나지 않았다.

"이리 빼다가는 실수를 저지르지. 사실 난 단순한 사람이지 않잖아? 그래서 힘든 성공도 이뤘고 건물처럼 진가도 높였단 사실이지. 물론 그것을 자랑하자고 이러는 것이지 않지만. 그러나 이리 빼는 건 고귀한 사랑을 잃을 수 있단 말이지 않겠어?"

"고귀하니 이러는 게지요."

"깨진 유리잔인데?"

곁에서 사정을 훔친다는 건 인격을 모독한 짓이었다. 물론 외면이 당연이지 않을 수 없었지만 여자가 수상하니 관심의 투자는 본능이었다. 더군다나 어둠에 흔들리는 여자의 환영은 이상하지도 않았다. 그러니 상대의 분노를 피하는 관찰은 자연이었다. 물론 무대에는 공연에 열중인 중이라 이웃은 관심도 없었다. 이내 사내의 분노는 터졌고 위기는 파산으로 치달았다. 그리고 서로의 자존이 이어지자 사내가 먼저 판단을 던졌다.

"옛사랑을 못 잊겠단 것이지?"

"아니라고요."

물론 여자의 항변이 따랐고 물러설 수 없는 건 오욕이 싫단 투였다. 물론 여자도 한때 혼란을 겪은 것 같았다. 물론 마술이라면 경우는 같을 수 없었다. 하지만 현실은 사정이 얽히었고 기대가 사태를 불렀다. 그러자 사내가 자리를 박찼다.

"더는 기다릴 수 없겠군."

"그렇다면 끝인가요?"

"난 끝이란 말을 좋아하지 않지. 하지만 삶은 시작이 있으면 끝은 당연하고 행동이 아니고는 결과도 드러나지 않잖아?"

"그럼요, 그러니 이러지 않을 수 없다니까요."

"아직도 자신을 모르는 건 아니고?"

"그게 쉬운 일인가요?"

"사실 사랑도 고귀하겠지만 그것은 영원하지도 않지. 그러니 옛것은 파괴하지 않을 수 없는 일이잖아."

"무슨 말인지는 모르진 않지만 아직도 그런 마음이 들지 않거든요. 만일 쉽게 그렇게 결정했다면 불을 보듯 다음은 더욱 사지일 것 같지 않겠어요?"

"사지? 그럼 내가 죽이러 온 사자라는 게야?"

"그렇진 않지만."

"실수는 누구나 쉬 범하는 짓이지. 그러면 서로 용서하고 사랑하는 마음으로 기적을 만드는 것이잖아. 나도 이리 참는 건 기적이고 그쪽도 한 사람의 미련을 자르는 게 그렇지 않겠느냐고."

"그렇다면 얼마나 좋겠어요. 마치 깨진 잔에 물을 담을 수 없는 것처럼 예전으로 돌아갈 수도 없으니. 그래서 이곳으로 왔고 작정을 했지만 나약한 마음은 미련에 아직도 부자유스러우니. 그러니 조금만 더 시간을 달라고요."

"흐흐, 그 말을 언제까지 듣지. 사실 그것은 마치 빚쟁이의 핑계와 같은 걸 누구보다 잘 알잖아? 그러하니 나도 이젠 참을 수 없을 일이고 의심도 확실하지 않을 수 없잖아. 사실 어디서 나만한 사람을 만날 수 있겠어. 그 주제에."

"옳은 말이지만 그것은 자만이에요. 사실 새 출발할 진심이라면 상대의 배려를 하지 않을 수 없잖아요."

"좋은 말이지. 하지만 그게 여전히 불공평이잖아? 아직도 자신의 처지를 파악하지 못하는 촌것이니."

더는 그들의 설전엔 관심이 줄었고 곤혹한 사정은 그녀도 다르지 않았다. 물론 상대의 처지에 침묵한 마술사완 같지 않았다. 하지만 여전히 힘의 균형은 이루어지지 않았다. 그건 마치 이길 수 없는 줄다리기이었다. 물론 타협도 없었고 인내하지도 않았다. 거기에다 이젠 취기도 깬 눈치이었다. 더는 구석에 머물기 싫단 것이었다. 사내는 할 일이 많다는 듯 미련을 접었다. 그의 말대로 사정의 차이는 분주함마저 격차를 벌렸다. 최후통첩도 날렸다.

"옛 버릇인지 모르겠지만. 이젠 허행을 반복할 수 없잖아?"

"그럼 지금껏 말이 허언이었단 말이에요. 그렇다면 인내한 사정이 어리석진 않았군요. 그동안 내일을 준비할 시간만 낭비했지 않겠어요? 더군다나 진위의 분별이 소득이지 않을 수 없고요."

"그래서 다행이란 말이지?"

"사실 난 아무 것도 바라지 않아요. 그저. 이 날 동안 살면서 누구의 도움보단 실망으로 엮였으니 이젠 풀어내지 않을 수 없다고요."

"그래? 그렇다면 마술이겠지?"

"마술은 할 수도 없지만 드러난 사실만도 이제는 실망이지 않아요. 물론 기대감을 준 건 다 말로 표현할 수 없지만 그게 생활은 아니었거든요. 비록 고생의 길이지만 양탄자보단 귀하지 않을 수 없다면."

번민은 고개도 넘었고 아래도 동정을 알렸다. 하지만 그 그림자는 길었다.

"그래서 이제 다시 시작하겠다고? 그러나 이젠 직장도 잃을 텐데?"

"그러면 다시 시작할 곳으로 찾아간대도 손해이지 않잖아요? 다만 지난 세월의 현혹이 다행인 고통을 주었는지 모르겠지만 이젠 당당히 나설 수 있는 힘이 나지 않을 수 없잖아요."

"그래서 고난을 받겠단 말이지."

"그 도전이 소태라도 좋아요. 하지만 사실 그건 마술이지도 않잖아요?"

그렇게 대답을 전하며 자리에서 일어서는 순간이었다. 물론 그녀의 주변은 여전히 많은 사람들이 흥청대었다. 그러니 그런 모습도 관심이지 않았지만 사태도 관심이지 않았다. 그러나 뒷모습을 보인 여인의 뒷모습은 추하지 않았다. 아니 지난번의 마술사도 그랬으니 나은 길은 불가지 일 터였다. 물론 기대한 현실이 아니라도 좋을 것이었다. 다만 그러한 기대감을 잃지 않은 자존이었다. 그도 그런 용기를 닮고 싶었다.

'이제 선택을 하자고. 이는 마술보다 쉽지 않은 일로 용기가 필요할 뿐이잖아.'

'그 사람의 모습을 잃는다면 실망이지.'

'아니지. 형도 예전은 그랬으니 한 번의 실수란 병가지 상사이며 칠전의 팔기 힘이지. 그런데 아직도 아픔은 사실이고. 더군다나 벌어진 틈도 여전히 존재하지 않을 수 없으니. 따르지 않을 수 없잖아?'

'무슨 망상이지?'

'인연은 필연이거든.'

이때 밖의 거리의 소란이 분란을 잠재울 수 있었다. 물론 사람들이 몰렸고 이어진 차의 경고음도 요란했다. 사실 마술사의 이석도 이루어진 터였다. 그런 사이 밖의 소란이었다. 물론 들어온 사내의 증언이었다.

'너무 당돌하잖아.'

'독한 년.'

'응낙하면 좋을 것 같았지만.'

호주머니 속에 손을 밀지 않을 수 없었다. 안의 사정이라 땀이 만져진 것 같았다. 물론 지난 시절의 기억도 주마등처럼 지나갔다. 그는 한 때 도시를 동경했었다. 하지만 그건 피상의 모습일 뿐이었다. 경쟁의 전쟁은 내면에서 일어났다.

'시골은 다를까?'

'시골?'

희롱은 절망을 잡았고 손도 실망을 키웠다. 사실 지난 인연은 따져보면 행운이었다. 다만 부족한 것이라면 자신의 행운이 닿지 않았다. 그리고 짧은 순간이 노력도 충격으로 깨졌는데 따지고 보면 그건 불찰이었다. 아무리 험악해도 재판은 양쪽의 조율이었다. 그런데 일방적으로 언덕으로 주장은 굴린 눈덩이이었다. 눈덩이는 오래 구르지 않았고 바위에 깨졌다.

"이곳이 어디죠?"

"정신이 들었어요?"

"아뇨. 이런 곳에 들어왔건만 아직 제 정신이지도 않고 또 누구도 만나기 싫으니 꿈이라면 깨지 말란 기도밖에 할 수 있겠어요?"

"아직도 사랑을 찾겠단 말이에요?"

"기대하진 않지만?"

"기특한 생각이지만. 실망인 걸?"

"그러잖아도 흑암을 가릴 요량이었는데 빛이 없는 굴속이잖아요. 마술사의 기술과 묘기를 더하지 않을 수 없겠지만 그럼 순간 혼란이지 않겠어요?"

"누구라도 그래서 구원을 찾잖아요."

"그런데 구원도 없으면?"

"차라리 그게 편하지 않을까요?"

19

그렇게 흑암을 헤치고 밖을 향한 발길은 손전등을 찾았다. 물론 기대는 허무였고 보이는 건 군중의 외침이었다. 더군다나 지나온 길도 밤길인 것도 같았다. 마치 서울의 외곽이 그랬고 나타난 집도 화려하지 않았다. 물론 관광할 요량이라면 전망대를 찾았을 터였다. 그러나 비탈은 빛이 없었고 여자의 모습도 허무 그 자체이었다. 하지만 눈길은 쉴 필요하지 않았다. 물론 근면이 자책의 긴 끈이었다.

'이제와 찾아 무슨 말을 할 것이며 환영도 아니지만 사실은 안정의 파탄이지 않겠어. 더군다나 속내도 이제는 응어리가 풀어질 시간도 지났지 않겠어?'

'사실 그 점은 나도 다르지 않지만 그래도 난 외유로 풀었다고 생각하지 않았겠냐고. 그러나 그쪽은 감옥의 생활이었으니 숨이라도 쉰다면 다행이지 않겠냐고.'

망상을 끊을 힘도 남지 않았다. 사실 생각이 떠오르는 순간은 죄인이란 사실이었다. 그리고 그간의 잘못에 용서도 바랄 수 없었다. 그렇게 모습을 찾아다니다가 허망을 안은 채 다시 호텔의 구석으로 돌아왔다. 물론 이별이란 말이 맞는지 모르겠지만 작별도 하지 않은 탓이었다. 그런데 뜻밖의 사내와 다른 이도 자리를 지키었다.

"아무런 것도 소용없다는 듯 사라지는 모습은 무엇을 뜻하는지 알겠지?"

"아무렴요. 아직도 현실을 직시하지 못한 게 여간 안타까울 뿐이죠."

"그래. 그런 인간은 세상이 얼마나 각박하고 무정한지 알리지 않을 수 없지. 그래서 내가 이곳을 터전으로 삼으며 이웃을 보살피는 까닭이지."

사내의 독기를 지키는 사람은 관리인이었다. 물론 정식으로 인사를 나누진 않았지만 마술사는 관계도 있었다. 그때 옆으로 다가온 다른 사내의 조언이 귓전을 잡았다.

"어떻게 하면 좋을까요."

"아직도 모르겠어?"

"그럼?"

"새 술은 새 부대에 담는 법."

그러자 사내가 고개를 끄덕이었다. 물론 손에 들은 가방엔 종이가 보였다. 그런데 가방이 작을 뿐만 아니라 때도 묻었다. 그런 가방을 사내는 자랑스러운 듯 가슴에 안았다. 아이가 인형을 안은 모습처럼.

"인형이잖아?"

"아저씨가 사주었어요."

"얼마나 좋아?"

"하늘만큼."

"이런 모습을 오랜만에 보는 것 같구나. 그런데 왠지 그간 너무 인색했던 것 같지 않아?"

"난 그 말이 무엇인지 모르지만 이런 인형을 안고 싶었잖아요. 세 사람이 손을 잡고 가는 소풍도."

"자주 오게 만드는구나."

"그럼 약속할 거예요?"

"쉬운 대답은 아니지만. 그래도 너와 함께라면 생각해봐야 할 것 같지 않아?"

"그러면 얼마나 좋을까?"

소녀의 미소는 오랜 기억을 지웠고 벼란 간 어디서라도 나타날 것만 같았다. 물론 아이가 무엇을 알고 하는 말인지 모르지만 소망은 모르지 않았다. 주변의 사정을 살피는데 사라진 여인이 입구로 돌아왔다. 물론 떠나간 여자라 확인은 필요하지 않았다. 그런데 돌아온 표정이 편하지 않았다. 물론 머리에 모자가 눌린 까닭은 다르지 않았다. 하지만 그녀는 반사적으로 주변을 살핀 것은 본능이었다. 잠시의 미련이 갈대처럼 질기단 심기를 낳았다. 하긴 무엇을 잃기란 싫은 법이었다.

잠시 긴장이 이어지고 사내가 부르자 그녀의 표정이 일그러졌다. 그건 아마도 무위의 힘이었다. 더군다나 낯선 사내의 접근도 얼음에 가까웠다. 그러니 쉽게 타협은 이뤄지지 않았다.

"내가 큰 실수를 저질렀는지?"

"그건 아니지."

불안의 사정을 살피며 상대를 주시했다. 그런데 사내는 자리에서 잠시 듣기에 열중했다. 오매불망 기대의 모습이 안심을 불렀다. 물론 전쟁은 파괴와 다르지 않았다. 하지만 대화는 느린 게 탈이지만 서로의 만족이었다. 처음은 의혹으로 시작해 이해로 가고 다음은 관용이었다. 그러나 머리를 눌렀던 모자가 탁자의 위에 던져지는 게 전부였다.

"이렇게 해고할 순 없잖아요?"

"무슨 말이지?"

얼음처럼 냉정하고 날카로운 대꾸는 화살처럼 경악을 지었다. 물론 실망에 허탈은 꼬리도 말았다. 그리고 더한 독심은 언어의 폭력이었다. 사실 여자가 울음을 터트린 건 해고가 아니라 이런 사정을 호소 못한 탓도 있었다. 거기다가 그녀는 일방적인 피해자이었다. 그러니 더욱 물러설 수 없었다.

"외압이죠?"

"그건 유치한 짓이지. 그리고 속사정은 나도 잘 모르잖아."

"하긴 바지사장이니."

"알면 되었잖아."

"그런데 무슨 이유로?"

"호텔의 영업 비밀이지."

자리에 다가왔던 사내가 서류를 내밀었고 그간의 급여의 전달도 늦지 않았다. 하지만 그녀는 그것으로 용납을 할 수 없었는데 아마도 부당일 터였다. 물론 그런 곳의 일이란 없지 않았다. 하지만 안타까운 해고로 일자리는 쉬 구할 처지이지 않았다. 이내 맴돌던 사내는 밖으로는 나갔고 모습은 여유가 보였다. 그가 들어가는 건물에 커다란 문구가 보였다.

'수고롭고 무거운 짐을 진 자들아 다 이곳으로 오라.'

'죄인이 누구지?'

'저게 무슨 똥딴지같은 짓이고?'

'사태를 보고도 모르겠냐고.'

'사사로운 일이지.'

냉정한 탐색에 흔들린 여자는 침묵을 한동안 이었다. 아마도 구원에 매달릴 처지이었지만 사정은 쉽지 않았다. 더군다나 무엇을 잃었는지 피해의 의식도 지웠다. 물론 그곳으로 돌아온 까닭은 저항의 의식이었다. 그러나 실상의 모습은 일방적이었다. 사실 그런 모습을 보았고 사라졌던 마술사도 이내 나타났다. 이젠 여유로운 사정도 보였다.

"이제라도 좋다면?"

"그러면 타협이 된다는 게요?"

"타협이란 게 우습지만 그게 싫지 않다는 건 잘 알잖아요. 물론 사랑도 마술처럼 사람을 홀리겠지만 사정은 마술이지 않을 것이니."

"그럼 사랑을 알았어요?"

"막간의 인생에 무료한 마술이니."

순간의 눈길이 서로 엇갈렸고 기대도 같지 않았다. 하긴 심사숙고할 까닭이지도 않았다. 이젠 사라진 사람을 따라

밖으로 나왔다. 물론 길에는 사람도 작지 않았다. 더군다나 도로의 번잡도 간단하지 않았다.

'어디로 간 게 분명하건만.'

'그게 어디일까?'

'오늘의 이런 만남이 마술일 수 없지 않겠어. 그리고 사실 행여 기적이라 하더라도 서로를 위하지 않을 수 없는 순간이지 않겠느냐고.'

'거기에 관심도 없었지.'

'이건 사랑의 기적일 테고 누구나 다 찾아갈 길이니.'

사내는 손을 비비어 얼굴을 쓰다듬었다. 물론 이런 일에 주변에 사람들은 관심을 두지 않았다는 건 다행이었다. 물론 행동도 이상하지 않았으니 주의이지도 않았다. 그러나 마술과는 달랐다. 미련이 앙탈을 부렸다.

'아이가 실망이라고?'

눈길은 무정을 매달고 유유히 시간을 지웠다. 그건 걸음을 걷는 일과 다르지 않았다. 그러니 이어진 타협도 쉽지 않지만 협박도 따랐다.

'흠도 아니지.'

'누군 다르단 말이요?'

'그러니 까닭이 우습잖아?'

눈길은 다시 관심을 잡았고 이웃한 자리의 사람들도 자

리를 떠났다. 물론 그들의 관심이 공연이지도 않았다. 더군다나 무대 위의 대사도 일방적이었으니 현혹의 간별도 쉽지 않았다. 그런 모습을 뒤로했던 사내는 빈자리를 찾았고 조금도 실망이지 않았다. 물론 그녀는 다른 사연으로 사라졌으니 다행이었다. 다만 만족한 사내라도 미련이 남았을 터였다. 하지만 그녀는 수단과 방법을 일일이 따지지 않았다. 물론 도리를 안다면 스스로 고해할 터였다. 그녀는 인근의 골목으로 달렸을지 몰랐다. 그때 술에 취한 사내가 건물로 들어섰다. 사내는 이내 마술사에게 접근했다.

"아는 사람이요?"

"예전에."

"이젠 사정이 다른 걸 알면 수작은 버렸어야지."

"그러지 말아요. 이내 떠날 것이니."

사내는 눈길에 조소를 매달고 슬며시 걸음을 무대 뒤로 돌리어 사라졌다. 이어 직원의 깍듯한 인사가 등을 밀었다.

"지금 현실을 제대로 알았는지 모르겠지만. 너무나 삭막한 삶의 전쟁터이지 않아요?"

"그게 무슨 말이지?"

사내는 출구로 눈길을 돌렸고 이내 옆으로 길도 터주었

다. 물론 그간 지낸 세월이 적지 않았다. 더군다나 어려운 사정의 고난을 피하지 않았다. 그리고 더욱 야릇한 것은 그의 변신에 놀랐다. 물론 실패를 이긴 사연이 까닭이었다.

"오늘은 실상을 고백하겠어요. 그리고 오늘공연은 마쳤으니 이젠 자유도 주어졌고 그간 하지 못한 일을 하지 않을 수 없거든요. 더군다나 막사의 일도 이제는 끝을 내었으니 말이지요."

"난 그래도 진심을 기다리었어요. 비록 어려움을 겪었지만 사정이란 바람과 같아 순간으로 변하지 않겠어요."

그녀는 바람이란 말에 미소를 지었는데 그것은 진심이었다. 사실 동창도 그런 뜻을 보인 적이 있었다. 그리고 사업을 하면 겪지 않을 수 없는 사정이었다. 물론 그녀도 현실을 모르지 않았다. 그래서 일찍 마음을 바꾸었다. 순간 그는 미련을 버리지 않았다.

"간 길을 다시 돌아갈 수 없잖아요."

"불가는 아니지요."

"그럼 시간의 낭비가 아닌가요?"

잠시 나약한 눈길에 한동안 침묵으로 상대를 살폈다. 사실 그 말은 골리앗과 다윗의 줄다리기와 같았다. 누구의 판단이 더하지 않고는 동의는 불가이었다.

"돌아오길 바랐군요."

"좋은 일인지는 모르겠지만 더 외면할 까닭도 없었고요. 그간 믿음도 가졌으니 당연하지 않겠어요. 그리고 공연도 외면할 까닭이 없겠고요."

"외면이란 무슨 말이에요? 사실 난 그런 것에 관심이지도 않지만 이렇게 초청을 한 건 행운이에요. 그리고 지난 고난이 싫었던 것도 아니었고요."

"고난이 아니라면 어찌 좋은 일을 알겠어요. 더군다나 정도 들었겠지만 인연은 끊을 수 없는 일이고 감사뿐이지만 마음은 그렇지 않았단 사실이지요. 전부터 생각한 것이지만 누구나 사랑은 부족한 반쪽으로 나머지의 부분을 찾아내는 일이지 않겠어요? 그러니 사랑은 신의 장난으로 여기고 나를 지웠으면 좋겠어요."

"그렇다면 좋아요. 사실 그간 기다린 것도 거짓이지 않았으니 선택은 편안하고요."

"그 까닭은?"

"사실은 그게 누구나 목적은 아니지요. 그래서 덧붙이는 말이지만 사랑은 타인을 맞는 마술이에요. 그리고 그건 보고도 알 수 없는 기적이 아니겠어요?"

"네. 다시 절반으로 돌아가는 게 불행이지만. 그러나 애당초 나눔이 불공평하고 불만도 많았지만 그 사정은 알고

나니 보이는 것이 다도 아니고 또 남의 사랑을 탐하는 강탈도 아닌 사실이 다행이었으니 서운하지도 않아요."

"끝까지 독존이군요."

순간 벌어진 냉철함은 침묵이지 않을 수 없었다. 그리고 더욱 허망과 아픔을 더한 것은 결자해지의 말이었다. 역시 거리는 멀어지고 스러지는 순간이었다.

"이런 모습이 뭐랄까."

"정의롭잖아요?"

"날강도 생각인데?"

"날강도? 난 뭘 강도질한 일도 없잖아요? 그런데 무엇을 가지고 세상이 날강도 같다고 그러는지."

"아직도 모르겠어요?"

질책은 탁자를 구르는 유리잔이었다. 물론 고개를 쳐든 사내는 의아한 표정으로 마술사를 바라보았는데 경찰은 보이지 않았다. 물론 강탈을 한 일은 방관이 아니라 채포인 까닭이었다. 그러나 그런 싸움을 종결한 건 마술사의 몫이었다.

"같은 처지가 아니었어요."

"그래요, 다른 인형처럼."

"인형은 그렇지만."

"듣기 좋은 말이 아니군요. 말 못할 사정에 증거와 증언까지 요하는 세상이지 않던가요?"

한동안 감정을 흐리지 않을 수 없었지만 사정을 드러내긴 더 민망했다. 물론 강탈할 까닭도 없지만 상대는 찾을 수 없었으니 그건 두 사람의 거리이었다. 물론 그것을 시시콜콜히 밝힐 수 없는 건 마술사는 솜씨도 능란했기 때문이었다.

20

'이게 얼마만이지?'

'예전의 나도 아니지.'

'어떻게 다를까?'

그러나 모습은 예전의 모습이었단 사실이었다. 물론 세월의 변이를 겪은 건 당연이었다. 역시 꽃이란 놓이는 장소에 따라 값이 달라지는 법이었다. 더군다나 관객이 환호하는 치장한 여자는 평범함도 아니었다. 그러나 미련의 감정은 멈추지 않았다.

"이곳은 내가 설 자리잖아요?"

"그게 무슨 말인지."

"아직은 밝힐 단계는 아니지만."

"비밀이라고?"

"이제야 눈을 떴거든요."

"그간은 눈이 장님이었고?"

주변의 시선은 두 사람에게 관심이지 않았다. 물론 다시 만나리란 생각은 조금도 가질 수 없는 것 같았지만 기회는 없지 않았다. 이젠 사업도 확장하다는 사정을 들었다. 물론 순간 자존도 약하지 않았으나 궁벽은 더 할 터였다. 그런데 더욱 놀란 사실은 그녀의 처지가 변이되었다. 물론 그건 거의 태풍을 맛본 사정이었다.

"이런 엉뚱함을 가질 줄이야?"

"누가 엿듣진 않겠죠."

"그럼. 기밀로 하겠단 말인지?"

더는 유구무언으로 자릴 지킬 수 없는 건 같은 처지의 기회이었다. 물론 아직은 상대의 의도는 모르겠지만 드러난 사실만으로도 의욕이지 않을 수 없었다. 더군다나 그의 처지가 신천지였다.

사실 예전 마술사의 눈길은 서로를 바라보는 눈길부터 갈증이었다. 물론 봄꽃이 피는 시절은 공기부터 이미 다른 법이었다. 하긴 하늘과 땅의 거리만큼 그의 사정도 달랐지만 이제는 달랐다.

"이래도 나무랄 순 없잖아?"

"사실 아직도 혼자 몸이지만 그래도 분명한 건 예전일 순 없는 법이지요. 사실 그간 이곳저곳에서 섭외를 받았던 일도 많았으나 이곳으로 정했지 않겠어요? 그것은 격세지감의 모습으로 돈 같은 무소불위의 힘을 얻으니 아무래도 이곳의 독안이 좋을 것 같거든요. 그리고 과거의 실수는 또 한 번의 기회이지 않을 수 없단 말이지 않겠느냐고요. 그리고 이번은 기적을 목전에 둔 현실이니."

"그게 거짓이라도 나도 싫어할 까닭이 없지요. 더군다나 마음도 하나이지만 결실은 누구나 같지 않을 수 없는 처지이지 않겠어요."

"그건 너절한 궤변도 아니지요."

기세에 환희를 더하지 않을 수 없었다. 물론 마술사의 표정은 조심했지만 심기는 환영이었다. 아니 서로를 찾고 원하는 모습도 다르지 않았다. 그리고 지난 사실의 파악도 다르지 않았다. 물론 그간 일방적인 달리기이지 않을 수 없었다. 그러나 그것은 성공이지 않았다. 그러니 일은 천장이었고 객석도 빈 시루이었다. 물론 그런 까닭을 모를 그도 아니었으니 변신을 받아들였다.

'구하면 반드시 얻는 법이군.'

'기다림이 언제까지 일지는 모르겠지만 그건 절망적일 뿐이지. 사실 인간은 아무리 일심으로 사랑해도 처음과

나중이 다를 수밖에 없는 존재이고 또 변한다고 잘못도 아니잖아.'

다시 곤혹을 깬 건 사내의 눈길이었다. 더군다나 흥행을 이룬 뒤였고 더욱이 방문도 반김이었다. 하지만 그는 어려움을 견딜 처지이지 않았다. 얼굴엔 비장함도 배어나왔다.

"이젠 작정했단 말이지?"

"그렇지 않을 수 없잖아요?"

질문을 풀기 전에 마술사는 술잔도 채웠다. 물론 탁자에는 술에 안주가 쌓였고 공연한 결과까지 자랑을 담았다. 더군다나 사내가 뱉은 말은 희언일 수 없었다.

"산다는 게 별 것도 아니잖아? 그런 데 사람들은 사실에 원망하고 언제나 기적만 바라는 습성이 얼마나 병인지 모르잖아. 처음은 나도 한동안 그랬지만 그건 해답도 아니었었다고. 그리고 반갑게도 천사를 만났잖아?"

"마술의 기적이니."

"그게 대도무문이야."

쉬 긍정할 말은 아니었지만 속내의 비웃음도 없지 않았다. 물론 그들의 말을 마냥 긍정할 수 없는 건 사정의 위기이었다. 물론 그간 마술의 보조로 연명을 한 것도 사실이었다. 또 고난의 행군도 마다하지 않았으며 인내와 싸웠다. 그건 마치 설산에 오르는 형의 짓이었다. 술기에 취한 기분은 이내 슬그머니 마술사의 얼굴도 살폈다. 사실 제 먹기 싫은 떡은 남이라도 주기 싫은 법이지만 사정은 달랐다. 분명 기대한 사랑은 아니었다. 하지만 꽃길을 추종하는 기대의 결과는 하나이지 않을 수 없었다. 그리고 더 참을 수 없는 건 이별이 반갑지 않았다. 그런데 더욱 기가 막힌 것은 기대하지 않은 그녀의 출현이었다. 하긴 사업의 수완에 사랑은 권외일 수 없을 테지만 사정은 곤혹이었다. 그런 일의 사건이란 한두 번도 아니었으니 마술이었다. 순간 마술사의 현란한 말이 빛을 발했다.

"사랑도 이젠 기적이지 않잖아요?"

"그럼 난 뭐라 대답하지?"

"날 보고도 모르겠어요?"

"그럼. 난 닭 쫓던 개 신세인가?"

"사실은 아니겠지만."

그렇게 서로를 힐난으로 몰았고 결과는 마술이 답이었다. 좌중의 소란도 더했으니 취객의 참여였다. 하지만 그곳은 소란을 허락한 터에 타협은 위력이었다. 건장한 사내들의 순찰도 거듭 따랐다.

"이곳이 제집 안방인 줄 아나?"

"안방이 아니라면 신천지이지."

"사정을 제대로 알기나 하고?"

"그게 무슨 말이지?"

"너희가 한 행동이 아니었겠어요?"

"알면 돌아가란 말이지."

전의를 불태우는 여자의 고집을 보았고 살피던 마술사는 얼굴을 돌렸다. 물론 주변의 사정은 쉬 제어할 수 없는 소란이었다. 하지만 이제는 소란을 넘어 싸움을 터트릴 순간이었다. 물론 그곳은 싸움을 허락하지 않았다. 그것은 사내들의 책임이며 권리까지 얹었다. 물론 그녀의 심정이 더는 신천지이지 않았다. 그리고 기어코 마술사의 권능을 흔들었다.

"사정을 외면하진 않겠지?"

"그게 맹목의 눈이지."

"그러는 너는?"

"새 술은 새 부대에 담는 법이고."

"하긴 삯은 술이니 새 부대를 내주겠어?"

"오히려 그 새 부대라는 게 감각을 무디게 하는 원흉이라면 그는 결코 받아들일 수 없잖아?"

"입술은 다르잖아."

"그런데 이런 까닭은?"

"사랑의 기적이지."

"그래서 한번 즐기겠다고?"

"그러는 넌?"

팽팽한 줄다리기는 긴 과정이었다. 더군다나 그들의 언쟁에 중재는 할 수도 없었다. 물론 노련한 마술사의 심기는 이행도 원했다.

"애송이의 말이란 애초부터 중요하지 않아. 더군다나 사업의 위기에 짐인 건 사실이거든. 사실 누구라도 그러하지 않겠어?"

"그래서 팽을 한 게군."

"흐흐, 그 사내가 내겐 고맙단 사실이지."

"무슨 말이 그래?"

"물론. 사랑에 덤까지 얹었으니."

"그럼 복을 거듭한 게라고?"

"복이란 말은 당치않지. 그도 이젠 변했지 않겠어? 더군다나 자신의 하나도 제대로 대처하지도 못하는 주제에 둘을 가지겠단 꼴은 우습지 않을 수 없잖아? 그러니 그 같은 생각으로 같은 처지의 옛정을 찾았겠지만 사실은 그마저도 잃었단 사실이지."

"깨소금 맛이겠지?"

"보아하니 셈이 빠르군. 물론 나는 마술까지 능란한 몸이지만 셈도 뒤지지 않으니."

"까짓, 셈으로 진심을 당할까?"

"그렇지. 마술이 아니라면 어찌 진실을 뒤집겠어?"

"정답이군."

마술사는 조롱을 머금은 채 손바닥을 오므리자 주먹이 되었고 모자를 벗지 않은 사내는 잔이 불편하다는 듯 비웠다. 그런데 사라진 여자의 출현은 장막의 마술이었다. 그러나 이젠 장막을 걷자 전쟁의 일보직전이었다. 그리고 막상 면전의 충격에 사내는 장승이 되지 않을 수 없었다. 물론 인간의 일이란 신의 연극보다 우연이지 않을 수 없었다. 하지만 당사자에겐 잔인할 뿐이었다.

"돌아오길 기다리지 않았어?"

"기름을 뿌리자는 짓은 아니지?"

방관을 즐기는 것도 군중의 몫이었다. 버티는 촌각이 매사 위태로웠다.

"물론 만족하지는 않겠지만 나도 같은 사정이 없지 않았지. 그간 간장을 태운 마음의 세월이지 않을 수 없으니 어찌 널 모르겠느냐고."

"간장이라면?"

"그래. 나도 풋사랑의 열매를 키우거든?"

"너무도 조잡한 변명이야."

"변명?"

여자는 번개처럼 마술사의 입술에 찬물을 끼얹었다. 그러자 그녀의 표정이 앙칼진 태도로 변했다. 물론 마술사의 참전은 예의도 없는 자란 눈길이었다. 그러나 이젠 애란 말에 어느 움찔했고 자신의 사정도 닮았을 뿐이었다. 그러나 분기의 도화는 허락할 수 없다는 듯 전의를 불태웠다. 물론 둘의 눈길은 충돌의 일보직전이지 않을 수 없었다. 더더욱 육중한 의자에 둔부의 무게도 힘을 더했다. 그러나 마술사는 싸움이 대수롭지 않다는 듯 의자를 물리었다.

"네겐 가당치 않는 사람이었잖아?"

"도리도 모르는."

"도리라고, 그게 뭔데?"

"조강지처."

앙칼진 대답에 시선이 출렁거리었고 마술사는 독기를 품은 방울뱀이었다. 더군다나 명성도 지니었으니 더는 밀릴 수도 없었다. 그런데 앞을 사천왕처럼 막은 사내의 모습은 장승이었다.

"그만두자고."

"아니지."

탁자를 곁으로 미는 마술사는 가슴을 내받았다. 물론 싸움은 버티기로 잠시 흘렀고 사내는 자리를 지켰다. 하지만 긴장은 멈출 기미이지 않았다. 물론 주변은 빈자리가 많아 사람들이 사방으로 살피는데 이젠 춤도 그치고 소란도 잠시 끊겼다.

"이 정도론 재미없잖아?"

"그럼. 육박전이 제일이지."

"그래도 지지 않는다면?"

"내가 항복하길 바라는 모양인데. 애들 장난 같은 말보다 이젠 힘이 다스리는 세상이잖아?"

"힘으로?"

"자식을 길렀다니 이런 사정을 모르지 않을 터이고 그건 뒤집기가 제일이지 않겠어?"

"뒤집기보단 양보가 낫지."

잠시 다투던 기운은 휴지하지 않을 수 없었다. 물론 마술사는 명성과 지위도 갖추었으니 해고된 여자와 같을 순 없었다. 더군다나 사내의 선택이 실망이진 않았다. 다만 바닥을 구른 입은 가만있지 않았으니 반격은 당연이었다. 사실 앙칼진 음성은 천장으로 뻗쳤다. 그러니 기운도 약하지 않았다. 다만 몸이 바닥을 구르기만 했으니 닭싸움이지 않을 수 없었다. 그리고 역시 싸움은 일방적으로 끝났다. 사실 그간 인고한 세월은 조금도 도움이지 않았다. 쓰러진 어둠은 길었고 우연히 던진 불길은 사내에게 쏟아졌다.

"어떻게 저리 변할 수 있는지? 결국은 늑대의 본능이 원수이겠지만 사라질 턱도 없으니 이젠 이별뿐이지 않을 수 없잖아?"

"잡을 사정도 아니고 그간은 불만만 쌓였지 않겠어?"

그리고 다시 눈길을 주었지만 그건 일방적인 통보이었다. 물론 오기도 이젠 부릴 수 없었고 시비를 가리지 않았으나 순간마다 허무뿐이었다. 더군다나 뭔가 억울한 사정은 순리도 일탈했다. 그리고 이렇게 돌아온 모습은 원수는 외나무다리에서 만나는 결전이었다. 이젠 환영을 잡으려는 짓을 그만두지 않을 수 없었다. 물론 그녀는 싸움도 패했으니 피해는 당상이었다. 그래서 더욱 처지를 비관하며 어깃장을 부릴 터였다. 하지만 낯선 장소에서 해명도 쉽지 않았다. 더군다나 이미 겪은 상흔이 힘에 버거웠다. 그런데 저항의 분기가 날아들었다.

"이런 짓에 신물이 나지 않아? 사실 그간 정리를 다했다고 생각했는데 이제라도 잡겠다면 말리지 않겠지만 관심은 사라졌지 않겠어?"

"그럼 떠났단 말이지?"

대꾸할 가치도 없다는 듯 사내는 그녀를 외면했고 마술사는 패배자의 도리를 전했다.

"이젠 현실을 알았지?"

"사실 이건 패배도 아니야. 스스로 사랑을 찾고 얻으려 했으니 돌아오지 않았겠어? 그러나 더욱 화가 치미는 건 이런 사실을 미처 알지 못한 사내이지 않을 수 없다는 것 뿐."

이내 앉은 자리에서 몸을 일으켰다. 물론 마술사도 사내를 따랐으니 싸움도 종결이었다. 그리고 주변의 전등도 네온으로 빛을 뿌렸다. 전등은 둘이 냉랭한 게 미안한 모양이었다.

"전쟁터를 떠난다고?"

"아니지. 이곳은 내가 살 터전이니."

"그게 무슨 소리지. 그간도 착취의 사정에 해고까지 당하지 않을 수 없었는데 누구를 위해 그런 결정을 남발하는지 묻지 않을 수 없잖아. 그리고 이런 상처도 이젠 보이지 않는다고?"

역시 억지의 관심은 이해보다 우월이 문제였다. 나서는 길도 어둠의 그림자만 따랐다. 물론 마술사도 돌아보지 않았으니 자연 자리는 비었다. 하지만 그녀는 출구로 나선 사내의 등을 살피었다. 물론 그녀의 눈길이 갈대처럼 바람에 흔들렸다.

"따라가지 않으면 놓치잖아? 그간 내가 부린 억지를 원망하는 건 맞지. 그렇지 않다면 그간의 억울함을 풀릴 길도 없잖아?"

그렇게 허탈의 변명은 장막을 내렸다. 물론 어지러운 자리는 이내 정리될 터였다. 물론 그녀가 밖으로 탈출한 후 밖은 혼잡스러웠다. 그녀가 사라진 곳을 향해 걸음을 분주히 움직였다. 굽은 길은 미로처럼 꼬였고 흔들리는 몸은 통증이 아직 가시지 않았다. 역시 해적은 전범이었고 황산도 다르지 않았으니 허무도 잊었다. 하지만 능선을 향한 길은 순탄하지도 않았다.

"이젠 따라오지 말라고요!"

"그 기다림이 언제부터였는지는 모르지만 나도 요즘은 고단함이 적지 않으니 잠시만 참아보자고요. 그래서 인내는 쓰단 말도 있지 않아요?"

던지는 위로에 그녀는 대답하지 않았다. 하긴 사건의 충격이 얼마나 컸는지 실망뿐이었다. 물론 다시 시작하려던 굴욕도 막혔으니 이젠 반복도 무상이었다. 더군다나 도깨비처럼 나타났다 사라진 사람을 믿을 수도 없었다. 그간 악연의 사정을 이젠 더 기대하지 않았다. 그러니 뒤를 잇는 일들도 고난뿐일 터였다. 그러나 만남은 기적으로 몰지 않을 수 없었다. 그래서 그는 아무 소리도 더하지 않았다.

"그래도 잠깐만."

"……"

"그래도 사는 곳은 알아야 하지 않겠어요. 나도 후안무치이지만 알 사정은 아는 게 당연하지 않을 수 없다고요. 그리고 도둑이 도망친 까닭도 묻지 않을 수 없으니. 물론 이럴 줄 알았더라면 도망치지도 않았겠지만."

"……"

하지만 여자는 돌아보지 않았다. 물론 여자의 처지에 주저는 당연이었다. 더군다나 생사의 일은 아직도 해결되지 않는 건 고난의 위급이었다.

"이렇게 가면 공멸뿐이요. 그러니 걸음을 내딛기 전 얼굴을 돌리라고요."

"서로 다른 길을 달린 그간도 멀어졌잖아요. 그래서 잠시 혼란도 겪었지만 이제는 미움도 지운 터이고요."

"언제까지 달리고만 있을 것인지?"

"억지 부리지 말라고요."

의혹은 실에 미늘을 매달았고 기대는 허망뿐이었다. 물론 인근의 건물에 자리한 찻집도 보였다. 작은 건물로 손님들이 드나들고 있었으니 사정도 같았다. 더는 급작스런 추적을 이길 수 없었다. 그래서 그녀의 앞을 막은 여자의 참견이 수확이었다. 사실 그녀의 간섭으로 걸음은 멈추었고 대화는 칼날이었다.

"사실 내가 더 놀라지 않을 수 없겠군요. 그간 얼굴도 잊었는데 오늘은 실망이지 않았고. 더군다나 둘일 줄도 몰랐거든요. 물론 어처구니없는 모습이겠지만 사실 친구에겐 행운이지 않겠어요?"

"진정을 알고나 하는 말이에요. 그리고 죄송한 말이지만 날 본 것만으로 돌아가라고요."

"왜? 이런 출현은 축복이란 것이지 않을 수 없는데 굳이 숨기려는 까닭은 무엇인지?"

"소문이 무섭잖아요."

"그럼 사랑한 사람이 아니란 게요?"

"그래요."

"그럼 쫓는 건 범죄이지. 물론 스토커라면 신고를 하겠지만."

"스토커는 아니고요."

"그럼 마술이지."

더는 억지를 외면할 수 없었다. 물론 첫 인상으로 수다나 상술을 가진 사람이었다. 다만 장사는 오지랖에서 아픔까지 정을 나누는 일이라 믿지 않았다. 그저 이렇게 막은 까닭이 고맙고 숨 돌린 시간은 도움이지 않을 수 없었다. 그녀의 얼굴은 매순간 고삼을 씹었으며 인내이었다.

하지만 추적을 다한 마음까지 지우진 않았다. 그런데 여인의 질문은 황당함을 얹었다.

"그 사람을 용케도 피했군."

"자랑거리도 아니니."

"아니지. 이젠 자랑이란 말이 옳지. 아무리 사랑이 범람하는 세상이라도 이런 사내라면 삶의 활력소이지 않을 수 없잖아?"

"그럼 댁도?"

"사실 난 이럴 사람도 없잖아. 물론 누구나 가정은 중요하지 않을 수 없지만 맹목적인 희생뿐이지 않겠어? 그런데 이 모습은 담배연기처럼 탈출구란 말이지."

"그간 고통이 컸군요."

위안은 비겁을 낳았고 그건 지난날의 자신의 모습이란 생각이었다. 그런데 주변의 소란이 참견을 끊었다. 사실 도시의 빈민가는 조용하지 않았다. 매일 사건에 악취는 끝을 몰랐다. 더군다나 언덕이라면 고난을 더했지만 버티기도 쉽지 않았다. 입은 차림과 든 가방의 모습이 초라할 뿐이었다. 물론 그녀의 처지도 다를 것 없었지만. 그때 뒤에서 반가운 사람이 또 막아섰다.

"이게 무슨 일이야?"

"일하다 부상을 당했어요."

"크게 다치진 않았는지?"

"하루만 쉬면 될 것 같은데요."

"부축을 받잖아?"

등 뒤의 여자는 걱정이란 듯 고개를 가로저었다. 물론 그들은 친분이 깊게 보였단 사실이었다. 그것은 보필의 간섭이지 않을 수 없었다. 사실 간섭이라면 누추한 곳도 가리지 않았다. 그러한 사정은 이후의 고난을 예고했다. 사내는 미련도 넓었다.

"나도 변명이 필요하지 않겠어요?"

"뭐라고요. 사정이라면 들을 것도 없잖아."

가게를 살피며 길게 호흡을 조절하며 미소를 지었다. 물론 만난 기연이 싫을 수 없었다. 더군다나 드러난 사정도 걱정이지 않았다. 그것은 삶의 모습이지 않을 수 없었다. 초라한 빈가에 변병도 이젠 충격도 아니었다.

"사내란 다 늑대잖아."

"그래도 사랑스럽지요."

분기를 안고 길을 걷기 힘들었다. 물론 금방 해결될 사안은 아니었다. 더군다나 내일의 짐은 가볍지도 않았다. 더군다나 이런 곤혹을 미처 예상하지 못한 것도 아니었다. 그러니 마술사의 조언이 떠오르지 않을 수 없었다.

'사는 일이 고개를 넘는 것이지 않을 수 없지만 그렇다

고 짐을 지고 걸을 수 없잖아요?'

'어떻게 하란 말인지?'

'칼로 잘라내야지요.'

'잔인한 말이군.'

'그리 생각할 수도 있겠지만 그것이 아니고는 방법이 없으니까요.'

'그래도 난 그럴 수 없지.'

마술사의 환영은 이어지지 않았다. 더군다나 전쟁까지 치른 터라 더는 미련도 없었다. 그래서 동시에 걸음에 속력을 높였다. 물론 승부도 갈리었으니 파국은 멀지 않았다. 더욱이 옛정의 회복은 세월의 몫이었다. 물론 인간의 감정에 불가란 있을 수 없었다. 그러나 파국을 피할 길도 공수래 공수 거인 처지였다.

그렇게 돌아온 숙소의 허공을 사색으로 채우려는 순간이었지만 홀로이지 않았다. 물론 지난 일의 기억은 불편이었다. 더군다나 그간의 생활과 인고의 고뇌도 적지 않았고 남은 건 의리만 잡을 터였다. 하지만 막사의 부흥은 꿈이고 기대만 같았다. 그런 뜻밖의 사내가 웃으며 맞았다.

제5책 안 천

시천하면 필유귀천이라.

21

전혀 예상하지 않은 동창의 출현이라 당황이 앞섰다. 물론 그의 표정도 편안하지 않았지만 기대는 풍선이었다. 그는 상기된 까닭을 한동안 끌었다. 마치 독심술로 사정을 꿰뚫으란 것이었다. 그는 한동안 당돌한 태도로 대구도 하지 않았다. 물론 이전의 사정이지 않단 건 모르지 않았다. 더군다나 이젠 마술사와 타협도 불가하단 사실이었다. 그간 고난보단 갈증은 외적이었다. 물론 그녀가 그렇다고 돌아볼 사정이지도 않았지만 변화를 생각하면 부당하진 않았다. 물론 그는 그런 말도 꺼내지 않았다.

"이제 어찌할 생각이지?"

"그러잖아도 궁리하는 중이야."

"궁리가 아니라 실천하지 않는다면 전쟁에 살아남기 힘들지 않겠어?"

"아쉽게도 이제는 마술사도 없으니. 더군다나 그간 일도 겨우 버틴 사정이라서."

"일을 버렸으면 되었지. 하지만 그것으론 굳은 땅일 순 없당게?"

더는 사정을 드러낼 것도 없다는 듯 동창은 밖으로 등을 밀었다. 밖은 바람이 간간 불었다. 물론 갈증은 오늘도 다르지 않을 수 없었다. 모처럼 상면이라 술도 괜찮단 생각을 잡았다. 물론 함께할 술집은 멀지 않았다.

　"부활이 눈앞에 닥칠 줄이야."

　"등잔 밑이라면 좋았겠지만 무저갱의 사정이지 않을 수 없잖아?"

　잠시 그가 무엇을 감추었다는 듯 담배를 꺼내 물었다. 아직도 담배를 피운다는 사실은 곤혹이었고 연기도 피했다. 물론 그는 연기를 일부러 다시 허공에 뿌렸다.

　"예전은 담배를 그저 피웠었지. 물론 그간의 사정도 괜찮았고 또 압박감도 쌓인 탓이지만 알고 보면 그것은 깨알이었지 않겠어?"

　"깨알이란 말이 무슨 뜻이지? 더는 셈속을 알 수 없잖아."

　"현실은 마술이 아니지."

　"그것이 진실이라 해도 고마움은 잊을 수 없고 또 새로운 일도 마술처럼 기적을 만든다면 좋은 게 아닌가?"

　"하하. 누구나 다 같은 마음이잖아? 사실 지난 일은 실패는 아니었지만 이후는 호박이 아닐 수 없지 않겠어?"

　"호박?"

"이젠 호박을 그것도 덩굴채로 굴리지 않을 수 없으니 다른 방법을 찾았지 않겠어? 물론 그런 일에 동의할지 모르겠지만 성패란 두 가지 중 하나이지. 누구나 그 때를 만난다면 태풍에 든 기분이니 긁어보잔 말이지. 더군다나 이제는 깨알로 만족할 수 없고 바벨탑도 넘치잖아."

"하지만 난 염려가 먼저라고."

"하하, 그렇게 심장이 깨알이니 이렇게 근천인 모습으로 만족하고 희망적인 사람이었지만 도둑에게 일방적인 강탈을 당한 게지. 그러나 다행스럽게도 우리는 우정이 있지 않겠어? 그러니 나의 제의가 좋다면 인생의 건곤일척의 게임은 시작이 아닐까?"

"무망인 제의라 거절도 미안하군. 이젠 모험보다도 그 길이 자갈밭길이라도 내딛지 않을 수 없당게."

"지금 그걸 의견이라고 말하는 것이야? 물론 인생은 초로와 다르지 않단 걸 모르지 않지. 그러나 이젠 그 생각이 변화할 순간이지 않겠느냐고."

"너무 기대가 크군. 마치 실패나 잘못은 전혀 생각하지 않는단 것이고. 비록 아직 시작도 아니지만 그런 일이라면 고민이 적지 않아. 사실 나도 한동안은 꿈에 매달렸었지. 하지만 이젠 가시밭길이라도 두렵지 않단 사실이지. 그래서 이제야 사랑을 찾았당게."

"훗날 설마 땅을 치진 않겠지?"

"다행스럽게도. 난 그럴 수가 없지."

"그렇다면 조금은 안심은 되지만. 그리고 이젠 더 고달픈 나날이 될 것 같아. 마술처럼 인기를 먹고 살 순간이 아니지 않겠어. 하지만 자린고비란 비난을 선물로 담을 순 없으니."

"선물은 좋은 것이야."

"그런데 그 선물이 조금은 떡밥이지 않겠어? 그런데도 사람들은 날 인색하다고 비난하며 정작 이윤은 독식했다고 비난하는 걸 보면 뭐라 해명할지. 사실 그동안 긴축은 했었지만? 그러나 그것은 내일의 자본일 뿐이었지. 그리고 그 자본으로 이후는 선물이 되었지. 그런데 이 같은 선물을 싫어한다는 건 무책임할 뿐이지. 그러니 휴식을 갖는 동안 생각을 해보라고. 현실은 언제나 어긋나기를 즐기잖아."

기회를 얻는 걸로 취기와 시간을 섞었다. 물론 작정한 일에 실망도 컸던 터라 번민도 적지 않았다. 물론 실직의 이후에 사정이었다. 더군다나 그녀의 사정도 같은 처지이었다. 물론 첫 술에 배를 불릴 순 없겠지만 이전의 일은 약이었다. 물론 배를 내린 사실도 고민의 끝이 아니라 시작이었다. 그런데 안긴 건 선물이었다.

"마술의 그간 보조도 훌륭했잖아?"

"고맙군. 많은 군중의 주의를 끈다는 일이 쉬운 일은 아니지. 더군다나 음습한 눈길을 돌리지 않을 수 없는 순간이 많았으니. 그럴 땐 부활이 진정의 해갈이었지."

이젠 천막을 찾을 구경꾼도 생각할 수 없었다. 더군다나 공연도 끝났고 눈요기도 사라졌으니 막사를 채운 건 바람이었다. 물론 시작은 미비했지만 공연으로 많은 것도 얻었으니 결과는 행운이었다. 더군다나 그간은 해고의 염려도 없었다. 주어진 일의 집중은 안정을 주었다.

"급하면 돌아가잖아?"

"당근이지."

"그럼, 이 보의 전진일 위한 한 보의 후퇴라고?"

"재충전도 필요하고."

동창은 미리 준비했다는 듯 가슴에 손을 넣었다. 물론 기대는 하지 않았지만 외면할 사정도 아니었다. 휴식의 무료함도 겁나기 때문이었다. 그리고 미래를 설계하자면 사정도 살피고 현장도 찾을 일이었다. 그런 기대는 여행표가 답이었다. 그런데 목적지 이름에 미소 짓지 않을 수 없었으니 기대감도 작지 않았다. 물론 그녀의 내락을 전제한다면 말이다. 그래선지 동창은 우려까지 날리는 세련도 숨기지 않았다.

"준비할 것도 많겠지?"

"무슨 말이야?"

"과거는 묻어둔다고 보물이 되는 게 아니잖아."

대답을 화두로 던지며 그가 내어준 표에 보인 건 한라의 사진이었다. 예전은 이런 사진을 바라보는 것으로도 미소를 지었다. 그때는 주로 배를 타고 제주를 드나들었다. 물론 그건 예전의 사정이 그런 터라 실행엔 괴리도 있었다. 하지만 이제는 출발부터 하늘을 날며 한눈에 펼쳐진 설경이 그만이었다. 더군다나 제주는 그간의 아픔도 지울 것 같았다. 기실 제주는 그녀도 기대한 곳이었다. 예전은 누구나 신혼지로 그곳을 찾았으니 뒤늦은 실현이었다. 그래서 이번의 여행으로 오해도 풀고 화합을 진정 이룰 터였다. 그러나 지금은 소식도 절벽처럼 멀었다. 비록 두근거림의 만남은 아니지만 언약의 회복은 이끼를 닮았다. 더군다나 그녀의 상심은 적지 않았지만 보상은 부족하지 않았다. 그리고 얼마 뒤 공항까지 배웅한 동창은 손까지 내밀었다.

"제주는 예로부터 삼다의 섬이잖아. 그래서 매사 조심하지 않을 수 없는 일로 바람과 돌, 여자이지 않을 수 없지. 더군다나 이번은 깨진 유리잔이잖아?"

"그걸 위로라고 건네나?"

"그러니 매사 덜렁대지 말란 말이지."

"그래서 돌문도 열 주문을 외웠지."

"돌문이라니?"

의혹을 미소로 지우며 탑승구에 올랐다. 물론 예전에 찾아본 공항의 사정이지도 않았다. 주변의 변화에 먼저 놀라지 않을 수 없었다. 그런데 출발부터 어긋나는 일이 터지고 말았다. 함께 동행을 기대한 사정에 시 차이를 두었다. 물론 사정을 탓하지 않았다. 그건 동행이 아직은 불편하단 투이었다. 하지만 그건 걱정되지 않았으니 풀기도 시간은 필연이었다. 사실 그동안 한 발로 버티어온 나날이었다. 그러나 이젠 양발로 기둥을 세울 내막이 비행기 날개처럼 펼쳐졌다. 그런 모습은 기내의 여행자들도 다르지 않았다. 사실 알다가도 모를 게 산 세상이었지만 그것은 부족뿐이었다. 기대는 푸른 바다처럼 넓었고 근처엔 폭포수도 줄기차게 내렸다.

"이런 절경이라 진시황도 찾았겠지?"

"절경을 보러 온 게 아니라 불로초를 구할 사신이었지. 그런데 사실 그게 말짱 헛된 욕심으로 태어난 자는 반드시 죽는 법이고 그게 필연이란 사실을 외면했지 않았겠어? 그러나 그 일은 영원한 족적은 남겼지."

"그럼. 흔적이 있단 말이야?"

"흔적은 글이지만 속은 영주이지."

"영주란 그 말이 가슴에 와 닿지 않을 수 없군. 서로 사랑하는 사람이라도 있었으면 이 섬을 같이 돌며 그 영묘함을 받아들이지 않았겠어?"

"그리 되면 금상첨화지."

"그런데 난 오늘 여간 아쉽지 않을 수 없어. 나이도 나이지만 이젠 곁을 지키는 사람이 아니잖아. 이미 먼 나라로 떠났으니 돌아오긴 불가능하고. 사실은 그래서 앵무새를 찾아 나섰지 않겠어?"

"앵무새라니? 그리고 무슨 말을 되풀이하려고? 그럴 요량이라면 나도 관심이 없잖아?"

앞좌석에 앉은 노인은 곁의 사내와 크지 않은 목소리로 대화를 나누었으니 들리지 않을 수 없었다. 물론 그들은 공항을 마중 나온 사람의 환영에 포옹으로 답했다. 물론 공항의 사정도 예전이지 않은 모습은 열정을 꽃비처럼 뿌렸다. 그런데 그의 사정만 홀로이었다. 그건 아마도 이어 올 올 그녀의 빈자리 때문이었다. 그러나 그 빈자리는 편명도 시간도 알지 못했다. 사실 쪽지만 주었어도 서운함은 없었다. 그런데도 제주의 여행은 실망이지 않았다. 예전의 일을 해결하고 이번은 희망적일 뿐이었다. 사실 그녀도 다르지 않을 것 같아 기분은 반전이 어렵지 않았다.

공항은 활주로부터 실내까지 쉼 없는 사람들이 줄을 잇고 걸음은 깃털이었다. 물론 여행의 기분이 그렇게 만들었다. 실내는 혼잡을 줄기는 줄도 있어 잠시 차례를 기다렸다. 그런데 뜻밖의 익숙한 차림의 사람이 눈에 들어왔다. 물론 국제공항이라 이웃 나라의 사람들이었으니 야릇할 것은 없었다. 그런데 곁으로 다가온 여인의 얼굴을 확인하는 순간 놀람과 경직이 몸을 돌하르방으로 만들었다. 걸음을 당기며 재차 확인을 거듭해도 틀리지 않았다. 쿵쾅대는 심정을 누르며 불안한 말을 조심스레 건넸다. 그러자 그녀도 놀람은 다르지 않았다. 사실 좁고 좁은 게 세상이란 반응이었고 감격은 포옹으로 겹쳤다. 물론 탄식하듯 그녀의 숨소리는 턱까지 치밀었다.

"이게 꿈은 아니겠지요?"

"그래요. 운명은 독안에서도 피할 수 없잖아요."

그도 참을 수 없다는 듯 안긴 팔을 조이지 않을 수 없었다. 순간 그녀도 숨을 터트렸는데 아직은 환희를 지우지 않았다. 사실 공항은 많은 사람들로 넘쳤고 환영도 없지 않았다. 입맞춤과 탄성은 간간 폭죽처럼 터졌다. 그러니 그 모습은 기이하지 않았고 호텔을 향하는 것으로 이어졌다. 물론 걸으면서도 이 만남은 마귀의 장난이라 여겼다. 물론 아직은 보이지 않은 숙소이지만 기대도 작지 않았다. 다만 예전의 약속도 떠오르며 책임을 느꼈다. 더군다나 그녀도 지우지 않았다는 듯 어색함을 날렸다. 그리고 나란히 오른 정류장의 리무진에 기사에 눈길을 주었다. 이내 출발한다는 말에 두 사람은 자리에 앉은 후도 손도 놓지 않았다.

"이리 만난 게 운명이지 않겠어요?"

"아무런 말도 소용없어요. 사실 지금도 경황없지만 숨을 쉰다는 것도 벅차고 손은 땀이 나지만 감각이 달아났지 않겠어? 물론 이곳을 찾은 까닭은 모르겠지만 이리 되었다는 것은 운명이 맞당 게요."

"호호, 그래요. 물론 처음은 우연이라 여겼지만 그건 만날 까닭이지도 않고는 또 설명할 수도 없잖아요?"

"그게 무슨 말인지."

"예전에 약속한 것이 오늘에야 진정 이루었단 생각이지요. 지난날 사랑을 언약하지 않았어요?"

"하도 경황이 없어 뭐라 말했는지 모르겠지만 그래도 만남으로 심장은 쿵쾅거리고 숨은 헐떡이니 거짓은 아니당 게요."

사내가 던진 대답에 여인은 깔깔대었고 잡았던 손도 이젠 놓았다. 그러나 운전수의 얄미운 눈길은 동정을 놓지 않았으니 수상함도 많았다.

"여행을 시작한 지는 조금 되었고요. 이웃을 다니며 좋은 풍경에 추억도 남기고 인연을 따르며 휴가를 즐기는 중이에요. 하지만 이곳처럼 정겨운 느낌은 처음이고요. 그래서인지 고향의 맛과 바람의 향기도 같거든요."

"그럼 고향은?"

"이젠 이웃이지요."

"그 말에 동의할 것 같군요."

"그리 한다 해도 하는 수 없고요. 하지만 이젠 잊은 곳의 고향도 찾을 걸요."

"진정이야?"

버스는 다시 굽은 길의 곡선을 돌았고 그녀는 자연히 몸을 기대었다. 물론 너른 좌석에 작은 몸이라 굽이의 회전을 즐기는 인형이었다. 이내 사람들도 정류장마다 오르고 내렸다. 그들의 목적은 달랐지만 목적한 호텔은 아직 멀었다. 눈에 들어온 호텔의 로비엔 많은 사람들이 보였다. 그녀는 몇 번 정차를 해도 내리지 않았다. 물론 곁에 사내와 순서를 다투는 것 같았다. 이내 그녀는 지갑의 명함을 꺼냈다. 그녀가 묵는 호텔이었다. 그런데 눈을 키운 사실은 호텔이 이웃이었는데 거리는 오 분을 넘지 않았다. 그녀가 이내 말을 꺼냈다.

"이런 말을 해야 하지는 모르겠지만 사연이 없었던 것

은 아니었어요. 물론 더는 일에 매일 수도 없었으니 휴식
을 갖자는 게 솔직한 심정이었고요."

"어떤 변명도 이젠 필요하지 않아요."

주변엔 어둠도 찾았고 순간 따라올 여자의 생각도 떠올
릴 수 없었다. 더군다나 이런 만남을 알기라도 한다면 실
망은 고사하고 파산일 것이었다. 물론 그녀는 상대를 너
무도 잘 알았다. 그러니 줄에 매달린 거미처럼 조심스러
웠고 기적은 환영만 같았다. 그런데 그 환영이 안개이지
않았고 미모도 달랐다. 사실 편안의 기분보다 화려에 놀
라웠다.

"거의 다 왔어요."

"이웃한 곳이군요."

"조금도 어렵게 생각하지 말아요."

물론 위안으로 말을 건넸지만 심저의 우려도 남았다. 이
제 양쪽 길은 혼미이지 않을 수 없었다. 물론 어떤 선택
을 할지 모르겠지만 결과는 하나일 것이었다.

"다음에 봐요."

"그래요."

그녀의 걸음은 출입구로 옮겼고 가방을 전하려는 기사
는 자리서 일어섰다. 물론 그녀가 건네는 어색한 말도 신
선했는데 화려한 복장은 극치를 더했다. 더군다나 상대의

사내완 전혀 어울리지 않단 투였다. 이내 그녀는 호텔로 들었고 잠시 후 버스는 다음을 향했다. 그리고 그도 호텔로 들어서며 정신을 차렸다. 그런데 카운터의 직원이 건네는 말이 충격적이었다.

"먼저 도착한 분께서 잠시 외출하겠다며 방을 비웠지 않겠어요? 그러며 건네는 말이 잠깐만이라고 했거든요."

그 부탁에 조금은 당황했지만 실망은 지웠다. 물론 그녀가 선착한 까닭은 모르겠지만 비운 사정도 다행한 까닭이었다. 그러며 문득 든 생각이 무슨 급한 일이 있었냐는 것이었다. 그렇다면 그녀도 제주와 무관은 아닐 것 같았다. 그는 기다림이 싫단 듯 도로로 나왔다. 도로에는 많은 사람들이 줄지어 가는 곳에 경기장이 있었다. 그는 이웃한 소로를 보고 향했다. 물론 가까운 곳이 바다란 듯 파도의 소리가 걸음을 당겼다. 그렇게 잠시 걷는 데 야릇한 소리의 북과 꽹과리가 마음을 끌었다.

'무슨 소리이지?'

'맞아, 굿이야!'

'그런데 이상한 것은 지금이 어느 때라고 아직도 저런 미신에 현혹되었는지 알다가도 모르잖아?'

불만에 관심을 더했고 마땅히 정한 곳도 없었으니 걸음은 처소를 찾았다. 가까운 곳 너른 터에 검은 바위가 드

러났다. 물론 그곳에 멍석을 펴고 몇 사람이 요즘 보기
드문 굿에 정신이 없었다. 물론 주변은 파도가 간섭과 어
둠까지 밀어 넣었다. 그러나 굿을 하는 무녀에겐 파도에
섞이는 북의 장단과 춤이 다행이지 않을 수 없었다. 물론
소음도 지우고 사람들도 외면이었으니 비밀로는 안성맞춤
이었다. 너른 바위는 파도를 맞으며 버티었고 파도는 결
코 지지 않겠다는 듯 연신 두들겼다. 그러니 무녀의 신명
도 더하지 않을 수 없었다. 거기에 가까운 경기장의 함성
은 위로처럼 들렸는데 나뭇잎이 흔들릴 정도였다. 하긴
경기는 승부를 반드시 가리는 법이지만 굿은 언제나 신명
만 전했다. 아마 굿도 그러한 인간의 속사정까지 배려했
는지도 몰랐다. 시주인은 무녀에게 연신 소원을 빌어대었
다.

"아무렴요. 신장님이 아니고야 어찌 이 한을 풀어주겠어
요."

한이라는 말에 미간을 찌푸리지 않을 수 없었다. 사는
일이 다 싸우는 일이고 패한 자는 가진 것도 잃으며 목숨
을 잃었으니 한만 같았다. 사실 이런 자리까지 온 사정은
어둠만 같았다.

"원수를 사랑하라지만 한은 그럴 수 없잖아?"

"네. 그럼요. 드러낼 수 없는 억울한 죽음뿐이었으니까

요."

잠시 시주인의 흥분된 말을 흘릴 수 없었다. 걸음이 굿판으로 거리를 좁혔고 사연도 나직이 들렸는데 바람은 방해를 굽히지 않았다. 하지만 관심의 눈길에 굿은 멈추지 않았다.

"하지만 이젠 억울한 한이라도 슬픔에만 묻히지 말고 이 굿으로 한을 풀게 되었으니 더는 보복심을 거두어야지. 세상을 살다보면 옳고 좋은 일만 있는 게 아니잖아? 더군다나 이렇듯 억울한 일에 생사도 걸리게 되고. 하지만 신장님은 이를 누구보다 잘 살피고 계시지. 그래서 억울함은 굿으로 풀고 사악은 판결로 무저갱에 던질 것이니 억울할 것도 더는 없잖아?"

"네, 네. 그렇고말고요."

시주인은 합장한 채로 연신 허리를 굽혀 복종했다. 그리고 무녀는 마치 신장처럼 호령을 내렸는데 관객은 쉬 동의하지 않았다.

'이런 짓이 미신이라지만 지푸라기라도 잡지 않을 수 없는 사람은 외면할 수도 없잖아? 물론 공수라고 전하는 무녀의 말도 믿을 것이 못되지만 이건 검증을 받을 수 없는 협박과 다르지 않잖아?'

"방해꾼이 누구야? 거룩한 굿에 적어도 예의는 차리지

못할망정 관람을 허한 것은 배려인 줄도 모르잖아? 적어
도 이 땅의 자식이라면 잔치를 구경할 요량이면 예의의
겸허는 물론이고 부정한 마음까지 씻지 않을 수 없는 데
자신의 대들보는 돌아보지도 않은 채 남의 티끌에 빈정거
리다니. 더군다나 지금은 신장님이 은혜를 내리려는 순간
이었는데. 마귀의 훼방이 아니었겠냐고?"

'이런 걸 처녀가 애를 낳아도 한다는 변명인가.'

반항은 사라지지 않았다. 다소 분개를 잘하는 버릇은 잘
못이지만 포기치 않겠단 인내는 자랑이었다. 물론 걸음도
조심스러웠고 춤추는 무녀의 굿에 방해의 뜻은 없었다.
다만 여유의 시간에 관심을 쏟은 굿이고 까닭에 관심은
살피기 위함이었다. 물론 이곳저곳 바위를 돌며 춤을 추
는 무녀의 지전은 눈꽃이었다.

22

사실 굿판을 벗어난다는 것은 쉽지 않았다. 그건 자의도
아니었으니 미련을 잡았다. 예전은 인간의 축제나 대소사
에 알 게 모르게 행했었다는 것은 사실이었다. 하지만 지
금은 미신으로 치부되었고 간간 소란도 없지 않았는데 순

간에 만난 굿의 진실은 덤이었다. 환영은 다시 무녀를 그렸는데 손에 지전을 흔드는 모습은 신을 닮았다. 그러니 흥이 나지 않을 수 없거니와 기원은 당연함이었다. 그렇게 반복을 하던 중 주인의 얼굴도 그려졌다. 물론 인사를 건넬 사정도 아니었으니 굿의 사설이 공간을 채웠다.

"신이로세. 신이로세 넋인 줄 알았더니."

'원통한 그 넋? 그런데 어느새 신이라고?'

"신이로세, 신이로세 신인 줄 몰랐더니."

'휘몰아치는 파도소리가 언제나 방해꾼이지. 보이는 건 어둠과 춤사위뿐이니.'

불만에 젖으며 당긴 걸음을 무녀는 나무라지 않았고 춤으로 굿을 절정으로 몰았다. 춤은 처음은 약하더니 나중은 노도와 같았고 이내 잔잔한 바다의 수면처럼 어느새 적막함으로 접어들었다. 그러니 사설의 목청도 조금은 가늘어는 참이었다.

"넋이로세 넋이로세. 넋인 줄 몰랐더니 오늘 보니 넋이로세."

'넋? 그럼 신은 뭐였지?'

"신이로세, 신이로세. 신인 줄 몰랐더니 오늘 보니 신이로세."

반복된 말에 혼동과 경외를 느끼는 순간 무녀의 손짓은

잠시 멈추더니 지전으로 주인을 훑었고 시주인은 장승이
었다. 그러며 흐느낌을 참을 수 없다는 듯 눈물도 흘렸는
데 어느새 지전을 적셨다. 물론 사연은 자세히 드러나지
않았으나 한의 비분은 바다색을 닮았다. 아무리 보아도
바다의 심저는 알 길도 없었지만 절대적인 힘은 가능만
같았다. 하지만 그건 굿의 피상이란 생각에 무녀의 굿도
미혹일 뿐이었다. 잠시 그렇게 사색을 잇는데 여인의 합
장은 소원을 더했다. 물론 무당과 여인은 객도 나무라지
않았다.

"이런 일은 증인도 필요하잖아?"

"그럼요. 간증을 많이 하잖아요."

시주인의 만족에 당혹감을 느꼈고 참여의 뜻은 바람에
날렸다. 사실 해변에 굿은 관심이지도 않았지만 우연은
놔두지 않았다. 그제야 한가할 까닭이 없단 생각은 당연
이었고 가까운 호텔에 동정도 살폈다. 물론 가까운 곳이
라 서둔다면 채 오 분도 걸리지 않을 거리였다. 더군다나
부탁도 받은 사실은 불안이지 않았다. 다만 허전의 까닭
은 위로일 뿐인데 굿이란 양념까지 더했다.

'하긴 살다보면 억울한 일이 없지도 아니잖아? 그런데
이런 짓이 아니고는 풀길이 없는 한이란 무엇일까? 살다
보면 이익의 손실이란 다반사여 정녕 정의를 부정할 일도

아니지만 설령 그렇더라도 그것은 용서라는 대의의 품안이지 않을 수 없으니 그것은 아니지. 그러니 지금의 사정은 일월의 광명이고 시주인도 그것을 모르지 않겠지. 그러나 원한이 바다처럼 깊고 크다면 지푸라기라도 잡지 않을 수 없으니 굿이었지 않겠어. 그러니 더는 관여할 까닭도 없잖아?'

'아니지. 아무리 무지한 여자라도 그 마음이 아니고는 어찌 가슴의 한이 풀리겠으며 굿을 청했겠어. 그리고 사랑은 고래로부터 신의 의지이고 훗날까지도 불변할 진리이지 않겠냐고. 하지만 인간의 상심이 얼마나 컸으면 그 지푸라기만 잡을 생각이었으니 결국은 사랑이란 거짓이란 말인가. 그러니 진정 죄인을 심판하고 의인을 구분해내지 않는다면 사랑도 무의미이지 않을 수 없으니 구원이란 황당함이란 짓이지 않겠냐고.'

'그럼. 애초 그 악연을 부른 까닭도 모르잖아? 다행인 것은 시주인의 고백으로 진실은 드러났지만 결과는 그걸 보여줄 수 있겠는지.'

'아쉽게도 그것은 장막의 안의 일이라 고증이 불가하지. 그러니 결과와 원인도 무위이고 또 한으로 남지 않을 수 없으니 그 짓은 무위이요. 그리고 원한은 사랑으로 풀지도 못할 굿이지 않을 수 없잖아.'

'위안이 아니라 씨만 남겼군. 그런데 한이란 것도 용서와 사랑만이 해결인데 그럴 생각은 없는지 묻지 않을 수 없군. 그게 원수를 사랑하라는 까닭이잖아.'

무녀는 이내 시주인의 아픔 가슴을 쓸며 머리카락도 풀어헤쳤다. 물론 기이한 행동인지라 눈길은 외면하지 않았다. 그녀는 스스로 물보라를 피하며 걸음을 옮기더니 분명 어둠에 묻혔다. 그러자 시주인도 다시 손을 비비었다.

"다음은 부디 좋은 집안에 태어나길."

그는 자신도 모르게 걸음을 돌리며 굿을 떠났다. 더는 시간을 끌 여력이 없었다. 그런데 남은 시주인의 탄성은 귓전을 잡았다.

"아직도 널 사랑한다."

무녀가 나뒹군 굿판은 정리를 서둘렀고 걸음은 순간 호텔로 향했다. 물론 뒤에 시주인은 감사한 듯 허리를 연신 굽혔다. 물론 답례도 바라지 않았다.

이내 걸음의 속력을 높이는데 무녀의 사설은 마지막으로 귀를 때렸다.

"푸른 청강 위에 두둥실 떠난 배야."

'배라고? 어둠에 배는 보이지도 않잖아?'

"뉘 배에 뭐가 실렸던가?"

본능적인 생각이 해적도 떠올렸고 그들이 원한 것은 약

이었다. 물론 약은 미리 판 탓으로 빼앗기진 않았지만 대신 총알의 세례를 받았다. 물론 상흔에 생사의 고비도 넘었다. 그 후유증으로 지금도 약간의 절름발이가 되었다. 그런데 더한 미혹은 사설에 방해이었다. 물론 바람도 굿을 좋아하지 않단 생각은 모독이었다. 하지만 그것이 아니라면 굿은 무용일 터였다. 그러자 우렁찬 사설이 망상을 깨트렸다.

"은제 옥궤 실렸음에 은제 옥궤 열고 보니."

번갯불처럼 스친 환영이 상자를 열고 보니 약은 없었다. 그리고 선물로 받은 칼이 있었는데 그것은 진품이라기보다 값나가지 않은 모조품일 터였다. 하지만 보물이란 선물로는 제격이었다. 그래서인지 서운함도 있지 않았다. 하긴 보물은 어느 때나 고가일 터였다. 다만 진가를 아는 것은 무녀의 사설이었다.

"신농씨 항해하시던 약수오실이 실렸더라!"

신이라면 모르겠지만 신농씨란 말은 예전 부모에게 들은 말이었다. 그땐 물론 귀신이 씨 나락을 까먹는 소리로 치부했지만 지금은 그렇지 않았다. 시골의 무지렁이가 그런 주문을 알았다는 사실에 자책을 하지 않을 수 없었고 배는 은하수를 이내 건넜다.

드디어 호텔의 정문에 들어섰고 굿도 이젠 현실로 바뀌

지 않을 수 없었다. 그러니 한바탕 굿을 한 것은 무당만이 아니었다. 그의 굿인 듯 흥분에 그를 맞이한 사람은 약속한 사람이 아니라 뜻밖의 기녀였다.

"여기를 어찌 알고?"

"넓고 좁은 게 세상인데 어찌 곁에 두고 독방을 지킬 수 있겠으며 찾아오길 기다린단 말이죠. 더군다나 난 그간 사정이 사막을 건너 목이 마른 지가 오래되었지 않겠어요."

"싫은 말은 아니지만 기대한 사람이 아니라서."

"기대한 사람이 아니라면 나 이외에 또 여자가 온단 말인가요?"

"그럴 사람도 아니지만. 그러나 먼저 자리를 잡은 사람은 권리가 있지 않겠어."

"진심인지는 모르겠지만. 사실 이곳에 온 일은 그대와 약속한 사항도 그렇지만 이곳을 방문한 뜻도 더하지 않을 수 없잖아요? 더군다나 지난날에 맺은 언약도 만리장성일 터이고 기다림도 있을 테니. 마무리를 짓는 건 당연하지 않겠어요?"

아예 눌러앉을 태세였다. 하긴 호텔의 객실이라 주인은 정한 이도 없었다. 기녀는 어깨의 가방을 탁자에 놓고 침대 위에 엉덩이를 밀며 다리도 꼬았다. 물론 익숙한 듯 이곳이 편하단 말이었다.

"사실 이곳을 예정하진 않았어요. 그런데 뜻밖의 제의가 들어왔고 이만한 곳도 없다기에 동의했으니 그것은 조상도 그랬으리라 믿게 되었고요. 또 산과 들, 초목 또한 내 고향과 다를 수 없는 곳인데 어찌 주저하겠어요."

"사실 내내 얼굴이 떠나지 않았으니."

"고맙군요. 분명 그런 말을 던진 데는 기대감이 있단 사실이겠지요. 그러나 이젠 그 진실이 힘을 잃었고요. 다른 사람이 있다니. 아마도 마귀의 홀림이 아니었던가싶어요. 하지만 그런 건 겁나지도 않지만 언약까진 잊지 않았겠죠?"

"흐흐. 물론이요. 사실 이런 만남은 전생부터 이어진 사랑이 아니라면 어찌 이런 만남이 되겠어요."

"공연한 걱정은 없지만 더는 서로의 구연에 연연하여 미래를 망가뜨리지 말아야 하잖아요?"

"옳은 말. 사랑은 시종이 하나였으니."

"그래요. 나도 그간 환영에 현혹되어 실수를 거듭했지만 사실은 약이 되었어요. 그러며 새삼 확신이 드는 건, 사랑은 하나이자 모두에게 같단 생각이 들지 않겠어요?"

"모두요?"

의혹을 더하는 순간이었다. 물론 그녀는 답답한지 웃웃

을 벗어 침대에 던졌다. 사실 그녀를 접하는 것만으로도 머릿속은 네온처럼 빛을 발했다. 물론 이런 천사를 만난 건 기적이었다. 사실 사정까지 따지지 않는 포용은 범상을 넘었다. 더군다나 그녀는 귀천도 가리지 않았다. 물론 호주머니의 사정이 시간을 더하고 줄이게 만들었다. 그건 정직함이 거짓을 배척한 결과였다. 그녀는 입술을 누르며 옛정을 상기했다. 이웃한 곳의 소란이나 구호도 경계하지 않았다.

"이렇게 좋을 수가?"

"깊은 심장까지 녹을 것 같은데 이렇게 인고의 시간을 즐긴다는 건 모독이지 않을 수 없으니. 우선 나 하나의 소망이 이루어졌지 않겠어요."

그러나 대답은 필요하지 않았고 두려움도 없었다. 더군다나 아슬아슬하게 마주친 입술은 술잔이었다. 그리고 사랑을 확인하겠단 심화는 다급함이었다. 그래서 처음은 미약하지만 이후는 월담도 즐길 태세였다. 하지만 뒤에서 터진 강력한 음성은 벼락이었다.

"이게 무슨 추태요? 이런 모습을 보이려고 살기도 벅찬 사람을 불렀단 말이요?"

"누군 놀러온 줄 알아?"

"그러는 넌 누구지?"

대답을 미루며 사내의 표정을 살폈고 사내는 기겁한 탓에 대답도 쉽지 않았다. 기녀는 첫눈에 상대를 알았다는 듯 눈길도 초름한 채 자리를 넓혔다. 그리고 공간이 넓어지자 눈짓을 더했고 응답은 거절이었다. 물론 위기의 타결이란 전쟁뿐이었다. 그러나 그런 전쟁은 무기가 별도로 필요하지 않았다. 심저의 증오에 수족이면 충분했다. 물론 전쟁은 육박전보다 스릴이 있는 게 없었다. 둘은 예의도 모르는지 호흡을 조절했다. 물론 상대의 준비도 다르지 않았다. 다시 건넨 의도는 사전제압이었다.

"이곳이 어디라고. 그리고 보니 침입자이잖아?"

"그런 넌?"

"주인이지."

"집을 비운 주인은 관심도 없지만 분명한 건 진정한 주인인 사내의 초대였지."

사내의 눈길은 경악도 띄었다. 물론 이런 대화를 예상하지 못한 무지도 있었지만 전쟁에 낄 수도 없었다. 더군다나 침탈에 반격은 생사를 걸 일이었다. 물론 한 눈에 벌어질 육박전도 멀지 않았다.

"초청을 받은 것은 나도 다르지 않으니. 그래도 이런 침입은 예전부터 반격은 필연이지 않겠어? 사실 올 적도 마음도 반신반의했으니 결과도 같지 않을 수 없으나 더는 물러설 수도 없지 않아?”

“그렇다면 내가 물러서란 말이겠지만 우린 이미 사랑으로 한 몸이 되었단 사실을 아는지. 물론 사랑하지도 않는 사람에겐 동정심도 달아났겠으니.”

“사랑? 하지만 그런 것이라면 네게 질 나도 아니지. 옛말에 나 먹기는 싫지만 남 주긴 아깝다했는데 더군다나 침탈하려는데 빼앗길 수 있겠어. 저자를 무저갱으로 보낸다면 아마도 양보하지 않을 수 없겠지만. 그러나 침입자의 버릇도 놔둘 수 없잖아. 더군다나 이곳은 조강지처를 제일로 여기는 땅이잖아.”

“조강지처는 무슨 개뿔. 팽 당한 주제에.”

“내입으로 사실을 다 말할 수 없지만 중차대함은 고래로부터 천한 대접이 필수였잖아?”

“귀신이 씨 나락을 까먹는 소리라 흘리겠고. 더군다나 사랑도 모르는 무지렁이잖아?”

“정녕 사랑을 그리도 잘 알아?”

“식은 죽이지. 사실 난 불같은 사랑을 만민에게 하나같이 나눠주는 사람이라 금궤 옥궤까지 받았잖아?”

“금궤 옥궤라고?”

들어서는 아니 될 말이라는 것도 참을 수 없었다. 하지만 기녀의 금궤옥궤에 토로는 더 참을 수 없다는 듯 주먹이 앞섰다. 물론 침입자의 응징에 분노를 실었다. 물론 기녀 또한 가만 당하지 않겠다는 듯 머리채까지 틀어쥐었다.

"네가 맹약을 들어보았어?"

"맹약? 너에게도."

그 말에 가슴의 숨통이 막히며 게이샤의 목을 감지 않을 수 없었다. 그건 두 마리의 뱀이 엉긴 것과 다르지 않았다. 물론 싸움은 끝을 몰랐다. 물론 게이샤도 젊음에 힘까지 상대에 못하지 않았다. 물론 그건 육식을 즐긴 탓으로 가난에 빈궁을 짓밟을 순간이었다. 그녀의 단발마도 순간 날카롭게 따랐다. 그러자 방어의 얼굴은 먹빛이 되었다. 한숨이 필요했다.

"이웃으로 서로 지옥까지 동행할 순 없잖아? 그건 지혜도 아니거니와 무지로 공멸된단 사실이지. 그러나 사랑을 단련한 사람은 다르니 이런 정도로 맛만 알렸지 않겠어. 더군다나 이웃도 힘이 좋거니와 사랑의 갈증도 지존이지 않을 수 없으니 그만 타협하자고."

"뭐라고요? 타협?"

"그것이 싫다면 썩 꺼지던가?"

"그것도 싫다면?"

"넌 구원이 불가한 천녀일 뿐이지."

"천녀? 그래, 넌 만사 년이라 남의 사내도 호리고 자신의 고귀도 그렇게 버렸구나. 그러나 난 사랑이 그렇게 천박하지 않은 걸?"

"뭐라고 네가 그렇게 사랑을 잘 안다고? 그래서 사내가 이렇게 도망을 치게 만들었어?"

"그렇다면 그건 사랑이 아니라 환영의 현혹이지 않을 수 없잖아?"

"뭐야. 그래도 뼈다귀는 남았다고."

"하지만 나도 타협은 좋아하지. 싸움이 상처뿐이지 않을 수 없으니 평화라는 게 순리잖아? 그래서 머리가 다 뽑혀 중이 되지 않으려면 조심도 필수이지."

"어쭙잖은 말이군. 아직도 화장과 사실도 구분하지 못하니 천박한 년이."

"정녕 천박함이 무엇인지 보여줄까?"

23

꽃의 전쟁은 일촉즉발의 선으로 접어들었다. 물론 휴전이란 종전도 아닌지라 작은 불씨에도 온 산을 태우는 당연이었다. 물론 호적수는 상대의 능력을 첫눈에 선제공격이 급소란 생각이었다. 하지만 첫눈에 상대의 기를 제압하려는 투지를 아는 것도 다르지 않았다. 그러나 싸움은 사생결단의 일전에서 버티기이지 않을 수 없었다. 그러니 육박전보단 화술이 제일이었다. 그러나 불꽃이 뛴 바닥은 번질 수밖에 없고 똥개도 안방에서는 으르렁대었다. 그러니 침입자의 투지를 자극하기에 충분했다.

"꼬락서니를 보아하니 어디 바닥을 굴러먹다가 애원을 청하러 온 천녀인지 알겠군. 그래서 얼굴의 반반함을 앞세워 사내를 여럿 죽였겠고. 하지만 그게 진정 사랑이진 않잖아?"

"사랑? 진정 네 년이 거론하는 사랑이라는 게 싫다고 떠난 사람의 바짓가랑이를 잡고 늘어지는 짓이었어?"

"뭐야. 떠난 사람?"

"직접 물어볼까?"

"네게는 그 대답이 위안이 되겠지."

"아니. 난 결코 네가 한 그 사랑보다 심대하지 않고는 사랑이라도 거론하지도 않거든."

"심대?"

"그렇지. 비록 나방처럼 불꽃을 찾아 몸을 사르는 모습이지만 내막이 있지 않겠어? 내겐 불꽃의 정열이 천박함이지 않거든."

"모습이 여우가 양탈을 썼구나."

"가소로운 천박함. 미천한 처지의 인생에 그래도 위안인 것은 사랑을 속삭인 사람의 의지이겠지만 나는 일찍 그런 사랑을 지웠지 않겠어?"

"제법인데?"

"옳지. 이제야 말귀가 트이는 모양이군. 그러나 초입이니 잘 들으라고. 사랑은 처음이자 마지막이며 그것이 아니고는 지옥을 벗어날 길도 없잖아."

"그래도 주워들은 건 많아 너불거리는 입이 누가 천녀가 아니랄까봐."

"이웃을 구제할 성모이진 않고?"

"네 년이 그렇다면 난 무엇일까."

"무엇이긴. 흙탕물에 빠진 무지렁이이지."

"호호. 그런 네 년이 진정한 사랑을 맛보기나 했겠어?"

"아니? 너 같은 사랑은 치졸함이지."

그러잖아도 분통한 심정에 사내도 동의하지 않아 신경이 바늘 끝이지 않을 수 없었다. 더군다나 기세를 빼앗긴 뒤라 더 지지 않으려는 투지는 가슴을 채웠는데 실내는 폭풍전야이었다. 더군다나 미모의 초라는 결코 이길 수도 없겠다 불안을 기름으로 부었다. 이젠 곁의 사내가 보란 듯 상대의 급소를 찌르겠단 침도 삼켰다. 그리고 맞선 두 사람의 힘에서도 밀리지 않겠다는 듯 재빨리 걸음을 물리었다. 하지만 여자들의 맞댄 몸은 응징의 마력을 더했다. 상체의 가슴끼리 부딪치며 가슴이 열렸고 드러난 피부는 누에의 살결과 천도였다. 물론 탄성은 자연이었다.

"어디서 굴렀는지 알 필요도 없지만 사내의 혼을 후릴 몸매는 분명하군."

"그런 너도 촌년으로 살긴 아까워. 비록 운이 비색해 촌구석에서 구른 처지이나 탄력은 그만이야. 그러니 내게 뜻을 전하는 게 도리였지 않겠어. 그리고 그건 우리가 이렇게 다투는 핵심이라면 언제까지 무지몽매할 순 없잖아?"

"사랑을 그리 쉽게 너불거리는 년이라 생각했지만 하는 짓은 인간의 혼도 후리고도 남겠고."

"그럼 사실을 보이겠으니 잘 보라고. 내가 사랑한 것은 사내이라기보다 운명이지 않을 수 없는 까닭이고 그러니 보석을 진흙에 묻을 순 없지. 더군다나 저 사람과 난 천박하고 굴곡진 걸 펴보려는 의도였지 않겠어?"

"의도?"

"이제와 부연할 까닭도 없지만 네가 패배를 당한 절망을 알기에 일러주는 게야. 그래서 하는 말이지만 우리의 싸움도 심판받지 않을 수 없으니. 물론 그렇다면 네게 승리하지 못한다면 곱으로 억울하잖아?"

"심판이란 좋은 것이지."

"그럼 귀를 쫑긋 세우고 들으라고. 솔직히 내가 이곳을 온 것은 운명의 희롱을 끝내려는 것이었지. 물론 사내도 동의한 누구도 함부로 도전할 수 없는 과제이잖아. 물론 그러한 진실을 알지 못한 장님에겐 마이동풍이겠지만."

"그럼 소임이라고?"

"장님이 아니라 눈은 튼 인간이단 말이군. 그러니 서로 의 분을 몰아내고 진정 사랑을 드러내지 않는다면 개싸움 으로 끝날 일이지. 그런데도 아직 힘자랑만 고집하려는지 모르겠군."

"고집? 그래 옳은 말이야. 이건 사랑의 참모습이 아니라 는데 동의하지."

"당연한 말. 누구라도 진정한 사랑엔 항복하지 않을 수 없거든."

"동의하긴 싫지만 사랑이 제일인 건 맞아."

"나도 사랑이 시종이라고 말은 했지만 아직도 철부지는 흑암을 구분하지 못하잖아. 그러나 어찌 보면 누구라고 다르겠어. 비록 모습과 내용은 같을지라도 마음이 관용하 지 않고는 황망에 빠질 것이니 어찌 빠져나갈 수 있겠느 냐고."

마주한 가슴을 떼자 열린 옷이 흐르지 않을 수 없었다. 더군다나 다가선 여자의 몸매는 미끄러웠고 같은 사정의 미모를 인정하는 순간이었다. 비록 이웃의 여자이지만 미모는 제일이지 않을 수 없었으니 자신도 숨길 까닭이 아니었다. 물론 여자들의 공간이었으면 강력한 가슴이 드러나고 포옹은 당연이었다. 물론 곁의 사내가 지킨 탓으로 이도 어려웠는데 순간 기녀의 재빠른 민첩함이 앞섰다.

"생각보단 좋고 빠른 긍정이지 않겠어?"

"이해?"

"사실 이런 전쟁으로 남는 건 상처일 뿐이지만 결코 그것은 마지막일 수 없단 게 장벽이잖아?"

"싸움이 아니고 어찌 승부를 진정 가릴지도 모르겠지만. 그러나 싸움보다 나은 방법이라면 따르지 않을 수 없지. 기실 믿을 수 없는 사람이지만 외면할 순 없지. 더군다나 이런 사내에게 한때나마 사랑이란 것도 주었으니 패배보다는 아량에 명분이 좋지 않겠어."

"그럼 사랑은 독이었군."

"그게 원죄란 게지."

"원죄를 언제까지 지고만 있을 일도 아니니 이제는 용서를 드러낼 때이잖아."

타협을 이룬 행동은 이젠 옷으로 손길이 따랐다. 물론

당돌한 행동이라 제지하지 않았다. 그리고 아미 드러난 황홀을 바라보는 눈길은 경탄뿐이었다. 사내는 그들의 행동을 만류할 생각도 없다는 듯 입가와 눈에서 황홀을 밝혔고 거울에 비친 기녀의 모습은 신의 예술이었다. 물론 기녀의 몸은 요부를 가리었으니 아직은 일렀고 상대는 애초부터 경직뿐이었다. 물론 아직도 자신의 나신을 드러내지 못한 유약도 사실이었다. 하지만 자신의 나신에 유약은 금물이었다. 예전 목욕탕의 거울로 본 적도 있었으니 경탄의 모습은 다르지 않았다. 물론 보는 사내와 수줍음이 자신을 잃게 만든 것도 사실이었다. 하지만 지금은 전쟁 중이었다. 기녀의 몸매라고 겨루기를 포기할 수도 없었다. 순간 그녀도 자신의 옷자락을 내린 게 실수이었다. 더군다나 그녀에지지 않으려는 오기는 펼쳐진 명석에서 신바람이지 않았다.

"아직도 숨기고 싶겠지?"

"그것이 도리이잖아?"

"아니지. 그건 치졸함이 아닐까?"

"그곳의 풍습은 드러내는 게 자랑인지 모르겠지만. 사실 진정한 사랑은 숨기지 않을 수 없지. 나누고 즐기는 짓은 음식으로 되지만 진정의 마음은 드러내지 않고도 알 수 있는 게 아니겠어?"

"호호. 이제야 네 년이 무엇을 숨긴지 알 것 같군. 사실 그것은 사랑이 아니라 죄악이지 않을 수 없었고 실망에 까닭이었으니 진실을 진정 고백하길 주저한다면 이웃의 도전을 이기지 못할 게 분명하잖아? 그리고 그 용기는 결코 천박함이 아니라 힘이고 변신으로 끝까지 마지막일 것이니 어찌 이를 거짓이라 말할 수 있겠어. 그러니 진정한 고귀함은 숨기지는 말아야지."

"핑계가 요란하군. 하지만 네 식견을 나무랄 순 없지만 이 땅의 풍습은 하루 이틀에 쌓인 것도 아니거니와 누구도 함부로 흔들거나 부술 수 없는 천지탑인 걸?"

"그게 무슨 궤변이지?"

"사실은 나도 그간 은밀함을 본능으로 알았었고 그게 장막이라 생각했지만 네가 그걸 알려주지 않겠어. 이젠 너처럼 조상의 뜻이 고맙기도 하지만 더군다나 멍에를 벗기고 진정한 자유를 얻었다면 이것이야말로 진정함이 아니겠는지?"

"그것이 진정이라도 넌 가련할 뿐이지. 그리고 그렇게 아름답고 행복한 세상을 그토록 고통과 인내만 빨지 않을 수 없으니 이를 어찌 자유롭다 할 수 있으며 잘 살았다고 말할 수 있겠느냐고."

"제법이군. 하지만 난 동물과 사람을 구별하자는 것도

아니지만 고난의 인내를 감사하게 받아들이고 버티지 않고는 기쁨이 허망일 뿐이며 결코 참일 수 없단 게지. 그리고 덧붙여 말하면 사내란 그런 사랑보다 네년의 사탕에 현혹되지 않을 수 없었겠지만 난 미워하지도 않아."

"그럼 네년이 부처라도 된단 말이야. 그러나 난 한 가지 분명한 사실을 드러내지만 사실 넌 이내 물러나고 말 것이지. 더군다나 내가 그토록 사랑한다는 사람도 돌아설 테고."

"아니, 어떤 패배를 당하고 모든 걸 잃더라도 그 믿음은 결코 변하지 않아. 그런 걸 믿고 아니고는 그의 자유가 아니겠어."

"자유?"

"그래. 하나 자존심은 있단 게 가상하지. 그런 말을 들을 사내도 있을 수 없고 결코 다가설 사람도 없지. 그게 왼 줄 알아? 사내의 속성이 뭔지도 모르고 사랑을 주기만 바라는 탐욕이 때론 독이 되거든. 사실 살 나날도 길지 않단 걸 잘 알잖아?"

"그러하니 매사 고통에 감사하지."

"점점. 너도 그간 고생이 얼마나 컸고 또 용렬한 생활을 했는지 손금처럼 알겠군. 그건 누굴 탓할 일도 아니지만 뭐래도 참을 향한 순간의 몸부림이라면 관용의 아량은 베

풀 일이지."

"아량은 무슨 뚱딴지?"

"그래. 그래서 자선사업을 할 셈이지."

"자선. 비록 난 그게 무슨 뜻인지 모르겠지만 싫은 말은
아니지. 그간 자책과 고통도 많았으니 위안도 필요하잖
아? 더군다나 사내 냉대는 찜질이었으니."

"그래도 싫단 말이야?"

"상식을 깨는 굿이지."

그때 열린 문으로 도둑고양이처럼 그림자가 스며들었다.
물론 소리도 나지 않았는데 비치는 불빛이 켠 카메라란
걸 알렸다. 순간 당황하지 않을 수 없었는데 기녀는 춤을
추는 무녀와 같았다. 그런데 더 기겁을 한 것은 침입자의
모습이 전혀 낯설지 않았다. 다만 아쉬운 건 그간 요부를
가렸던 모습이 일시에 회복을 강요했다. 물론 순간의 신
음과 눈길은 옷을 올리며 침입자를 살폈는데 기녀의 설명
이 눈앞을 가렸다.

"놀랄 것 없잖아?"

"무슨 짓을 하느냐고."

그런데 더욱 이상한 광경은 기녀가 반기는 태도였다.
그리고 껍질을 감은 모습도 거추장스럽다는 듯 손길이 가
는데 그녀도 동의를 하란 투였다. 물론 기록하는 사내도

손길로 냉정을 원했다. 다만 상대의 여자만이 노기를 지우지 않았다. 그런데 더욱 가관인 것은 기녀는 예정의 행동이란 듯 환영이었다. 사실 그동안 안 세태의 일탈이었고 사태의 재판이란 것이었다. 그런데 사내의 행동도 가관스러운 것은 마치 기다렸단 태도이었다. 물론 기녀의 눈짓도 거듭 독촉을 해댔다.

"뭘 그렇게 게 망설이지?"

"이건 아니잖아?"

"진실로 일대사의 귀결을 논하는 자리인데 무엇의 제약을 받을 수 없잖아. 그리고 언제까지 은밀한 죄악을 숨기는 인간으로 살겠어. 진실은 마술처럼 드러나지 않을 수 없고 예술처럼 질긴 생명으로 영원에 남기지 않을 수 없잖아?"

"이젠 무례도 끝장이군."

"시작도 않았는데?"

그녀는 모욕을 견딜 수 없다는 듯 주저하지 않고 흐른 옷을 올릴 순간이었다. 물론 기녀가 이를 제지했는데 이젠 본 게임을 포기할 수 없으니 동의를 권했다. 그런데 더욱 곤란을 보인 건 사내의 태도이었다. 그간 무엇을 하고 저질렀는지 모르지만 예술이란 말에 환희의 표정도 띠었다.

"이젠 공연하지 않을 수 없지. 인생은 짧으나 예술은 길잖아?"

"절망적인 네 말과 행동이 극단이란 것이지. 그리고 이런 짓은 동물이지 않고는 동의할 수 없잖아?"

"천박하단 말이지? 하지만 이런 사랑이지 않고는 어찌 극락을 알고 무저갱을 벗어나는 길이 가능하겠어. 그리고 이렇게 타오르는 불꽃은 그럼 무엇이란 말이지."

"공으로, 이내 사라질 것이지."

"그게 무슨 헛소리이냐고?"

"아니야. 인간은 누구나 한 번의 실수는 저지르는 법이고 그렇다면 다시 회복해야한단 말이지. 가여운 동물들."

하지만 기녀는 단호한 말을 조금도 인정하지 않았다. 오히려 물러난 그녀의 비겁이 그르단 눈길이었다. 더군다나 게임을 시작도 못한 사내의 불만은 실망이었고 이별로 끝을 알렸다. 더군다나 상실한 기대감의 허무는 시작이었다. 분명 타락한 삶이지만 그건 근본일 뿐이었다.

"이젠 촬영도 끝이야. 사실 이러한 당돌을 생각하지 못한 게 실수이며 아까운 시간만 낭비했지 않겠어?"

"기회는 다음으로."

"그래도 배역은?"

"해고야."

"그래도 탄력은 좋은데."

"하하, 아직도 모르겠어. 이런 일을 하려는 여자들은 바닷가의 모래알처럼 많잖아? 더군다나 생선을 뛰어넘는 새로움과 탄력이 진정 돈이 되는 게지. 더군다나 하도 청하기에 왔지만 꿩도 못 먹고 알도 못 먹었으니 해고뿐이지."

이내 공연은 파장을 맞았고 파장 난 시장은 을씨년스러웠다. 물론 더 야릇한 모습은 카메라맨의 모습이었다. 물론 그녀완 무관했지만 그 사람은 인연을 모르지 않았다. 더군다나 그는 과거의 선장을 맡았던 사람이었다. 기녀와 선장의 사연은 모르겠지만 사업의 인연이었다. 물론 야릇한 시도에 도박은 깨졌다. 그리고 막이 내린 이후는 파장 난 시장처럼 을씨년스러웠다. 빈방에 홀로 앉은 기분은 술로 달래지 않을 수 없었다. 그런데 공연장을 박찼던 여자가 무엇을 잊은 듯 되돌아왔다.

"잊은 것이라도?"

"그래요. 전하지 않은 게 있어서."

"실수를 사과하지 않을 수 없지만 지금은 그럴 수도 없잖아. 그런데 전할 말이란?"

"기대가 이리 실망으로 끝날 것이라 상상도 하지 못했지만 사실 운명이란 것도 거부할 수 없으니. 물론 사실을 설명하기 쉽지 않으니 이리 말하지 않을 수 없지요. 이게 초대의 의미라면 받아들이지 않을 수 없잖아요?"

"그래요. 이젠 부담도 없어요."

"부담만이 아니었던 것 같은데?"

"상상하지 말아요. 사실 나도 이런 일이 벌어질 줄은 꿈에도 생각하지 못했거든요."

"믿어요. 그러나 사실은?"

"사실이란 말이 무엇을 말하려는지 모르겠군요. 그러나 알고 나면 실망뿐이라 차마 물을 수도 없어서 혼자의 술잔이지 않겠어요? 비록 취해 잠드는 순간이 오겠지만."

"그게 그러니까."

"무슨 말이요?"

"형이?"

"만난 지도 오래되었고 소식이 돈절된 나날이 셀 수 없는데 이곳에서 어찌 그런 말을 하는지?"

"아직도 몰라요?"

24

밖으로 나갔던 사람이 다시 돌아왔단 사실부터 심상치 않았으니 불안은 증폭되었다. 더군다나 흐트러진 머리도 여전했으나 중요하지 않았다. 잠시 침묵을 잇던 그녀가 말을 신중히 던졌다.

"내가 함부로 꺼낼 말은 아니지만 너무나도 어처구니가 없는 사건이라서."

"무슨 사건이기에? 그간 내가 무관심했던 게 죄이었지. 사실 그간 지난날도 형의 심화만 긁어댔지 않겠어. 물론 그렇다고 의혹이 해소된 것도 아니었지만."

"그래도 어려울 땐 서로 의지할 사람이 형제이지 않겠어요."

"그런 건 중요하지 않아."

"자세한 것은 나도 모르는 사실이에요. 거기다가 의혹도 풀길이 없는 자식의 죽음이지 않겠어요?"

그녀의 말은 머릿속을 내려친 벼락이지 않을 수 없었다. 물론 예전 굿의 모습도 그랬지만 지금의 말은 벼락과 다르지 않았다. 더군다나 그런 일이 일어난 까닭도 이해할 수 없었다. 그리고 조카는 학교를 다니는 것으로만 알았으니 사고란 말도 이해할 수 없었다. 본시 왕래도 뜸했으니 소식은 돈절이었다. 물론 어릴 적은 그렇지 않았지만 지금은 장년일 터였다.

열린 창으로 나약하면서도 습한 바람이 들어왔고 이젠 파도의 소리도 귀에 들지 않았다. 그간 돈절된 사정이 굿이 될 줄 짐작도 못했다. 물론 그래도 다행은 굿을 본 위안이었다. 하지만 그것으로 안위일 수도 없었지만 지전이 떠올랐다. 사실 지나간 나날은 어둠이었다. 지전을 흔들지 않았다면 별은 보이지 않을 것이었다. 그러나 어둠의 위는 빛나는 별들이 박혀있었다.

"좀 더 자세히."

"시신은 있지만 사인은 모르쇠라더군요."

"그럼 타살이라고?"

더는 대답을 들을 여력도 없었다. 물론 슬픔은 가슴에 담는 게 맞았다. 더군다나 사고의 일이라니 그럴 수밖에 없었다. 하지만 원인은 무작정 지나칠 수 없었다. 하지만 죽은 자는 말이 없고 지켜본 자는 장막을 둘렀다. 그 사실이 원망스러울 수밖에 없는 건 현실과 무관하지 않았다. 그러니 자살이라고 둘러대지 않을 수 없었다. 하지만 반전은 절벽이었고 장례는 시간만 끌었다. 자연 걸음은 공항으로 달렸다. 이내 비행기는 창공의 구름 속을 날았고 한라는 아래이었다.

'왜 죽여야 했지?'

'악마가 따로 없지.'

이내 혼란은 활주로를 달린 비행기처럼 달렸고 몸은 택시로 형의 집을 찾았지만 집안은 적막이었다. 물론 조금도 의심할 수 없는 건 변한 분위기였는데 초상집이었다. 사실 지난번 귀국할 때는 그래도 웃음이 섞였다. 물론 웃음보다 더 아팠던 것은 이중인격이었다. 사실 그간의 침묵에 불신도 지웠다. 그런데 이젠 무한의 회개도 허락하지 않았다.

방안의 실내도 침묵뿐이었고 현관 밖도 다르지 않았다. 그간 기이하고 요란했던 장식장의 번잡은 이제는 인형일 뿐이었다. 그렇게 잠시 기다리니 절망한 표정의 여인이 겨우 들어왔다. 질문보다 대답이 빨랐다.

"무슨 일인지 모르겠지만 형은 집에 없는데?"

"그럼 어디로 갔는지도 몰라요?"

"발이 달린 동물이니 가고픈 곳으로 갔지 않겠어?"

대답의 무성의를 탓하지 않았고 슬픔의 위로도 더할 수도 없었다. 사실 위로는 오히려 상처를 긁는 일과 다르지 않았다. 기다림의 시간이 짧았기에 사실 그녀의 토로도 길지 않았다. 더군다나 형의 소식이나 분통의 내막도 듣지 않았다, 아마도 시간이 약일뿐이라 생각하지 않을 수 없었다. 더는 주변도 살피지 않고 응접도 사양한 터라 이별은 반가웠다. 동시에 다음의 처소를 생각하며 걸음을 날렸다.

'지금 그 무슨 말이라도 억장만 무너져 내리지 않겠어.

그래서 위로보다는 정의가 직방인 약인데 그것도 불가이지 않을 수 없는 건 그간의 장막이 가렸으니. 더군다나 여럿이 입 맞춘 거짓말을 밝힐 방법도 없잖아?'

'그런데도 원수를 사랑하라고?'

'그런 말은 직접 당하지 않고는 불가하지. 물론 죄인을 죽이자는 게 아니라 거짓말은 용서할 수 없다는 것인데 세상은 그렇지 않잖아. 그리고 인간을 졸도하지 않게 하자면 마음에 용기가 우선이지. 하지만 엎어진 물이라 되담을 수 없다면서 부화뇌동하는 짓들에 맞서야지. 그러니 집도 갈 수 없고 떠돈 건 자신의 모든 것을 강탈당한 충격에 끌려갔겠지. 그런데 찾기도 쉽지 않잖아.'

미혹의 꼬리를 잡으며 당나귀처럼 귀도 세웠다. 사실 시내의 소음은 당연이었으니 외면도 위안이었다. 그러나 억울한 사정의 사람은 왜곡에 매달이었으니 긴 숨도 쉴 수 없었다. 더군다나 지난번 오해도 걸림이지 않을 수 없었다.

'그간 배를 탔다지?'

'그게 삼년.'

'그럼 재기할 여력은 되겠구나. 사실 난 이런 선물보단 그게 진정이 아니겠니.'

드러난 사정을 파악하는 것으로 실망이었다. 물론 예전

의 장식장이 하나였으나 지금은 둘이었다. 그것도 선물이 빈 곳을 찾을 일이나 여분은 바늘을 세울 자리도 없었다.

'진품은 아니겠지?'

'사실이라 해도 모양으로 봐선 모르잖아요. 그리고 장식 장도 간간 위조품이 섞여있어야 강도들이 혼란스럽지 않겠어요? 그런데 보물은 화려하지 않거든요.'

'더는 고향을 외면할 수 없더라고. 더군다나 아버지의 임종도 지키지 못했지 않았겠어. 그러니 고향의 노모라도 더욱 정성으로 모시지 않을 수 없어 안천으로 모셨다.'

'그럼 그곳은 어떤?'

'요양원이지.'

'아들이 고마웠겠군요.'

'지금은 그게 대세이잖아.'

불확실한 대답을 듣고서 안천의 정보에 귀 기울이지 않을 수 없었다. 물론 그의 정성은 기대도 하지 않은 터라 서운할 것도 없었다. 하지만 이번에 굿을 본 일은 남의 일처럼 되지 않았다. 더군다나 그곳을 외면한 죄책감에 분노의 비애는 폭포이었다. 더는 억울한 인간의 일을 꺼 낼 사정도 아니었다. 다만 무녀의 사설이 여전히 귓전을 두들겼다.

'저승길이 길이던가? 시왕 문이 문이던가?

저승길이 길 같으면 오고가고 내 못 오면,

시왕 문이 문 같으면 열고 닫고 내 못 올까…….

도로를 걷는 그의 걸음은 느렸지만 어둠이 지워지지 않았다. 그런데 형수의 전언도 떠올랐다. 형은 자신의 생각과 달라 안천을 갔을지도 모른단 말이었다. 더군다나 시골의 답사는 그간의 외면을 지우는 일이었다. 분기를 누르고 달래기는 산사이나 고향만한 곳도 없었다.

'그래서 여우도 제 난 골을 돌아보잖아.'

'부모의 체취가 배인 곳.'

'죽음도 넘지 않겠는지.'

'그래서 안천을 늘 좋아한단 말이었어.'

'사실 그런 생각이 유독 그 분들만 그럴까?'

'그럼 나도 형도 닮겠지.'

'그런지 아닌지는 가보면 알겠고. 아무래도 서둘지 않고는 밤의 어둠에 갇힐 것 같으니.'

혼란한 생각도 내내 갈지자를 반복했다. 사실 누구의 조언이라도 있었으면 혼란은 덜었겠지만 미혹은 산길과 같았다. 물론 정한 곳도 나타나지 않은 터라 굴곡에 고개를 달려야했고 몸을 실은 버스는 이내 고속도로를 벗어나 금산도 지났다.

'오랜만에 가는 곳이라 기분이 편안해지는 걸 보면 고향

은 역시 부모의 품이었어.'

'그게 무슨 말이지?'

'금산의 이름도 같지 않았어?'

'그럼 도장이야?'

생각을 잇고 지울 순간에도 차는 안천을 향했다. 물론 시골의 사람들이 정류장마다 기다리었는데 대부분이 노인들이었다. 하긴 요즘 시골은 젊은이의 씨가 마른 터라 아이울음도 그쳤다. 그런 사정이니 여기저기 좌석도 빈자리가 대부분이고 노인의 독차지였다.

"어딜 가나?"

"안천이요."

"진안을 가자면 지나는 곳이지. 그곳도 무진장의 산을 흘러내린 용담이 접했는데 지금은 빈촌이 되었어. 그나마 마이를 찾는 차들이 천마처럼 들르지 않겠어? 사실 그곳은 이젠 떠나지 않을 수 없는 곳이고 미련만 남은 곳이거든."

박식에 놀랄 겨를도 없이 노인은 미소를 지었다. 물론 젊은이가 버스를 탄 사실이 싫지 않단 투였다. 물론 대중교통은 예전은 비좁았지만 지금은 외면이었다. 그런데 이웃한 자리에 젊은이가 앉았다. 본능의 눈길을 던지지 않을 수 없었다. 하긴 동석을 허락한다면 따분함도 지우겠지만 사정도 나눌 터였다. 그런 노인의 설명은 짧지 않았다. 물론 노인의 잔소리는 경계이었다. 노인은 한때 마이의 해설을 한 적이 있다고 말했다.

"사실 마이도 좋은 곳이지만 젊은 저는 그곳보단 용담이 좋지 않겠어요. 사실 용담의 둘레는 신비롭다 못해 곳곳의 인정도 담았으니 그러한 인정에 당겨진 천마가 내려온 건 아닌지 모르겠어요."

"누가 그래?"

"상상이죠."

기발함을 더하지 않아도 노인은 탓하지 않았다. 물론 이곳의 사정은 그의 박식을 따를 길이 없었다. 하지만 그의 말을 듣노라면 사설이 길기도 하거니와 자랑이 더할 터였다. 그럴 때는 홀림이 선수이었다.

"용담도 용담이지만 마이가 더 낫지 않겠어. 그래서 그곳을 해설했지 않겠냐고. 물론 주변의 풍광도 아름다워 진안의 명당이고 종국은 천마의 신기를 토해내지 않을 수 없거든."

"신기라고요."

물론 노인의 말은 사실이지 않았다. 하긴 노인의 해설은 자존이고 오랜 자랑의 근본이었다. 사실 노인의 이야기가 거짓이라면 누구도 귀담진 않았을 것이었다. 하지만 기이는 누구도 증명할 길이 없었다. 그런데 아직도 전하는 전설은 사실임을 드러내었다. 내뿜는 긴 호흡에 섞인 의심도 노인의 장황에 섞였다. 역시 용담은 골골의 물을 품었고 험악한 고개를 내주었다. 물론 차는 헉헉대며 고개를 넘었고 드러난 호수는 절경이라기보다 바다란 말이 옳았다.

"감격적이잖아요?"

"그렇지."

"그런데 용담은 이내 전모를 드러냈지만. 솟은 마이는 아직도 운무가 낀 게 사실이고요. 물론 거리도 멀지만 용담이 피운 운무가 마이를 휘감았지 않겠어요."

"운무는 댐이 원인이지."

"……"

"그런데 마이도 가나?"

"네. 오라지는 않지만. 외면이 서운할 것 같아, 갈지라도 지금은 무엇보다 급한 일이 있지 않을 수 없어서요."

"그렇게 급한 일이 있다면 다음일 뿐이지. 일이란 누구나 많지 않을 수 없는 법이고 그것에 매인다면 다음도 쉽지 않잖아. 사실은 우리의 만남이 고맙단 건 사실이고 무엇을 말하기보단 동행이 반가움이었어."

"그럼 고맙고요."

노인은 대답에 미소를 짓고 손을 흔든 후 서둘러 하차했다. 물론 시골의 정류장은 좁은 공터로 크지 않았다. 건물은 덩그러니 이름표만 세운 곳이었다. 이내 안천을 지나면 마이에 다다를 것이었다. 그런데 이웃한 기사의 전언에 반갑지 않을 수 없었다. 지나치는 차들의 과속을 일삼으니 조심을 하란 말이었다.

"안전이 제일이지 않을 수 없지."

"그래도 안천이 더 낫잖아요."

버스는 오래 머물지 않았다. 아마도 이웃한 곳의 정류장의 기다리는 사람을 배려하기 때문이었다. 물론 하차한 사람은 떠난 버스를 보내고는 도로를 걸었다. 시골의 길은 운치의 아름다움도 많아 거북하지 않았다. 거기에 용담의 휘감은 신비는 감탄을 안겼고 바람은 땀을 지웠다. 그런 곳이기에 누구라도 한번은 안천을 찾을 곳이었다.

'사람은 떠나도 추억까진 지울 수 없지. 사실 한때였지만 살기도 편한 곳이지 않을 수 없었으니 그곳이 진정 사랑할 곳이지 않겠어?'

'무슨 말인지?'

자답을 잇는 순간에도 차는 지나치고 걸음도 쉬지 않았다. 시골 정류소는 이제 사람이 보이지 않았다. 시골에 사람이 적었으니 차도 뜸했다. 그런데 안천은 그나마 사람이 많이 찾았다. 맑은 물에 이은 섬과 놓인 다리가 용담의 풍광이지 않을 수 없고 사람들은 정경을 사진으로 담았다. 그렇게 사람들이 고개까지 넘으며 곳곳을 사진으로 기록을 남겼다. 그런데 다리의 위에서 짧은 외침이 들렸다.

"무엇을 찾아요?"

"찾는 게 아니라."

사내를 바라보던 눈길은 순간 멈칫했는데 그 사내는 아직도 무엇을 찾는지 수면에만 열중했다. 그런데 드러난 외모에 야릇함을 느끼지 않을 수 없었다. 그건 수면안의 수초에 한 감탄이 아니라 기대한 우연이었다. 그러나 걸음은 서둘지 않았고 잠시 동정을 살폈다. 더군다나 급히 달려간 사내는 의혹을 밝히겠다는 듯 수면을 살폈다. 아마도 수면의 안에 기밀을 캘 터였다. 그러나 이내 실망을 토로했다.

"별것도 아니 걸."

"무얼 보았기에?"

"사실 난 이상하다기에 달려왔고 아래의 수면에 관심뿐이었잖아요. 그런데 기이한 것은 드러나지도 않고. 더군다나 맑은 물은 조금도 가리지 않아 보이는 것은 수초뿐이니. 그러니 춤추는 수초에 농락당한 게 아니겠어요."

사내의 푸념을 아랑곳하지 않은 사내는 아직도 수면의 관찰에 열중이었다. 물론 기이한 행동이 선뜻 다가서지 않았으니 의혹도 가진 심사였다. 그러나 기대는 드러나지 않단 눈길로 주변을 맴돌았다. 물론 그도 무엇을 찾으려는지 걸음을 당기지 않을 수 없었다.

'확인을 해봐야겠지.'

'그럼, 그렇지 않다면 저럴 까닭도 없잖아.'

'그런데 이상한 점은. 무엇을 찾는다는 게 이상하잖아? 모친을 찾을 까닭이라면 안천으로 갔어야지. 그런데 고개를 넘어 용담으로 온 건 무슨 까닭이지? 그건 미처 알지 못한 비밀이라도 있단 말인가?'

'하긴 사는 게 다 비밀의 연속이지.'

걸음을 당기던 숨도 잠시 멈췄다. 물론 곁을 스치는 차들의 과속도 가볍지 않았다. 과속하지 않는다면 약속된 시간에 도착도 어려울 터이고 휴식도 없었다. 그러니 시골의 길이란 좁은 인도가 위험이었다. 그러니 난간으로 몸을 붙이지 않을 수 없었다.

'그런데 용담에 용이라도 찾으려는 듯 저리 일심이니. 그러니 접근하는 사람도 알아보지 못하고. 혹시나 자살한 사람의 시신이라도 찾는 게야?'

'자살?'

섬뜩한 망상을 순간 지우지 않을 수 없었고 대답도 치웠다. 다만 형의 소재를 파악하고 만남에 안심을 잡았다. 실종된 처지에 상면은 관용만 부르기에 불만까지 날렸다. 아쉬운 넉살도 꺼내지 않을 수 없었다.

"혹시나 해서 이곳으로 왔는데 이렇게 만나다니 기적이지 않겠어?"

"실망한 건 아니었고?"

"그게 무슨 말이야. 사실 속내이지 않단 사실을 모르지도 않으니. 그리고 이제는 비보를 더는 혼자만의 전유물로 삼지 말아야지."

"그럼 나누겠단 말이야?"

"나눔은 어렵지 않지만 그렇게 나눌지 모르겠군. 그리고 이제라도 마음속의 불만도 지우지 않을 수 없고."

"그런다고 죽은 사람이 살아올까?"

"살아오진 않겠지만. 죽음으로 모든 게 끝났다는 생각은 잘못이란 말을 하고 싶거든."

"사망이 끝이 아니란 것을 모르진 않지. 하지만 그래도 난 마지막이지 않을 수 없잖아."

울분을 지우려는 듯 몸을 난간에 대며 넘으려는 짓을 난간이 일차로 허용하지 않았다. 다시 월담을 시도하려는 행동을 낚아채지 않을 수 없었다. 자식을 잃은 슬픔을 모

르지 않았으나 자신의 몸까지 던지는 행위는 해결도 아니
었다. 내심 그렇게 놔둘 수 없다는 듯 손은 허리춤을 움
켜쥐었다. 순간 그간 지녔던 응어리는 허탈이었다. 굵은
몸은 가랑잎이었으며 뼈대의 강직도 버들이었다. 거기에
억지를 부리던 분노는 주먹까지 참지 않았다. 순간 자신
도 모르게 방어하기에 바빴다.

"나쁜 놈의 새끼."

"무슨 말이야?"

"이제야 네가 이곳을 찾아온 까닭을 알 것 같고 속에
품은 의도가 확인되지 않았겠어?"

"의도는 무슨? 아마 자신의 슬픔에 정신이 혼미한 모양
인데 지난 일은 이미 지난 일이고 연연할 까닭도 없잖아."

"그렇다면 무엇 때문에 따라온 게지?"

"그분을 따를까봐."

입가를 움직이며 분기를 드러내는 순간 분노의 주먹은
얼굴을 맞혔다. 물론 안면에 고통이 깊은 터라 증오가 순
간 번갯불처럼 튀었고 손도 제어를 잃었다. 물론 다툴 사
안도 아니지만 내재한 고통에 분노는 반격도 의미했다.
그리고 더한 가격에 단추도 떨어졌다.

"이리 맞기만 할까? 사실 나도 원망은 많았지만 용서가
아니고는 풀길이 없다고 생각했지. 그래서 인연을 끊을

수 없는 처지라면 용서이고. 그래서 화해하려는 마음에서 선물까지 건넸지 않았겠어."

선물이란 말은 꺼낼 생각은 애초부터 없었다. 하지만 주먹질에 누구의 잘잘못을 가리자는 말은 꺼리를 찾지 않을 수 없었다. 더군다나 아집을 자르는 건 상징이었다. 물론 진위가 중요한 것이 아니라 그간의 용서를 실었다. 하지만 분노한 그에게 선물이란 말은 오히려 기름을 부었다. 그도 위조품으로 의심했을 터였다.

"내 이럴 줄 알았으니 너는 이젠 형제도 아니지. 더군다나 용서란 것도 믿을 수 없지 않겠어. 그간 변명에 술수만을 배웠단 말이다. 생사의 판단을 내리지 않고는 용서도 없는 카인과 아벨이라고."

"뭐야? 설령 그렇다하더라도 이젠 빚을 내려놓지 않을 수 없잖아. 그건 그 분들의 뜻이기도 하고."

그 분이란 말은 거짓이지 않았다. 얼굴에 가해진 폭력은 참을 수 있었다. 하지만 그가 가슴에서 꺼낸 칼날에 두려움은 그간의 신뢰도 무너뜨렸지만 위기는 촉급이었다. 더군다나 눈빛도 변했고 그건 지난날의 형도 아니었다. 물론 형제는 폭력을 허용할 수 없는 존재이었다. 그러나 폭력을 넘어 위기는 끝으로 달렸다. 더군다나 형은 결기까지 굳었다.

"이게 보답이었잖아."

"이건. 복수가 아니야?"

"너는 선물이라지만 받는 난 그것이 선물이지 않다고 느꼈지. 돌아 생각해보면 자결하라는 뜻이었으니. 그것으로만 죄악이 풀린단 뜻이었지 않겠어."

"그게 아니야."

그러나 형은 내미는 칼날에 힘을 더했다. 물론 방어는 쉽지 않았다. 더군다나 그간의 증오심도 힘을 지울 수 없었다. 순간 죽음보다는 정당방위가 필요한 순간이지 않을 수 없었으니 그게 반격이었다. 급박한 사정에 뒤로 물러서며 칼을 잡은 손을 잡아 비틀며 칼날을 돌렸다. 그리고 힘을 가하는 데 손끝이 떨렸다. 그런데 이상한 괴력이 있었다. 마치 살인이 고맙다는 듯 칼날이 자신의 가슴의 중심에 꽂혔고 순간 선혈이 허공으로 뿜었다.

"이게 네가 선물한 보답이야."

"뭐라고?"

형은 찌르는 칼끝을 자신의 가슴으로 받았다. 순간 예리한 칼날은 가슴을 뚫었고 깊음의 정도를 가렸다. 물론 그런 짓을 만류할 순간도 없었지만 제지는 더 어려운 순간이었다. 그리고 그건 형의 말처럼 선물의 보답이었다. 두 사람이 그렇게 한동안 몸이 엉기어 나대자 주변의 시선도 쏠렸다. 더욱이 분명한 것은 그들의 외침이었다.

"사람을 찔렀지 않겠어? 분명 살인하려는 모습을 분명
히 두 눈으로 보았다고."

"나도 증언을 추가하지."

25

충격의 결과는 자유의 박탈로 이어졌고 시간처럼 흐른
뒤는 재판의 귀결로 드러났다. 그러나 그날의 기억은 야
릇하지 않을 수 없었고 맺어진 결과도 가볍지 않았다. 물
론 환영을 키운 조잡한 싸움이었는데 심장이 떨리는 것은
황당함이지 않을 수 없었다. 예전 총알이 다리를 관통하
던 고통과 가슴은 동일이었다. 재빨리 칼날을 피한 가슴
과 손을 되치기 하던 저항도 의도이지 않았지만 가슴의
중앙에 칼끝이 닿았으니 그건 반전이었다. 물론 가해자의
의도와 다른 결과이었다. 형의 반향도 크지 않을 수 없었
다.

"더는 멈출 사정이 아니잖아? 이건 예전의 쌓인 원한의
풀어야겠지. 그러니 이에는 이로 되갚는 게 바람직하지
않을 수 없잖아?"

"그런다고 한이 풀릴까."

대답은 결과이었고 공격의 힘도 의도와 다르지 않을 수 없었다. 물론 그의 힘은 가슴을 뚫을 듯 가슴을 행했고 이후는 타력이었다. 물론 감정과 의도도 저의는 달랐지만 그건 증오의 끝장이었다. 그러나 순간 그리 반전한 까닭이 실이지 않았다. 물론 처음 칼날을 위협을 피하는 생각으로 돌렸지만 그건 의도이었다. 그런데 칼날의 표적은 갑자기 힘을 얻었으니 까닭도 더했다.

"꼭 상대가 죽지 않고는 원한이 풀릴 길이 없다고 미웠잖아. 그러니 용서하란 말은 앵무새의 치장이었고 난 따를 수 없었다고나 할까."

"그럼 자결을?"

"자결은 쉽지 않지만 그러라고 배우지도 않았잖아?"

"맞아."

"사실 난 그저 한을 이해하지 못했고 풀려고만 하지 않았겠어. 그건 너도 다르지 않을 터이고. 하지만 언제까지 그리 살 수도 없잖아?"

"그래도 이런 건 아니지. 더군다나 난 용서받을 생각으로 찾았고 또 이젠 마지막으로 위로하지 않을 수 없기에 찾아왔지 않겠어."

사실 통한의 변명이 불길처럼 번졌다. 그러나 그간의 과오는 한 순간의 구애로 풀리지 않는 건 사실이었다. 그러니 순간 본능은 정당방어를 택했다. 막무가내로 가슴을 향하는 칼날에 겁도 났다. 아직 닿지도 않은 살갗은 격정과 공포는 소름이었다. 물론 정당방위의 갑작스런 반격은 의도는 아니었다. 사실 증오를 꺾으려는 회군일 뿐이었다. 그러나 이는 순간을 놓칠 수 없는 경찰을 불렀다. 아마도 순찰을 돌다가 달려온 모양이었다. 도로를 고속으로 달려가는 차는 외면하고 사건을 카메라로 기록을 남겼다. 그들은 의기양양했다.

"이건 현행법으로 체포하지 않을 수 없잖아? 저 칼날을 봐. 칼날이 가슴을 향했고 살려고 저항하는 사람을 잔인하게도 찔렀으니 가슴은 선혈로 낭자하고 이젠 변명도 소용없겠으니 확실한 증거도 확보했잖아? 더군다나 칼이 향한 지점을 보니 급소가 분명하고 물든 피는 상처의 깊이까지 알려주는 게 사실이지."

"살인미수지."

현행범으로 체포되는 것으로 자유는 정지되었고 손엔 수갑이 채워져 순찰차에 실렸다. 범인을 체포한 경찰은 의기양양하여 경찰서로 달렸다. 그리고 증거와 증인의 확보로 조서는 일사천리로 꾸려졌다. 사실 애초부터 부인할 마음도 없었으니 사건의 실체는 객관적인 경찰의 증거로 분명했고 그 또한 객관적인 사실을 부인하지 않았다. 물론 그렇게 한 것은 사실의 명확한 자신감과 증언도 일조해서였다. 그러나 진행된 재판은 예상을 뒤집었으니 누구도 이를 옹호하지 않았다. 이내 내려진 근엄한 법관의 추상같은 판결로 물 흐르듯 기한을 내리며 정의구현까지 실현이었다.

〈살인미수가 분명하므로 사년의 형을 선고한다!〉

그런 얼마 후 감방의 안은 여러 동료가 둘러앉았다. 모두 사연은 각각이지만 그들은 자신보다 사내의 사건에 억울함에 게거품을 물었다.

"이건 너무 불공정한 판결이지 않아? 하긴 판사는 글줄이나 읽은 지식을 내세우지 않을 수 없지. 그건 물론 우리 같은 범법자에겐 그저 자신의 명성에 공적을 쌓을 일이지. 이 사람의 재판이 그 증거이지 않을 수 없으니 살인이란 죄의 판결이 너무 억울하잖아. 이렇게 명확한데도 재심을 신청하지 않는 까닭이 무엇이란 말이야? 그리고 피해자 또한 남도 아닌데 어찌 억울한 사정을 외면한단 말이지. 아무리 정의가 사라진 세상이지만 이럴 순 없는 법이지. 그리고 그저 받아들이는 자도 잘못이 크거니와 그건 의리도 아니지. 사실 형제란 한 몸에서 태어나 죽은 뒤도 같지 않을 수 없는 존재란 것을 안다면 사사로움에 매일 순 없잖아? 하긴 내가 배운 성서에도 죄는 사망과 저주로 풀려하지만 그 짓을 언제까지 반목할 수도 없잖아? 비록 우리 같은 죄인의 배움으로도 명확할 대답이라면 대명천지는 다른 처신을 하지 않을 수 없다고. 그러니 이 판결은 아무리 이해한다 해도 부당하지 않을 수 없으니 맞서 싸우자는 게 이 방안의 사람 모두의 뜻이잖아?"

"그런다고 판결이 뒤집어지겠어."

"뒤집자는 게 아니라 정의를 실현해야한단 말이지. 그런데 사실 의문은 정말 형을 살해하려했느냐는 게지. 사실 그럴 마음이 있었다면 거기엔 알 수 없는 무엇이 있다는 게 나의 경험이고 더군다나 형제란 게 말한 것처럼 한 몸이었잖아?"

"형제는 한 몸이 아니지."

"맞아. 진정 한 몸은 배필뿐이니."

동료의 언쟁은 소란으로 더욱 혼란만 불렀다. 물론 그들의 진솔한 고백이 마음을 흔들었다. 물론 같은 처지의 사람이라 장막도 걷히었으니 경계심도 없었다. 하지만 아무리 생각해도 그들의 말처럼 순간의 명확함을 알 까닭이 없었다. 다만 마치 물처럼 흐른 세월이 반전이었다. 더군다나 죄를 부인할 생각도 없었으니 재판의 판단은 옳았다. 그런데 자해한 까닭은 아직도 굴속이었다.

'이런 짓이 불효도 불효이지만 그래도 의리도 아는 사람이라 그러하지 않을 수 없었던 까닭은 뭐였지?'

'그건 부당함의 저항이지.'

'아냐. 그럴수록 용서해야지.'

"그럼, 카인과 아벨의 재판인가?"

고민을 살피던 동료의 참견이 조금도 신뢰를 더하지 않았다. 물론 그런 위인도 아닌 초로인 탓이었다.

"그렇지. 사실 원한을 풀 길은 보복이지 않잖아. 더군다나 자식도 잃은 처지가 아니었냐고."

"그럼 동생을 죽이려하지 말았어야지. 그건 거룩한 이야기와는 본질도 다르지만 칼이 해결일 수 없는 건 분명하지. 부당한 말로 본질을 흐린다는 건 죄악을 더하는 일이겠지만 나중 심판도 염려되지 않았겠어?"

"그럼 복수의 화해였단 말이야?"

그렇게 감옥의 울안에서 섞인 각론처럼 세월도 돌고 돌았다. 하지만 그 안의 소란을 일으킨 것도 사실이었다. 물론 부당을 주장한 사람도 많았지만 인정은 지울 수 없는 화두이었다. 물론 감옥생활은 오히려 사내에게 자유이지 않을 수 없었다. 더욱 그런 핍박은 편안의 시작이지 않을 수 없었다.

'이젠 조금도 부당하지 않아.'

'오히려 감사까지 한 걸?'

"돌았군."

감옥 안의 동료는 반문하지 않을 수 없었다. 물론 이젠 그런 말에 서운하지도 않았지만 이어지는 면회는 오히려 부담이었다.

"그만 왔으면 좋겠어."

"그럼 아직도 혼자이길 바란단 말이요. 설마 예전의 언약을 까맣게 잊진 않았겠죠?"

사실 이일이 평생을 지배하는 화두였다. 물론 용서할 때까지 편안한 사정이지도 않아 상흔에 회오하지 않을 수 없었다. 하지만 모든 동료의 시샘을 받았다. 물론 잦은 면회와 정성도 더한 탓이었다. 그건 누구라도 하루빨리 벗어나려는 죄수의 심정이었다. 물론 지금의 사정도 다르지 않아 그녀의 출현이 여간 부담이지 않았다. 그런데 여인의 등 뒤에 다른 이도 보였다.

"그간 너무나도 찾고 싶었지 않겠어요? 그래서 달려왔는데 하늘은 무심하지 않아 이곳까지 올 수 있게 된 걸 어떻게 감사해야할지 모르겠어요."

"그럼 설산을 넘었단 말이요?"

"물론 고개는 높았지만 만남은 이뤘지 않겠어요."

"이런 기적이?"

그의 감탄에 여승은 잠시 미소를 지었다. 그리고 합장한 손이나 고깔을 쓴 머리는 조금도 어울리지 않았다. 그런 변신을 본 것은 기적이었다.

"그저 은혜뿐이지 않을 수 없으니."

"그 말뜻도 궁금하지만. 그보다 먼저 속죄하지 않을 수 없겠군요. 더군다나 이곳을 찾은 옷차림을 이해할 수도 없지 않겠어요?"

"그럼 환영이라고요?"

현실을 받아들이라는 눈길이었다. 물론 슬쩍 살핀 얼굴도 여전하지만 사연도 짧지 않았다. 물론 여승의 출현으로 면회는 봄날을 맞았다. 물론 불신의 까닭도 이젠 녹았다. 하지만 그녀의 불만은 안개처럼 짙었다.

"기적은 혼자만이 아니에요."

"무엇인지 묻지 않을 수 없지만 사실 이젠 관심도 둘 일도 아니지. 더군다나 감옥에 갇힌 사연에 감사하기도 버겁잖아? 물론 예전 실망도 태산일 거고."

"태산이요?"

"무색인가."

"그럼요. 아직도 이 사실이 믿기지 않지만 정녕 사랑을 부정할 수 없잖아요."

"설산을 넘는 고행과 다르지 않으니 신선하군요. 하지만 난 이젠 그런 사랑은 하지도 않지만 구원도 바랄 수 없는 처지이라고."

"구원이요? 이미 드러난 것처럼 날 말하는군요. 하지만 있는 게 없는 것과 다르지 않고 생사 또한 다르지 않단 말씀에 의지할 수밖에 없겠군요. 사실 내가 고통을 받은 것이 설산을 오른 그 감사에 비길 순 없겠지만. 그러나 석방이 주어지면 변하지 않겠어요?"

석방의 기대는 내일이었고 오늘은 고통일 수밖에 없었다. 마술을 부리 듯 찾아온 여승의 출현은 충격 그 자체이었고 지금까지 본능적인 생각도 지웠다. 물론 사정은 사람도 바뀌게 만드는 법이었다. 더군다나 이곳까지 찾은 그녀의 내막도 단순하지 않았다. 그곳의 창엔 나뭇가지가 보였는데 잎을 떨어뜨린 가지였다.

"무엇을 찾나요?"

"이리 집요할 까닭이 없잖아."

"하긴 그분이 나타나지 않았으니."

"그게 무슨 말인지?"

"내겐 아버지이며 오빠였고 또 구원이지만 오체투지의 환영이었지 않겠어요."

"그게 무슨 말이요?"

"그게 한 사람의 도움만이 아니고 모두 같은 마음이었

으니까요."

　여승의 고백에 허탈과 기대감을 잡았다. 순간 심저의 고
통은 허탈이었다. 물론 그녀의 고백을 믿지 않을 수 없었
고 또한 그 까닭도 알 것 같았다. 물론 오빠는 설산의 신
이었으나 노부에겐 고통이었고 그 고통을 풀 길은 오체투
지의 실현이었다. 그런데 그 끝에 만나야할 부처는 없었
고 좌대에 죽은 아들이 앉아있었다. 그런 무례는 죄악일
수밖에 없다는 신음을 토했다.

　"이럴 수 없잖아?"

　"왜 그래요."

　"연대에 앉은 부처가 보이지 않으니."

　"그럼 누구란 말이요."

　"지금까지 난 그 부처님을 만나고자 고통을 이겼는데
눈에 물거품이 끼었지 않겠어요?"

　"아니에요. 그건 사실이고 말씀도 다르지 않지만 선물이
아닐 수 없군요. 오직 사랑만이 구원인 까닭이 아니겠어
요."

　"그래요. 너무나 충격이라 행복도 모르겠어요."

　회오의 절규는 가늘어질 수 없었다. 더군다나 호흡도 급
할 수밖에 없는 사정이었다. 힘을 잃은 손에서 땀이 솟는
건 당연이었다. 그때 울의 곁으로 지나가던 소방차의 경

적이 들렸다. 그러며 다급한 곳을 소외하지 않은 것 같았다.

"이젠 갈까 봐요."

"그래도 배웅할 수 없잖아."

"나도 바라지 않아요. 비록 이곳에 남아 고생을 하는 것도 남의 일이지 않고 그런 건 기대하지도 않거든요."

"기대?"

여인의 대답은 잇지 않았다. 그리고 떠난 여승의 조우는 허망이지 않았다. 이마도 기다림이 운명이라는 생각도 더하지 않을 수 없었다.

"석방하는 날 봐요."

"그럴 것까지야?"

겸손을 던진 시선이 환영을 잡았다. 물론 지난날을 통한 환영은 장승이었다. 더군다나 칼을 잡은 사천왕을 닮았다.

'그래도 아직은 할 일이 있는 것 같은데. 외면이 방편은 되겠지만 그건 사내의 도리도 아니잖아? 만일 그 일을 해결하지 않고는 행복은 거짓이지 않겠어?'

'어렵겠군요. 하지만'

'그건 내가 넘을 고개이지.'

'고개?'

그의 번민은 파도를 닮았다. 사실 아내의 만남에 부담은 여승의 만남으로 부족함을 날렸다. 그러나 떠난 사람의 일은 파국을 찾았고 짐도 가볍지 않았다. 그런데 그것을 여승이 충격을 더했다.

"색즉시공이라 하지 않았나요?"

"공즉시색이죠."

"머지않아 시골로 갈 것 같아요. 그러나 어느 곳을 가더라도 곁에서 지키는 사람이 있으니 걱정하지 않아요. 그리고 알고 보니 가려는 곳이 마이이지 않겠어요."

"금산은?"

"그곳도 좋은 곳이지요. 하지만 기숙할 곳은 그 곁일 것만 같아요."

그렇게 대답을 던졌고 합장으로 이별이었다. 물론 낯선 곳도 아니었으니 인접은 이웃이었다. 그러는 중 다시 면회를 온 아내의 설명도 따랐다. 사실 지금이라도 달려가고 싶은 곳이지만 그것은 의욕뿐이었다. 하지만 그녀의 기다림은 감사할 수밖에 없었다.

"물론, 그곳이 우리의 고향이고 사랑하지 않을 수 없는 건 언약이라는 생채기였지만 그래도 부모의 뜻을 버릴 수 없었단 생각이군요. 그리고 그게 진정 모두를 위하는 일이지 않을 수 없었고요."

"그게 진심이라고요? 그러나 아직은 악연의 모습도 확

인하지 않았잖아요."

"미안해요."

"괜찮아요."

"이제야 마음을 놓을 것 같아요. 물론 아직은 그럴 수 없겠지만 오체투지는 충격 그 자체였어요."

아내는 한동안 생각을 잇더니 미소를 지었다. 물론 번민은 짧지 않겠지만 기대의 소원은 가진 듯 미소로 작별했다. 물론 그도 그런 모습에 감사하지 않을 수 없었다. 그리고 뒤이은 출소가 정해졌고 만남은 필연이었다. 그런데 떠난다던 여승이 자릴 찾았고 기다렸다.

"사실 시간을 맞추어 찾았는데 말 한마디 남기지 않고 바람처럼 사라졌지 않겠어요?"

"바람이요?"

"사랑도 같은 거죠."

이내 그 무엇도 힘일 수 없다는 듯 다리가 떨렸다. 물론 이날의 재회를 위해 그간 드러내지 않았던 텁도 업었다. 물론 모습은 야릇했지만 등에 아이는 불만도 모른다는 옹알이를 그치지 않았다. 물론 그간 오기로 이를 물고 살았다. 그간 견딘 고통을 쌓았으면 설산과 같았고 넘은 고통은 오체투지와 비견되었다.

"현실을 이제야 알겠어요."

"절망이 희망이지 않다고요? 그러니 출소한 뒤 더 다급한 일을 알았겠지요. 그렇다면 여유는 원망일 수 없으니."

"이런 모습을 보고도 그런 말이 나와요?"

"물론 어렵겠지요. 하지만 일이 남았다면 하는 수 없잖아요. 돌아오지 않을 것도 아니니 불만일 수도 없고요. 진정 사랑한다면 욕심은 아니잖아요."

"아직도 사랑을 이야기하는 까닭을 모르겠군요. 물론 구도라고 다를 수 없겠지만 그래도 속세의 일은 이럴 수 없잖아요?"

"그래도 원망이 남았어요?"

책망에도 그녀의 불만은 좀처럼 사라지지 않았다. 물론 그것은 포기할 수 없는 욕심이란 것도 알았다. 더군다나 시샘이란 생각도 지울 수 없었다. 그러나 갈팡질팡한 지난날을 생각하면 이럴 수 없었다. 허탈한 그녀는 그 자리에 주저앉을 것만 같았다. 그걸 여승의 부축이 도왔다.

"사실 찾아갈 그곳을 짐작하고도 남아요. 이렇게 헤어진 게 어쩜 영원이란 생각도 들고요. 그러니 애초 기대감은 욕심이었고 이젠 상실도 알았으니 우리도 개벽이라도 해야겠어요.'

"그럴 수 없단 걸 잘 알잖아요."

대답을 듣는 순간 웃음이 터졌다. 물론 그간의 모습이

기이하지 않을 수 없었다. 더군다나 여승의 모습도 같은 것만 같았다. 사실 그녀도 이젠 가족뿐이란 생각이었다. 더군다나 책임도 지울 수 없었다. 기대의 실망은 온전히 혼자의 몫이었다. 다만 기다림에 지쳐 쓰러질 즈음 더 괴롭히는 것은 등의 짐일 터였다. 아이도 불평을 털었다.

"이젠 너도 사정을 보았지 않겠어? 처음으로 만날 것이라 기대했지만 버릇은 개도 줄 수 없지 않았겠냐고? 이젠 우리가 마이였으니."

"마이요?"

여승의 표정은 실망이 아니었다. 그 위로보다 행복이 없단 투이었다. 물론 다시 만날 기회도 없었고 다음은 언제라고 기약할 수 없었다. 더군다나 하나를 이루겠다는 바람도 안개이었다. 예전은 사랑이었지만 이젠 원망이지 않을 수 없었다. 더군다나 아이의 울음은 끝도 몰랐다.

"고생길이다."

"사는 일이 언제나 기다림이 아닐 수 없단 생각이 분명하지 않겠어요. 그리고 잠시는 불행하나 안개는 이내 걷히는 법이잖아요."

"아니에요."

"무슨 말인지?"

"시간은 돌아오지 않으니까요."

침묵은 한동안 더 이어지고 냉정함은 거리를 넓혔다. 그간 참았던 세월만큼이나 실망감은 눈덩이를 굴렸다. 더군다나 기대는 이제 파편이었다.

"둘이란 사실이 너무도 불안하군요."

"그간도 잘 견디었잖아요?"

"아니에요. 그런 건 다 믿음이 있었기 때문이고 지금은 빈자리이잖아요."

여승은 가방에 넣었던 쪽지를 건넸다. 아마 그간 적은 사연이기에 받기도 힘들었다. 그러나 여승의 이별이 가까운 탓으로 받지 않을 수 없었다. 이내 여승은 작은 목소리로 말을 건넸다.

"둘이 아니라 셋이에요."

"뭐라고요?"

여승은 까닭을 밝히지 않았고 얼굴에 미소만 즐겼다. 물론 분하고 억울한 성깔은 이내 폭발했고 앙탈로 이었다. 그러자 여승은 까닭을 풀었다.

"셋을 기대했잖아요?"

"그래요. 하지만."

의혹의 반문에 눈총을 쏘며 입술을 움직였다. 물론 눈물도 없었지만 심저에 불안도 사라지지 않았다. 그러나 의혹은 그것도 지웠다. 물론 어설픈 변명을 잇는다면 여간 실망이지 않을 터였다. 그런데 여승의 대답은 위기를 비켜가지 않았다.

"그렇다면 조금도 부족하지 않잖아요. 비록 그 사람은 아니지만 세 사람이지 않아요?"

"그럼 그 사람은 바람인가요?"

"그런 셈이죠."

"실망이군요. 사실 그 사람은 아니지만 세 사람이란 것은 맞지만. 그래도 마음은 빈자리에 사람이 없으니 허망이지 않을 수 없거든요."

"그게 생각하기 나름이 아니겠어요?"

"그게 무슨 말이에요?"

"사실 사람이 사라졌다는 것도 틀리지 않을 수 없으니까요. 잠시 여행을 간 사람을 없다고 한다면 누가 믿겠어요. 더군다나 곁을 지키는 사람을 제외한 생각이라면 그건 아집일 수밖에 없으니까요."

"이제 어딜 가려는지?"

"마이를 가야지요."

"네, 그곳이 사달을 불렀던 곳이지 않겠어요? 하지만 겨울의 절경은 그만이에요. 흰 눈발이 내리는 꿈도 가끔은 꾸거든요. 하얀 눈이 펄펄 내리었다가 이내 사라지지만 서로 다르지 않다는 듯 손을 잡았다가 어느새 사라지지만 흰 산을 이내 드러내더라고요."

"설산이요?"

"설산이 어디 그곳뿐이겠어요?"

"네. 눈꽃 같은 세상이거든요.

끝.

맺음말, 2023

天馬東來勢已窮 (천마동래세이궁)

霜蹄未涉蹶途中 (상제미섭궐도중)

涓人買骨遺基耳 (연인매골유기이)

化作雙峰屹半空 (화작쌍봉흘반공)

-馬耳山 고황제-

　길은 산을 돌아 용담을 휘돌고 물색은 맑아 하늘을 담았
다. 먼 길을 걸어 찾아왔으니 등에 땀도 흐르거니와 목의
갈증도 사막을 걸은 기분이다. 그러나 용담은 물을 가득
담아 자비를 베푼다. 오랜 적부터 지녔던 기억은 옛집을
찾으나 지금은 물속인 터라 갈 수도 없다. 하지만 왠지
마음은 기억을 지울 수도 없거니와 춤추는 수초도 낯설지
않다. 하여 잠시 발길을 머물며 주변을 돌아본다. 가까운
다리는 섬에 걸쳤고 수심은 얕지도 않지만 물속의 고기는
춤을 멈추지도 않는다. 예전도 그랬지만 지금의 마음도
그 집을 찾아들고 마이의 탑 그림자에 기도를 드린다. 지
나간 세월도 많은 탓인지 높은 곳은 이끼도 둘렀다. 애초
의 기원은 세월을 달렸고 등에 업은 애기는 미소를 짓는
다. 얼마나 기다리고 참아온 세월인가? 용담에 담긴 물이
마를 일도 아니지만 바람은 시샘을 놓지 않는다. 흐르던

구름도 이젠 산 뒤로 숨었고 멀리 보이던 마을도 이젠 등
불을 지폈다. 비록 그리움은 파편을 남겼어도 미련은 가
슴속을 에돌기만 한다. 멀리 천마의 소리도 이젠 없지만
금당의 염불은 끝을 모른다. 누가 더 나을 것도 아니지만
정성은 결코 없어지는 게 아니다. 이제 걸음이 이곳을 지
나면 마이의 산 그림자도 이내 어둠에 사라질 터이다. 하
지만 눈꽃 같은 인생에 찍은 미련은 그래도 고택의 기둥
에 꽂은 바람개비를 따라 돌기만 한다.

'용담은 개벽의 집이다.'

지난겨울 눈이 많이도 내렸다. 온 산천이 흰 산을 이루
어 뼛속은 물론이고 마음도 온통 흰색이 되었다. 그토록
화려하고 다양하던 모습도 어느새 서로가 하나가 된 것이
다. 그래서 눈은 언제나 지울 수 없는 과거의 기억, 그리
고 잘잘못을 덮어주곤 한다. 그러나 그렇다고 소멸이 된
것은 아니다, 허공을 맴도는 메아리로 멀어질 뿐이다.
그래서 다시 기억을 불러 소회를 적어보았다. 그리고 마
지막으로 드러난 것은 모두가 서로를 용서하고 사랑하며
그리고 꿈을 꾸는 일이다. 이내 눈꽃처럼 사라질 인생이

니 말이다. 하지만 개벽은 이를 모르지 않으며 다음에 반드시 드러낼 것이다. 다만 형상을 아직은 모를 뿐이다.